LES FLAMMES
DE ROME

Merci à Franck Henry pour ses remarques et suggestions toujours si judicieuses.

Anne Lauricella

L'édition originale de ce livre a été publiée pour la première fois en anglais
au Royaume-Uni par Puffin Books, Penguin Books Ltd (Londres, Angleterre),
sous le titre *Time Riders : Gates of Rome*.

Traduction française © Éditions Nathan (Paris, France), 2013.
Loi n° 49-956 du 16 juillet 1949 sur les publications destinées à la jeunesse.

ISBN : 978-2-09-254399-3

TIME RIDERS

LES **FLAMMES** DE **ROME**

ALEX SCARROW

TRADUIT DE L'ANGLAIS PAR ANNE LAURICELLA

À mon frère Simon, qui m'a gentiment donné la permission d'utiliser deux de mes personnages de roman préférés, Caton et Macron.

PROLOGUE
10 AOÛT 2001, BROOKLYN

Joseph Olivera haletait dans une obscurité totale. Le bruit rauque de sa respiration résonnait entre des murs, quelque part, loin dans les ténèbres. Il essaya de se calmer, d'apaiser ses nerfs.

Tu savais que ça se passerait comme ça.

Oui. On lui avait tout raconté : la sensation de chute, le néant laiteux, la légère pression de l'énergie qui recouvrait lentement la peau, telles les mains agiles d'un pickpocket. Il s'y était mentalement préparé, et Waldstein l'avait bien prévenu que la première fois serait la plus difficile.

Mais il ne s'attendait pas à cela. Une nuit profonde.

– Il… il y a quelqu'un ?

De l'eau s'égouttait quelque part, peut-être d'un plafond bas. Un faible grondement s'amplifia en passant au-dessus de sa tête avant de se fondre dans le néant.

– Il y a quelqu'un ?

À ce moment-là, Joseph entendit un autre bruit. Un raclement métallique, derrière lui. Il se retourna et vit apparaître un trait de lumière qui s'élargit dans un tintement de chaînes. Il comprit qu'il s'agissait d'un rideau en fer qui se levait. Dehors, il distingua deux pieds, des pavés, le voile gris d'une lumière diffuse.

– Hé-ho !

Une silhouette se pencha pour regarder par-dessous le rideau métallique. Un homme bedonnant, la cinquantaine, barbu avec des lunettes, apparut. Il portait un pantalon en velours côtelé élimé et une veste en laine verte ornée de pièces de cuir aux coudes.

– Hé-ho ! répéta-t-il.

Joseph s'accroupit de façon à ce que la lumière du dehors capte son visage.

– S-suis-je au bon endroit ?

Le barbu émit un petit rire.

– Ah ! Vous devez être notre nouvelle recrue.

Il se courba, passa sous le rideau métallique et fit quelques pas de l'autre côté, cherchant un interrupteur à tâtons.

Un néon pétilla au-dessus de Joseph. Il comprit qu'il se trouvait sous une arche en briques. Ça sentait le ciment humide et l'urine. Dans un coin, il distingua un amoncellement de rouleaux de fils électriques flanqués d'une dizaine de cartons ornés d'images de vieux ordinateurs. Des bribes de la technologie balbutiante du début du XXIᵉ siècle.

– C-ce n'est pas le bon endroit ? s'inquiéta Joseph.

L'homme sourit et s'avança vers lui. Ses semelles firent craquer des éclats de verre qui jonchaient le sol crasseux.

– Si, c'est bien là, assura-t-il en lui tendant la main. Mon nom est Frasier Griggs, au fait.

– Joseph Olivera.

– Je dois admettre que ça n'a pas beaucoup d'allure pour le moment. Je suppose que M. Waldstein vous a expliqué qu'on vient juste d'arriver ?

Joseph hocha la tête en signe d'acquiescement.

– Mais je… je pensais…

– Vous pensiez que ce serait plus grand ?

– Oui.

Frasier rit de nouveau.

– C'est tout à fait ce qu'il nous faut, lança-t-il avec un regard alentour. C'est un bon choix, je dirais. C'est bien, c'est discret. Je crois que c'est resté inoccupé depuis des années – si on oublie les clochards et les drogués, ajouta-t-il en donnant un léger coup de pied dans une bouteille vide qui roula parmi les saletés et les crottes de rats.

Joseph jeta un coup d'œil aux pavés, devant la porte.

– Nous sommes vraiment en 2001? Je suis vraiment retourné un demi-siècle en arrière?

– Mais tout à fait, oui. Le 10 août 2001, pour être précis.

Frasier s'exprimait avec un accent légèrement théâtral, que l'on appelait autrefois «anglais», avant que cette petite nation ne se fonde dans le Bloc européen.

Il s'approcha du rideau métallique et se baissa pour regarder dehors. Frasier l'imita.

– Voici Brooklyn. Dites-moi, Joseph, avez-vous jamais vu des images de Brooklyn avant que cette partie de New York ne soit abandonnée sous les eaux en crue?

Joseph secoua la tête. Il ne connaissait que la banlieue de cette ville qui fut belle autrefois mais qui n'était plus qu'un dédale de rues détrempées et envahies par des mauvaises herbes et de chétifs arbrisseaux.

– Brooklyn était un endroit très animé, plein de caractère.

Frasier contempla le mur de briques recouvert de graffitis qui leur faisait face et au-dessus duquel planait un horizon urbain composé de grues, de toits d'usine et d'entrepôts. Il soupira.

– Autrefois, je collectionnais des CD d'une valeur inestimable, d'à peu près cette époque. Une musique merveilleuse qu'on appelait *hip hop*: Big Daddy K, MC Kushee… Vous avez déjà entendu parler de ces artistes?

Joseph fit signe que non.

– Ah, bien. Il n'y a plus que des vieux schnocks comme moi pour écouter ce genre de choses, aujourd'hui. D'ici trente ans, tout ça disparaîtra, ajouta-t-il en montrant d'un geste le paysage devant eux. New York ne sera plus qu'une ville fantôme qui s'est noyée, des ruines à l'abandon qui finiront par moisir. Dommage.

11

Au-dessus d'eux, le ciel était d'un bleu réconfortant, sans nuages, rayé du blanc sillage d'avions à réaction.

– Enfin, je présume que M. Waldstein vous a déjà dit en quoi allait consister votre tâche?

Joseph acquiesça en silence.

– Nous nous procurons autant que possible des équipements venus du présent. C'est plus sûr. Moins on laisse de traces de notre époque, mieux c'est.

Joseph désigna les cartons d'ordinateurs.

– Elles sont suffisamment puissantes, ces vieilles machines, pour...?

– Absolument. Je vais devoir bricoler le réseau pour synchroniser l'unité centrale. Je vais enlever ce système d'exploitation qui date de l'âge de pierre et mettre un logiciel de WG Systems à la place. Ça devrait aller.

Joseph observa Manhattan, de l'autre côté de l'East River.

– Quelle vue, n'est-ce pas? commenta Frasier. C'était vraiment une ville superbe, en son temps.

– C'est vrai.

Ils entendirent le hurlement lointain d'une sirène de police, la corne du ferry de l'East River en route pour Governors Island, le rythme étouffé de la hi-fi d'une voiture qui passait, le *flop-flop* imperceptible d'un hélicoptère, haut dans le ciel.

Joseph se surprit à partager l'émerveillement ingénu de Frasier. *Tout a l'air tellement plus vivant.*

Cette humanité était pleine de passion et d'énergie. Vu d'ici, le futur semblait sans limite, les possibilités infinies. Voilà à quoi le monde ressemblait quand il était encore nourri d'espoir. Le pouls de Joseph s'accéléra devant cette vision enivrante.

– Bon... la base opérationnelle de M. Waldstein ne va pas s'organiser toute seule si on reste les bras croisés. Il y a beaucoup à faire.

Frasier se leva et, d'un coup de pied, fit voler un vieil emballage de hamburger à travers la rue pavée.

– M. Waldstein nous rejoint-il aujourd'hui?

– Oui… il s-sera là dans peu de temps, répondit Joseph en essayant de contrôler son bégaiement.

– Tant mieux, dit Frasier. Parce que j'ai besoin de savoir où je dois mettre sa machine de déplacement spatiotemporel, si l'installation électrique tiendra le coup et, bien sûr, où je dois placer le groupe électrogène.

– Et mon matériel, où est-ce que je le mettrai?

Frasier montra du doigt un coin obscur de l'arche.

– Dans la salle du fond – vous voyez cette porte coulissante? –, avec une demi-douzaine d'éprouvettes biologiques Gen-Inc-5H du Centre de recherches en génétique de Salt Lake City et plusieurs centaines de litres de cette solution de croissance dégoûtante. Croyez-moi, ça n'a pas été facile de télétransporter tout ça.

– Est-ce que tout a été monté?

– Non! Ça, c'est votre travail. Tout ce qu'il va vous falloir d'autre – à l'exception des fœtus, bien entendu –, vous devrez vous le procurer sur place.

– Ah, très bien.

Un immense sourire illumina soudain le visage de Frasier et ses yeux s'agrandirent derrière ses verres brillants.

– Ce n'est pas rien, son projet, n'est-ce pas? Les *Gardiens de l'Histoire* et tout le reste!

– Oui… oui, en effet.

– Vous savez, trois personnes seulement dans toute l'histoire de l'humanité ont voyagé dans le temps: M. Waldstein, moi… et maintenant, vous. Vous vous rendez compte, les hommes ont été plus nombreux à marcher sur la Lune qu'à faire ce que vous venez de faire.

Joseph apprécia sa remarque d'un grand sourire. L'enthousiasme de Frasier était très communicatif.

– Allez, on a à faire, mon vieux, on a à faire. Mais d'abord, que diriez-vous d'un café? J'ai repéré un bistrot plutôt pas mal dans le coin.

– Vous voulez dire un *vrai* café ?

– Ma foi, oui ! Pas une de ces cochonneries de soja de synthèse qui pousse dans des cuves, s'exclama-t-il en tapotant affectueusement l'épaule de Joseph. Ça vous permettra de voir un peu Brooklyn par la même occasion, avant que nous nous mettions au travail. Qu'est-ce que vous en pensez ?

– Va pour un café !

Frasier accompagna Joseph à l'extérieur, fit descendre le rideau métallique avec quelque difficulté et en verrouilla le cadenas rouillé.

– Il est un peu dur. Je ferais mieux de voir si je peux remettre en marche le moteur du treuil. Je n'ai pas envie de soulever ce truc chaque fois qu'on met un pied dehors.

Le soleil matinal faisait étinceler l'East River sous des faisceaux d'une lumière éblouissante qui mirent les larmes aux yeux de Joseph. Le reflet inversé des fiers gratte-ciel de Manhattan se brouilla dans le sillage d'un ferry qui passait. Plus haut, un train de banlieue passa dans un bruit de ferraille sur le pont de Williamsburg en direction de l'île.

Magnifique. C'est vraiment magnifique.

Il remarqua que Frasier se délectait lui aussi du paysage.

– Oh, comme je suis impoli ! s'écria-t-il en adressant à Joseph un salut comique. Je suppose que je devrais vous accueillir officiellement dans notre petite « agence ».

Joseph lui rendit timidement son salut, sentant dans tout son corps battre une émotion grandissante.

Quel projet incroyable…

CHAPITRE I
2001, NEW YORK

Lundi (cycle temporel 77)
Il y a quelque chose qui cloche. Je crois qu'il se passe un truc super important dont on n'a même pas idée. Un truc que Foster aurait dû nous dire et qu'il n'a pas dit. Peut-être qu'il voulait vraiment le faire mais qu'il n'a pas pu, qu'il n'avait pas le droit. Peut-être que c'est pour ça qu'il nous a quittés.

Sal posa son stylo et inspecta l'intérieur de la laverie, qui était vide, comme d'habitude un lundi matin, à cette heure-ci. Elle était la seule cliente, assise sur une chaise en plastique face à la vitrine crasseuse. Elle observa un camion de déménagement qui essayait de passer en se serrant contre un taxi garé. Les conducteurs des deux véhicules s'invectivaient, vitres baissées.

Ah, les hommes! Toujours si agressifs.

Sal se demanda pendant une minute à quoi ressemblerait un monde libéré de toute testostérone. Ce serait sûrement mieux sans hommes qui se frappent la poitrine comme des gorilles.

Elle s'absorba de nouveau dans son carnet.

Cet objet, ce jouet en peluche : l'ours. D'une façon ou d'une autre, il est au cœur de tout. J'en suis sûre.

L'homme qui s'en était sorti, ce pauvre homme sens dessus dessous qui fut autrefois un être humain, avait essayé de lui révéler quelque chose à propos de l'ours bleu, au moment de mourir. Quelque chose qu'elle avait été la seule à entendre.

Elle se demandait comment une peluche, sale et miteuse qui plus est, pouvait avoir une quelconque «signification» pour quelqu'un, hormis celle d'apporter du réconfort à un enfant.

Elle se remit à griffonner dans son journal.

Et puis il y a l'uniforme de Liam.

Sal était persuadée d'une chose: elle pouvait croire ce que ses yeux lui montraient. Elle avait une nouvelle fois inspecté de près l'uniforme pendu dans le placard à l'entrée de l'alcôve, où se trouvaient leurs couchettes. Les vêtements que chacun portait, le jour de son arrivée dans l'arche, y étaient suspendus. Ils ne les portaient plus car ils étaient trop précieux: ils représentaient le dernier lien avec leur vie d'avant. Avant de devenir des Time Riders.

Elle avait décroché l'uniforme de Liam, celui-là même qu'il portait la nuit où le *Titanic* avait coulé. Son uniforme complet, avec ses deux rangées de boutons de cuivre et son emblème étoilé de la White Star Line. Et, oui... ce qu'elle cherchait était bien là: une tache de vin rouge presque effacée, en forme de virgule, sur l'épaule droite. À peine visible. On pouvait voir que quelqu'un s'était donné beaucoup de mal pour la faire disparaître, sans pour autant y arriver.

Et on en venait à l'essentiel. La même tache exactement, strictement identique... se trouvait sur l'uniforme de cette étrange petite boutique d'antiquités et de location de déguisements, à quelques rues de là. Une réplique parfaite de celui de Liam. Sal transcrivit dans son journal la question qui s'imposait:

Donc, comment se fait-il qu'il existe dans ce magasin un deuxième exemplaire de l'uniforme qu'il portait?

La question induisait toutes sortes de réponses, et aucune ne satisfaisait Sal. Celle qui la perturbait le plus était celle qu'elle se décida à rédiger :

Est-ce que ça veut dire qu'on est déjà venus ici ?

Elle leva le nez de ses griffonnages. Le camion de déménagement essayait toujours de se glisser le long du taxi et les deux hommes s'injuriaient avec la même véhémence. Leur accent de Brooklyn se perdait dans le vrombissement frénétique des sèche-linge de la laverie. Elle se tourna pour regarder le hublot de la machine la plus proche, qui essorait ses vêtements et ceux de Maddy. Ce n'étaient que des vêtements de 2001, désormais, qui leur permettaient de passer inaperçues. Ses yeux s'absorbaient dans la contemplation d'une socquette vert pâle qui tournait sans fin, poussée contre la vitre, entraînée par une force à laquelle elle ne pouvait échapper.

Comme eux. Elle, Maddy et Liam, trois individus malchanceux coincés contre leur gré dans une boucle qu'ils étaient condamnés à vivre et à revivre indéfiniment.

Elle contempla son stylo, puis son journal, un carnet ordinaire qu'on pouvait trouver dans n'importe quelle papeterie. Elle le feuilleta et se rendit compte qu'elle en avait rempli plus du quart de sa petite écriture régulière, de ses croquis et gribouillages. Avant la première entrée de son journal, écrite des mois, c'est-à-dire des jours de boucle temporelle, auparavant, elle remarqua… les bouts déchirés de dizaines de pages arrachées par quelqu'un d'autre.

Une pensée l'assaillit soudain et elle sentit un frisson remonter le long de son dos, tel le doigt d'un fantôme qui aurait glissé le long de sa colonne vertébrale ! Ses bras nus se recouvrirent de chair de poule.

Oh shadd-yah ! Est-ce que c'était moi ?

Elle se demanda si elle avait *déjà* utilisé les pages de ce journal. *Un autre moi ? Un moi d'avant ?*

17

Elle se sentit mal. Foster leur avait parlé du destin de l'équipe précédente. Apparemment, ils avaient été mis en pièces et « ce qui restait d'eux n'était pas beau à voir ». Elle gardait un souvenir très vif de ce premier jour. Quand elle s'était réveillée sur sa couchette, qu'elle avait vu Maddy et Liam pour la première fois, que le vieux visage de Foster s'était penché sur elle, elle s'était rendu compte que c'était celui qu'elle avait vu juste avant de mourir, juste avant que le building de Mumbai où elle vivait s'effondre.

Et puis il y avait cette chose, cette forme fantomatique dans l'obscurité dont il avait dû en toute hâte les sauver. Le traqueur. N'avait-il pas expliqué que c'était cette forme éthérée, vibrante, guère plus qu'une membrane fragile, comme une méduse ou un panache de fumée, qui avait anéanti l'équipe précédente ?

L'équipe précédente.

Nous ?

CHAPITRE 2
2070, CHEYENNE MOUNTAIN, COLORADO SPRINGS

– Mais pourquoi, capitaine ?

À cette question puérile, Rashim Anwar secoua la tête. C'est bien sûr lui qui avait choisie la voix aiguë de la créature et son éternel sourire idiot. Son unité-assistant de laboratoire, un modèle deux fois plus petit que les autres, ne lui arrivait qu'à la taille. Avec leur peau polygénique livrée par défaut, ces modèles domestiques ressemblaient à de petits enfants en pâte à modeler. Pas de cheveux, des visages ayant ostensiblement l'air artificiels, inexpressifs et neutres. Mais leur forme et leur taille était variée. Le modèle de Rashim, trapu et carré, était conçu pour évoluer dans un laboratoire. Il ne ressemblait pas vraiment à un enfant en pâte à modeler, mais plutôt à un meuble de bureau sur pattes.

Rashim n'avait pas pu s'empêcher de personnaliser son unité-assistant en laissant s'exprimer le geek qui était en lui. La structure et la configuration de l'unité n'étaient pas très éloignées de celles d'un certain personnage de cartoon, et pirater le code de configuration de la peau polygénique de façon à ce qu'elle ressemble encore plus à ce personnage lui avait coûté deux heures de travail. Un peu plus qu'il n'en avait fallu pour changer le gris utilitaire de la peau en plastique installée par défaut en jaune vif et modifier les traits de son visage.

– Mais pourquoi, capitaine ? demanda une nouvelle fois la chose, de sa voix stridente.

Elle leva ses bons gros yeux vers Rashim, par-dessus son

drôle de nez en forme de cornichon et ses deux dents de devant proéminantes.

Rashim se souvenait vaguement de ce vieux dessin animé et de son grand-père qui le regardait en hurlant de rire. Rashim avait travaillé à partir de ces vagues souvenirs d'enfance. Une fois de plus, il s'était senti comme un gosse quand il avait piraté le code de configuration de l'unité et qu'il avait observé le plastique polygénique changer de couleur et se reconfigurer. En regardant le robot, il pensa qu'il ne l'avait pas trop mal réussi, même s'il n'était pas sûr du nom dont il l'avait affublé.

– Tu sais, Bouba l'éponge… c'est difficile à expliquer.

– S'il vous plaît, expliquez-moi, capitaine! S'il vous plaît!

– Eh bien, à mon avis, c'est une erreur de conception dans notre programmation.

– Votre *programmation*? Mais les humains n'ont pas de sous-programme d'intelligence artificielle! brailla Bouba l'éponge.

Rashim remonta ses lunettes et écarta une boucle de cheveux bruns de son visage. Ils s'arrêtèrent devant une porte et il présenta son œil gauche au scan d'identification rétinienne.

– Ce n'est qu'une image, Bouba. Ce que je veux dire, c'est qu'on fait nous aussi des erreurs, qui reviennent à des erreurs de programmation. Par contre, la différence entre toi et moi, c'est qu'il n'est pas si facile pour nous de changer nos comportements. On est comme on est.

– Cela n'a pas de sens, proféra l'unité, dont le froncement de sourcils fit apparaître des sillons sur sa peau de plastique jaune. Pourquoi les humains voudraient-ils détruire leur propre monde?

Le grincement des gonds qui soutenaient la porte antidéflagration de trois tonnes résonna dans la salle de contrôle sombre et poussiéreuse, dotée d'une rangée d'écrans d'ordinateurs le long de chaque mur. Plus de cent ans auparavant, on avait construit cette installation pour constituer un centre de commandement et de contrôle en vue de ce qui était apparu comme une guerre nucléaire inévitable contre la Russie. À présent, elle n'était guère plus qu'une pièce de musée.

Rashim hésita devant la porte et le couloir sombre sur lequel elle s'ouvrait.

– Je présume que c'est dans notre nature. Nous n'aimons pas les mauvaises nouvelles… donc nous les ignorons, tout simplement.

– Ben mince alors, ça c'est idiot de chez idiot !

Il sourit. La façon de parler de l'unité était également le résultat de ses piratages.

– Mais oui, c'est idiot, Bouba. Il fut un temps où on aurait pu renverser la situation, sauver la planète du réchauffement climatique, mais ça représentait sûrement un travail trop important à l'époque. Alors, on a laissé tomber.

– Ben voyons, dit Bouba l'éponge de sa voix criarde.

Rashim sourit.

Comme tu dis.

Il passa le premier dans le couloir. La porte antidéflagration grinça en se refermant sur eux, et les éclairages à détecteur de mouvement clignotèrent. Sur le mur de béton, une pancarte à demi-effacée lui indiquait qu'il pénétrait dans une zone de sécurité de niveau 3. De chaque côté de la pancarte étaient accrochées de vieilles photographies encadrées des anciens présidents des États-Unis : Bush, Obama, Schwarzenegger, Vasquez, Esquerra.

L'installation, creusée profondément à même le flanc du mont Cheyenne, était autrefois connue sous le nom de NORAD. On l'avait laissée en état de « haute disponibilité » jusqu'au milieu des années 2040, puis elle avait fini par être fermée après la Première Guerre du pétrole. L'ancienne rivale des États-Unis, la Russie, avait tout autant de problèmes que les États-Unis. Elle non plus ne représentait plus une menace nucléaire mondiale.

À présent, on la désignait simplement comme «Installation 29H-Colorado».

– Je suppose que la génération de mon grand-père – et même celle de mes parents – était trop occupée à vouloir plein de belles choses, la holo-télé, de la *vraie* viande trois fois par semaine, les derniers gadgets numériques à la mode, et j'en passe, pour remarquer que le niveau de la mer montait peu à peu en inondant les côtes et les villes.

– Les grandes inondations ont-elles eu lieu après les guerres du pétrole, Rashim ?

– Oui, répondit-il. Ça aurait sans doute été mieux pour nous si on avait manqué de pétrole et de tous les autres carburants fossiles bien avant. On aurait peut-être encore des calottes glaciaires.

L'enfance de Rashim, comme celle de n'importe qui de son âge, s'était déroulée dans un monde changeant, aux migrations constantes. Des millions de gens, des milliards même, se déplaçaient sans cesse, quittaient des terres qui elles-mêmes disparaissaient sous des vagues d'eau polluée de plus en plus importantes.

– Cela dit, le vrai problème, Bouba, c'est surtout qu'on était trop nombreux.

– Il y avait trop d'humains ?

– On était presque dix milliards, c'était totalement insoutenable, dit-il à l'unité qui se dandinait devant lui. On était vraiment des idiots, Bouba.

L'unité hocha la tête. Son nez en plastique en forme de cornichon oscilla légèrement.

– Non, tu crois ? Idiots de chez idiot, oui.

Dix milliards de bouches à nourrir.

Comment on a pu s'autoriser à être aussi nombreux ?

Cela lui rappela quelque chose qu'un professeur lui avait un jour raconté. *Le syndrome de la boîte de Petri.* Placez une bactérie dans un récipient et donnez-lui à manger. Laissez-la un laps de temps suffisant, elle remplira le récipient et, tenez-vous bien, elle se retournera contre elle-même et dévorera ses propres protéines pour survivre.

– On récolte ce que l'on sème, déclara Bouba l'éponge en levant les yeux sur Rashim, ses grands yeux pleins d'espoir. C'est bien la bonne expression ?

– Oui, bien joué, Bouba, approuva Rashim.

– Ah, merci !

Le corridor tourna et les conduisit dans une section éclairée par une douce lumière diffuse que distribuaient des plafonniers. Au bout du couloir, deux soldats étaient au garde-à-vous de chaque côté d'un ascenseur.

Rashim leur fit un petit signe décontracté de la main tout en s'approchant.

– Bonjour, les gars.

– Bonjour, monsieur, répondit le plus vieux.

Il avait presque l'âge d'être son père. Rashim se sentait mal à l'aise, lui qui paraissait le plus jeune de l'équipe technique. À vingt-sept ans, il était responsable de «l'équipe des receveurs», un groupe de huit techniciens qui avaient tous au moins dix ans de plus que lui.

– Vous vous êtes encore levé tôt, Dr Anwar.

– On doit revérifier des étalonnages sur les marqueurs de conversion, expliqua Rashim.

Bouba l'éponge leva sa main gantée, typique des personnages de cartoons, en imitant le salut que Rashim avait adressé aux gardes.

– Ça, c'est bien vrai ! Rashim est l'homme le plus important du monde.

Rashim tressaillit devant la joyeuse exubérance de son assistant.

Le garde plus âgé haussa un sourcil.

– Vous n'êtes pas sans savoir qu'en dehors de l'installation vous êtes tenu de couper le son de votre unité, monsieur. C'est une atteinte à la sécurité.

– Oui, oui, bien sûr… désolé, bafouilla-t-il en lâchant la main de son aide. Bouba l'éponge, tais-toi.

– Ça recommence ! lancèrent ses lèvres de plastique avant de se refermer brusquement et d'afficher une moue coupable.

– Vraiment désolé.

– Vous savez que j'ai le devoir de rapporter cette infraction à la sécurité, monsieur, rappela le soldat.

Rashim acquiesça d'un signe de tête. Nul doute qu'il se ferait taper sur les doigts tout à l'heure par le chef de projet, le Dr Yatsushita.

– Je promets que je me souviendrai, à l'avenir, de couper le son en dehors du labo.

Le soldat sourit et fit un clin d'œil entendu à Rashim.

– Dans ce cas, on peut peut-être fermer les yeux pour cette fois-ci.

Il appuya sur un bouton et les portes de l'ascenseur s'ouvrirent.

– Bonne journée, monsieur.

– Merci.

Il poussa son unité de laboratoire dans l'ascenseur, et les portes se refermèrent sur eux.

Tandis que la cabine, qui bourdonnait, les faisait descendre jusqu'au niveau 3, il débarrassa son esprit de toute pensée inutile. Bouba l'éponge et sa curiosité puérile sur le monde extérieur pouvaient attendre. Ils avaient des calculs à faire et à vérifier. Le message d'hier concernant la modification de la tolérance de masse impliquait plusieurs jours de rééquilibrage. Et la date limite était désormais fixée à seulement six mois plus tard.

– Bouba, ai-je reçu d'autres messages ce matin ?

Bouba l'éponge leva la tête et chercha désespérément à lui parler, roulant les yeux, les lèvres frémissant de frustration.

– Désactive le mode muet.

– Oui ! lâcha-t-il avec enthousiasme. Oui, capitaine ! Trois du Dr Yatsushita, sept de…

– Je m'en occuperai cet après-midi. Rappelle-le-moi.

– Oui, capitaine ! C'est enregistré.

Le bourdonnement diminua et la petite cabine sursauta légèrement avant de s'immobiliser. Les portes s'ouvrirent en souplesse et révélèrent des panneaux en aggloméré posés juste en face de l'ascenseur de façon à cacher à la vue la moindre parcelle de l'espace qui se tenait derrière. Sur l'un d'eux, une affiche était punaisée.

VOUS PÉNÉTREZ DANS UNE ZONE DE SÉCURITÉ
DE NIVEAU 3.

Sous l'affiche, un complément d'information avait été ajouté au feutre :

BIENVENUE AU PROJET EXODUS.

CHAPITRE 3
2001, NEW YORK

– Je n'arrive pas à y croire, dit Liam.

– C'est pourtant vrai, rétorqua Maddy, mal à l'aise, en se tapotant les dents de devant avec son stylo. Je ne veux plus jamais refaire un truc pareil.

– Ce n'est pas ce qu'il y a de plus facile, convint Liam en hochant lentement la tête.

Il se rappelait avoir eu à extraire le disque dur de Bob. Il s'était répété qu'il ne s'agissait pas d'une épouvantable mutilation de son unité de soutien… mais, simplement, de rapatrier un ami.

Maddy jeta un coup d'œil à l'endroit où elle avait posé le sac de voyage, près du rideau métallique, un sac qui paraissait contenir un ballon, attaché et rangé dans un deuxième sac. Heureusement, il n'était plus là. Bob l'avait emporté. Ils avaient débattu pour savoir si sa tête méritait un enterrement, un rituel, ou au moins quelques mots. Mais aucun d'eux n'avait pu se décider sur la manière de procéder ou sur ce qu'il aurait fallu dire. Pour finir, Bob était tout simplement parti avec. Maddy ne voulait pas savoir ce qu'il en avait fait. Ce n'était plus Becks, juste quelques kilogrammes de viande, d'os et de cartilage.

– Extraction de données, marmonna-t-elle pour elle-même, se réfugiant derrière des termes techniques. Il ne s'agit que de ça. C'est comme d'enlever la carte mère d'un PC. Pas de quoi en faire un plat.

Maddy avait retrouvé Becks sous un tas de cadavres, avec plusieurs blessures très nettes à la tête. N'importe laquelle aurait été fatale à un être humain normalement constitué. Mais son crâne fabriqué génétiquement, plus épais, et son cerveau organique, bien plus petit que la moyenne, impliquaient qu'elle pouvait endurer un traumatisme crânien catastrophique et rester en vie. Cependant, elle n'était évidemment pas immortelle. Son corps avait subi de tels dégâts et perdu tant de sang qu'il avait fini par cesser de fonctionner et qu'il était mort.

Sal s'installa sur l'accoudoir du canapé élimé, à côté de Maddy.

– Concentre-toi sur son microprocesseur, d'accord ?

Maddy fit un signe de tête en direction de la rangée d'écrans, à l'autre bout de l'arche. Plusieurs faisaient défiler des lignes de données encodées.

– Bob-l'ordi est en train de faire un diagnostic. Je ne sais pas trop quoi en penser, mais ça va prendre un bout de temps. J'espère qu'on pourra le récupérer. L'enveloppe de silicium est fendue. Elle a dû être touchée par une balle. Je ne sais pas si ça a endommagé le disque ou pas, mais en tout cas, on ne peut rien faire à part attendre.

Tous les trois contemplaient sans mot dire les écrans qui déroulaient des données : une ligne tremblante de lettres et de chiffres, un nombre incalculable de téraoctets de mémoire sauvegardée sur des jungles et des dinosaures, sur des châteaux et des chevaliers.

Tout ce qui constituait Becks… Becks.

– On la fera repousser, dit Liam. OK ?

Sal approuva d'un signe de tête.

– Oui, deux unités de soutien, c'est mieux qu'une seule. Ça te va ? demanda-t-elle à Maddy.

– Oui, bien sûr, c'est ce qu'on va faire, mais…

– Mais quoi ?

– Ce n'est pas certain du tout qu'on puisse utiliser son intelligence artificielle. Si elle est trop abîmée, si elle n'est plus fiable, elle peut devenir dangereuse pour nous. On sera peut-être obligés de continuer sans son code d'IA.

– Ce ne sera plus notre Becks, si on fait ça, fit remarquer Liam.

Les deux unités de soutien, Becks et Bob, avaient développé, chacune de leur côté, des IA différentes, même si elles utilisaient strictement le même système d'exploitation. Maddy pensait que cela avait à voir avec la façon dont le petit cerveau organique agissait sur le silicium et avec le fait que c'était l'élément « de chair » de leur esprit qui finalement les définissait, leur donnait leur personnalité propre.

– Tu as raison, ça ne sera pas la même Becks, admit-elle.

– J'espère vraiment que son disque dur est en bon état, fit rêveusement Liam.

– Mais elle était un peu… froide quand même, parfois, tu ne trouves pas ?

– Je crois qu'elle commençait juste à apprendre à ressentir les choses, dit-il d'un air pensif.

Maddy avait effectivement remarqué l'émergence d'un comportement qui pouvait être décrit comme une émotion, un désir de plaire, de rechercher l'approbation.

– Si les données sont intactes, elle pourrait tout à fait être restée la Becks qu'on connaît et qu'on aime.

Si les données sont intactes.

Mais Maddy était préoccupée par autre chose, par cette partie de son disque dur que Becks avait cloisonnée et encodée. Ces quelques millimètres de silicium contenaient un secret si important qu'il était à l'origine de la légende du Saint-Graal et de l'existence des Templiers, et avait contraint Richard Cœur de Lion à lancer sa propre croisade pour reprendre Jérusalem. Un secret transmis à travers deux mille ans d'Histoire et qui leur était destiné.

Mais pas tout de suite, apparemment.

Qu'avait dit Becks, déjà ? Que le message contenait des instructions selon lesquelles la vérité ne pouvait être révélée *maintenant*.

« *Quand ce sera la fin...* »

– J'espère que le message du vieux manuscrit n'est pas abîmé, dit Liam comme s'il lisait dans ses pensées. J'aimerais bien savoir ce qu'il raconte, pour sûr.

– Moi aussi, dit Maddy en souriant.

Le rideau métalllique vibra sous le léger martèlement d'un poing, à l'extérieur.

– Je m'en occupe, lança Sal.

Elle se laissa glisser de l'accoudoir, traversa l'arche et actionna le bouton d'ouverture du rideau. Il remonta à grand bruit, laissant entrer la lumière du jour et révélant les grosses jambes poilues de Bob. Dans l'espoir qu'il se confonde plus facilement avec les touristes de Times Square, Sal lui avait concocté un look short, tongs et chemise hawaïenne. Maddy n'était pas tout à fait sûre de son idée. On aurait dit Superman en vacances à la plage.

Bob se pencha pour passer sous le rideau de fer. Ses mains, aussi larges que des jarrets de porc, tenaient un plateau en carton.

– Qui a demandé un frappuccino au caramel ?

CHAPITRE 4
2001, CENTRAL PARK, NEW YORK

Ils firent lentement le tour de la mare aux canards en poussant du pied les premières feuilles mortes de l'automne. Un jeune couple faisait du roller. Maddy sourit tristement. Elle les enviait. Ils semblaient avoir son âge et ne paraissaient pas se soucier du reste du monde. Elle observa le jeune homme, mince, bronzé, beau, aux longs cheveux blonds bouclés. Il guidait sa petite amie qui semblait manquer d'équilibre. Ses pieds s'écartaient, zigzaguaient avec hésitation, et elle riait de si mal se débrouiller.

Avoir ce moment. Juste ce moment-là.

Foster posa une main sur son bras avec compassion.

– Je sais ce que tu penses.

– Quoi?

– Tu penses qu'être dans l'ignorance est une bénédiction.

Elle avoua, dans un haussement d'épaules :

– Je préférerais être quelqu'un d'autre, Foster. N'importe qui, ajouta-t-elle en désignant le couple dont les jambes commençaient à s'emmêler comme leurs rires. Être l'un de ces deux-là, ça serait sympa.

– Ils ne connaîtront jamais rien de ce que tu vas connaître, ni de ce que tu as déjà connu.

Maddy soupira.

– Mais c'est trop. Je ne suis pas capable de faire face à tout ça.

Elle contempla son visage de vieillard, ses joues creuses, ses yeux ornés de pattes d'oie – les rides du sourire comme on dit gentiment.

– Chaque fois que je vous rends visite, j'ai l'impression de vider mon sac.

– Ça doit être ennuyeux de devoir se répéter ? lui demanda-t-il en souriant.

Elle balaya la question d'un geste. C'était ce qui était prévu. C'était comme ça. Foster se trouvait là, toujours à la même heure, dans Central Park. En milieu de matinée, il donnait à manger aux pigeons, passait joyeusement le temps qui lui restait à vivre de la manière qu'il voulait. Pour lui, cette heure venait et s'en allait. Mais pour Maddy, qui revivait indéfiniment les deux mêmes journées à New York, les 10 et 11 septembre 2001, c'était la possibilité renouvelée de le revoir, et prendre conseil auprès de lui. Cependant, chaque fois qu'ils se rencontraient, c'était toujours la première fois qu'il la voyait depuis qu'il avait quitté l'équipe en lui en déléguant la responsabilité. Ainsi, la conversation commençait par un résumé de Maddy, résumé qui ne cessait de s'enrichir des événements qu'elle et les autres avaient vécus.

– On dirait que vous en avez vu de toutes les couleurs, dit-il. Raconte-moi.

Son visage, à la peau fine comme du parchemin, se plissa dans un grand sourire.

– Abraham Lincoln, ça a l'air d'être un sacré personnage, hein ? Il a vraiment couru plus vite que vos deux unités de soutien ?

– Oh oui, ce gars peut courir aussi vite qu'un môme qui voit un marchand de glaces.

Ils éclatèrent de rire.

Foster désigna un banc au bord de l'allée, à l'ombre d'un érable.

– On peut s'asseoir ? Mes vieilles jambes ne sont plus ce qu'elles étaient.

– Bien sûr.

Elle le regarda, se demandant combien de jours il était parti, quelle quantité de vie la machine de déplacement spatiotemporel lui avait volée. Il y avait de cela une éternité, il lui avait avoué qu'il n'avait que vingt-sept ans. Plus fort encore, avant de partir, il lui avait confié, et cela l'avait remuée de fond en comble, qu'autrefois il était Liam. Il n'avait pas expliqué comment une telle chose était possible, il avait même refusé tout net de le faire. Cependant, il lui avait dit, parce qu'il voulait qu'elle s'en souvienne chaque fois que Liam irait dans le passé, que ça le tuait à petit feu, que ça le faisait vieillir prématurément. Qu'il mourrait bien trop tôt, comme lui. Elle serait la seule à juger de ce que son corps pourrait supporter. C'est pourquoi elle devait savoir.

Il s'assirent, observant les pigeons qui, un peu plus loin, se gonflaient d'un air indigné avant de reculer devant des oies qui s'appropriaient, en se dandinant, l'allée parsemée de miettes de pain.

– Foster?

– Oui.

– Qu'est-ce que vous me cachez?

Il la regarda avec un sourire désarmant. Sa bonne vieille tactique d'évitement.

– Allez, Foster… vous ne m'avez révélé que la moitié de ce que je dois savoir.

Il plissa les yeux.

– Et si tu me disais ce que tu penses savoir.

– Pourquoi vous êtes… pourquoi vous ne pouvez pas tout simplement tout me raconter?

– Parce que je ne sais pas tout.

– Vous en savez plus que moi, plus que vous ne m'en avez dit!

Il soutint son regard et finit par dodeliner de la tête d'un air de regret.

– OK, d'accord, c'est vrai.

– Pourquoi vous ne pouvez pas me dire tout ce que vous savez? Qu'est-ce que vous cachez?

– Quelque chose que je sais, Maddy… que je pressens, plutôt.

– Pandore ?

Il fit signe que non. Elle lui avait parlé du message qu'elle avait trouvé, la mention de Pandore dans le Manuscrit Voynich. «Je ne sais rien de particulier», avait-il affirmé, et elle avait cru qu'il jouait franc jeu avec elle.

– C'est un message, Foster, un message qu'on m'a fait parvenir, j'ai bien dit qu'on *m'a* fait parvenir, à moi. Ça doit être important, non ?

Ses doigts se rejoignirent sous la chair épaissie de sa mâchoire et il y appuya le menton.

– C'est fort possible, *tout à fait* possible, même.

– Alors je fais quoi, moi ?

Il contempla les pigeons et les oies qui se pavanaient avec méfiance les uns autour des autres en se jaugeant, et il finit par dire :

– Tu devrais peut-être leur poser la question.

– À qui ?

Pour toute réponse, il leva les sourcils.

– Quoi ? Vous voulez dire les appeler dans le futur ? Contacter l'agence ?

– Pas avec un signal de tachyons, s'empressa-t-il de préciser. Il est absolument hors de question que tu fasses ça. Les particules te dénonceraient.

Elle le savait.

– Le fameux envoi de document ?

Foster avait laissé à Maddy un petit manuel d'instructions et de conseils. L'un des chapitres était consacré à la façon de communiquer avec l'agence, en cas de circonstances extrêmes. Ce que l'on considérait comme «circonstances extrêmes» n'était d'ailleurs pas parfaitement clair. La méthode de communication était de publier une petite annonce dans le *Brooklyn Daily Eagle*, en commençant par ces mots : «Une âme perdue dans le temps…»

Quelqu'un, quelque part dans le futur, avait naturellement un exemplaire jauni du journal et guettait le moindre changement sur cette page, la moindre petite onde temporelle qui n'aurait affecté que les mots de cette annonce.

– Demande toujours, répéta-t-il. Pourquoi pas?

– Vous ne savez vraiment rien sur Pandore?

Foster secoua la tête. Elle le connaissait suffisamment bien pour savoir s'il mentait. Tout comme Liam, il mentait particulièrement mal.

– Bon, je vais peut-être faire ça, dit Maddy.

– Et surtout viens me raconter ce qu'il dira. Maintenant, je suis aussi curieux que toi de…

Elle tourna la tête et le fixa.

– *Il*?

Foster ferma les yeux. Elle comprit qu'il avait laissé échapper quelque chose qu'il ne souhaitait pas dire.

– Qui ça, *il*? le pressa-t-elle en lui attrapant le bras. Vous êtes en train de dire que l'agence n'est qu'une… qu'une seule personne?

Il ne répondit rien.

– Et les autres équipes, alors?

Le vieil homme serra les lèvres un peu plus fort. Ses yeux la fuyaient.

– Foster, dites-le-moi. Les autres équipes…?

– Il n'y a pas d'autre équipe, Maddy, murmura-t-il en soutenant son regard. Je suis vraiment désolé, mais vous êtes seuls. L'agence, c'est vous, rien que vous… Et Waldstein, ajouta-t-il en baissant les yeux.

Elle n'écoutait plus. Son esprit défaillait, étourdi par la panique qui montait en elle.

Vous êtes seuls.

L'agence, c'est vous.

CHAPITRE 5
2070, PROJET EXODUS,
CHEYENNE MOUNTAIN, COLORADO SPRINGS

– Bonjour, Dr Anwar.

Rashim adressa un rapide hochement de tête à l'assistant technicien, l'un des membres de sa petite équipe. Autour de sa main, l'air était éclairé par l'écran holographique du h-pad qu'il portait au poignet.

– Du nouveau pendant la nuit?

– Encore un changement de personne, Dr Anwar. Et les modifications de paramètres qui s'ensuivent.

– Oh, génial, marmonna Rashim sans enthousiasme. Transmettez-les à mon unité, j'y jetterai un coup d'œil plus tard.

– Oui, monsieur.

Le technicien fit tourner son poignet: un écran holographique apparut devant lui. Il le toucha avec le doigt et une dizaine de messages s'illuminèrent avant de se disperser, comme quand on souffle sur un pissenlit.

– Reçu, dit Bouba l'éponge.

L'unité de laboratoire s'accroupit à côté du bureau de Rashim comme un animal docile. L'instant suivant, il sourit de toutes ses dents à son maître.

– Je collecte les mesures, capitaine!

Rashim contempla l'intérieur caverneux du hangar souterrain, obtenu plus de cent ans auparavant en faisant exploser une partie de la montagne. Il était destiné à l'élite politique de l'époque: des généraux, des députés, des sénateurs et leur famille, dans l'éventualité d'une guerre thermonucléaire contre les Russes.

Rien ne change. Les politiciens sont toujours les premiers servis.

Le hangar, qui était un peu plus vaste qu'un terrain de football, était illuminé par des projecteurs dressés sur des trépieds. Des flaques d'une lumière éblouissante, qui faisait mal aux yeux, s'étiraient sur un sol de béton froid, qui avait été éraflé ici et là des décennies plus tôt, quand cette installation avait été vidée de son équipement et mise en sommeil.

Un sol vide... pour le moment.

Rashim s'assit parmi les amoncellements de boîtes et de bureaux rassemblés dans un coin du hangar. Il était le premier arrivé, une fois de plus. Comme toujours. Il activa son terminal d'un geste de la main. Ses iris papillotèrent quand le terminal les passa au scan et confirma que l'ordre émanait bien du Dr Rashim Anwar.

Des mots étincelèrent brusquement en l'air, devant Rashim :

```
              Projet Exodus :
    Simulateur de translation de la masse.
```

– Activez le repère au sol.

Le sol du hangar devint soudain un damier illuminé, entrecroisé d'un filet compliqué d'une lumière bleue intermittente diffusée par une série de projecteurs suspendus au plafond. Un réseau de repères : des cases de taille variable, de quelques centimètres à quelques mètres de côté.

– Faites apparaître les coordonnées des repères.

Sur chaque case, des colonnes de chiffres en 3D se mirent à flotter : les données d'état civil de ceux qui allaient un jour les occuper.

– Et maintenant, les icônes.

Au-dessus de la centaine de cases de toutes tailles dont la grille était composée, des formes bleues et lumineuses surgirent. Certaines figuraient les contours de boîtes ou de caisses, plusieurs grandes icônes représentaient des véhicules vus de profil. Les autres étaient des silhouettes humaines chatoyantes, mais néanmoins nettement reconnaissables.

– Bouba, peux-tu me montrer qui a décidé d'être pénible ce matin en se retirant ?

– Oui, oui, capitaine ! fit Bouba l'éponge avec un salut plein d'espièglerie.

Onze silhouettes humaines devinrent rouges.

Rashim se leva derrière son bureau et fit quelques pas dans le hangar. Les faisceaux de lumière qui provenaient du plafond ruisselaient sur sa tête, ses épaules et son dos. Il s'accroupit devant la première silhouette. Rashim lut les informations qui flottaient à côté d'elle.

```
Candidat 165 :
Nom - Professeur Jennifer Carmel
Âge - 28 ans
Affectation - Biochimiste
Index de masse - 54,4959
```

Sous l'affichage de ces données, une icône représentant une enveloppe s'illumina. Rashim la toucha et le message apparut.

```
Candidat 165 Carmel, J., décédée.
Émeutes de la faim à Porto Rico hier.
Cent cinquante-six morts.
Cause du décès - traumatisme crânien,
blessures par balles.
Aucune information concernant
sa participation active ou au contraire
accidentelle à l'émeute.
Parents proches informés.
```

– Désolé, Jennifer Carmel, dit-il en soupirant, mais j'ai bien l'impression que vous ne serez pas du voyage.

Ses doigts effleurèrent une icône et la silhouette s'évanouit avec ses données d'état civil. La case était désormais vide.

Rashim jura tout bas. Non pas qu'il connaissait Jennifer Carmel ou qu'il se préoccupait de qui elle avait été. Sa frustration tenait plutôt au fait que, à moins de réussir à trouver un remplaçant d'une carrure et d'un index de masse suffisamment proches, il allait encore devoir se coltiner des calculs particulièrement fastidieux pour cette case.

Il leva les yeux vers les dix autres silhouettes disséminées dans le hangar dont les contours émettaient une lumière rouge, des candidats qui, pour une raison ou pour une autre, ne seraient plus en mesure de participer au Projet Exodus.

Il s'écoulerait six mois avant le Jour T, le jour de la Transmission.

Au même moment, le monde semblait bien déterminé à disparaître. La guerre du Pacifique entre le Japon et la Corée du Nord prenait une nouvelle intensité. Même s'il ne restait plus d'armes nucléaires dans ces deux pays, chacun pouvait néanmoins déchaîner contre l'autre de bien pires violences.

Le reste du monde n'était pas moins résolu à parvenir à sa perte. Le propre pays de Rashim, l'Iran, en avait été le fer de lance en s'autodétruisant trente ans plus tôt dans une guerre qui avait commencé par un conflit avec la Coalition arabe. Une guerre pour de l'eau qui n'existait plus. On n'avait même plus de pétrole.

De l'eau. De l'eau potable.

L'Iran, l'Irak, Israël étaient maintenant trop irradiés pour permettre à quiconque d'y vivre, même trente ans après les bombardements. Quand bien même elles n'étaient pas irradiées, les quelques régions montagneuses qui n'avaient pas été touchées par les inondations de la Méditerranée, de la mer Rouge et du golfe Persique, étaient bien trop arides pour qu'une forme de vie s'y maintienne. C'étaient peut-être les millions de morts, tués lors de la journée de représailles, qui étaient les plus chanceux. Une mort en un clin d'œil au lieu de cette longue, lente et totale agonie.

– Capitaine ?

Bouba avait traversé la grande grille en se dandinant pour le rejoindre.

– Qu'y a-t-il ?

– Le Dr Yatsushita a envoyé un message. Il arrive. Il veut organiser ce matin une simulation de transmission.

– Eh bien, il va devoir attendre que je retravaille les chiffres sans ces candidats ! s'exclama Rashim, irrité.

– Dois-je transmettre ce message au Dr Yatsushita, capitaine ?

Il se leva.

– Non, il vaut mieux que je lui parle quand il sera là.

– Oui-oui, répondit son unité en rebroussant chemin dans le hangar.

Rashim soupira. Il y avait si peu de marge d'erreur. Une erreur de calcul sur le total de l'index de masse, même avec le plus minuscule des pourcentages, pouvait les faire déborder de la station de réception. Ce n'était pas la première fois qu'il était abasourdi par la témérité de cet incroyable Waldstein.

Waldstein, le père malgré lui des voyages spatiotemporels.

Ça faisait vingt-six ans, maintenant. La toute première démonstration réussie de voyage dans le temps. Un aller-retour. Bien sûr, il n'avait jamais dit où il était allé, ni *quand*. Mais il l'avait fait et, plus important, il y avait survécu. Il était revenu entier et non sous la forme d'un steak haché.

Leurs propres expériences ici, à Cheyenne Mountain, avaient transformé une série d'animaux, grands et petits, des prototypes humains génétiquement fabriqués, et même plusieurs vrais humains volontaires, en bouillie vivante.

Vivante… le temps de quelques minutes terrifiantes et effectivement très vivantes !

Rashim s'émerveillait de l'incroyable génie de Waldstein. Le Dr Yatsushita était un homme brillant, mais même avec des milliards de dollars de financement et des ressources pour ainsi dire illimitées mises à sa disposition, le Projet Exodus ressemblait terriblement à un jeu de hasard.

Alors que Waldstein, lui, avait construit sa propre machine. Et dans son propre garage, qui plus est !

En tout cas, c'est ce que racontait la légende.

Rashim s'était souvent demandé ce qui était arrivé à cet homme. Il avait été une figure si importante pendant des années. Il côtoyait les dirigeants mondiaux, et avait été le tout dernier conférencier aux Nations unies avant la dissolution de l'organisation en 2049. Ensuite il avait apparemment disparu. Rashim n'était même pas sûr que Waldstein soit encore en vie. Des rumeurs circulaient à ce propos.

Il repoussa une mèche de cheveux derrière son oreille et se tourna vers l'icône humaine rouge la plus proche, à une dizaine de mètres. Un autre candidat à supprimer.

Qu'avez-vous vu, Roald Waldstein ? Hmm ? Qu'avez-vous vu de vos yeux de fou, derrière ces trois dimensions spatiales que nous percevons ? C'était peut-être la question la plus fréquente durant ces années 40 et 50, quand le visage de Waldstein apparaissait dans presque tous les médias.

Qu'avez-vous vu, monsieur Waldstein ? Plus exactement : Pourquoi cela vous a-t-il tant effrayé ?

CHAPITRE 6
2001, NEW YORK

Liam observait les données qui défilaient lentement sur l'écran, des paquets de données hexadécimales qui n'avaient absolument aucun sens pour lui. De temps à autre, le défilement s'arrêtait et des lignes ou des morceaux entiers de texte s'illuminaient brièvement. Parfois le texte passait du blanc au vert, parfois du blanc au rouge.

Liam montra un des passages qui venaient juste de devenir rouges.

– Donc là, ce n'est pas bon, c'est ça ?

– C'est une donnée altérée, confirma Bob.

La totalité du cerveau de silicium de Becks avait été téléchargée sur le système informatique plus de trente-six heures auparavant, toute une montagne de données qu'elle avait stockées durant sa brève existence. À présent, Bob-l'ordinateur les analysait, les testait, à la recherche des parties altérées. Liam se tourna vers un autre écran où s'affichait la cartographie de son disque dur, de son esprit, représentée par une grille de blocs de données : blanc pour les données non encore testées, vert pour celles qui avaient été vérifiées, rouge pour les données perdues. Les quelques parties en blanc étaient en train d'être examinées. Le rouge semblait s'étendre sur la grille comme une tumeur. Il y en avait beaucoup trop.

– On l'a perdue ?

Le visage de Bob tressaillit sous la palpitation d'une réponse. Était-ce involontaire ? Possible. Mais peut-être était-ce un signe prouvant qu'il était beaucoup plus qu'un code informatique, qu'il apprenait à transformer une information entrante en une connaissance, dans un contexte… une émotion. Ce qui le rendait *presque* humain.

– Une partie des données est endommagée, dit-il à Liam avec un faible sourire. Mais je garde espoir.

Bob-l'ordinateur les écoutait, même s'il était occupé à trier les données.

> Nous ne saurons pas si nous avons affaire à une structure d'IA stable avant que j'aie compilé les données et lancé le programme d'émulation.

Liam regarda Bob.

– Qu'est-ce qu'il raconte ?

– Le système de l'ordinateur va exécuter le code de l'IA avec un logiciel qui en imite les puces. Il va ensuite entrer les données vérifiées dans la simulation pour vérifier la stabilité et la fiabilité de l'IA de Becks.

– Il pense qu'elle est devenue complètement idiote ?

Les épais sourcils de Bob se réunirent. Liam saisit une des mains de Bob aux articulations protubérantes.

– Jésus Marie Joseph, tu tiens *vraiment* à elle, alors ?

Sa poitrine résonna du grondement sourd qu'il émit en s'éclaircissant la voix.

– Becks est une unité de soutien efficace. Son IA a plus de potentiel que la mienne.

– Ah ça, c'est les femmes. Elles savent mieux exprimer leurs sentiments que nous, les hommes.

– Le genre n'entre pas en considération, répliqua Bob en tournant vers lui ses yeux gris. Et toi, Liam, est-ce que tu tiens à elle ?

Le garçon éclata de rire, mal à l'aise.

– Eh bien, je…

– La décoloration de tes joues et ton langage corporel indiquent qu'un fort attachement émotionnel te lie à elle. Ai-je raison, Liam ?

Ce dernier s'absorba dans la contemplation de l'écran.

Des carrés de couleurs. Elle n'était plus que des carrés colorés sur un écran, à présent, voilà tout. Pourtant, dans sa configuration de chair, sa configuration humaine, elle ressemblait presque à une véritable personne. Peut-être, d'une certaine façon, à quelqu'un de cool, détaché, parfois même un peu distant. Et elle savait plaisanter... et sourire.

Il prit conscience que son sourire, même s'il n'était rien de plus qu'un fichier de données activé par des muscles faciaux, émoustillait quelque chose en lui en le faisant souffrir. Il est vrai que son sourire était très beau. D'une beauté exceptionnelle, pour tout dire.

– Elle me manquera, finit-il par répondre. Si vraiment elle est perdue... oui, elle me manquera.

> Information.

Liam hocha la tête devant la webcam.

– Que se passe-t-il, Bob ?

> Je suis prêt à commencer la simulation. Souhaites-tu poursuivre ?

Peut-être devait-il attendre le retour de Maddy. Et de Sal. Elles étaient tout aussi concernées que lui par la question de savoir s'il restait quelque chose à sauver de Becks.

– Est-ce que ça... je ne sais pas... Elle ne risque rien ? Ça ne va pas abîmer son esprit ou autre chose ?

> Négatif. Les données que nous avons extraites sont stockées en lieu sûr. Cette simulation s'effectue en lecture seule.

– Et ça veut dire quoi ?

– Cela signifie que, lorsque la simulation sera terminée, clarifia Bob, toute donnée qui aura été créée sera effacée.

– Elle ne se souviendra de rien ?

> Correct. Il s'agit d'un simple essai.

Liam se laissa tomber sur la chaise.

– Bon, alors d'accord, lâcha-t-il avec un soupir inquiet. Voyons si elle est bien là.

> Affirmatif. Lancement de l'émulateur d'IA.

Sur un écran à sa droite, une nouvelle boîte de dialogue apparut. Une boîte vide dotée uniquement d'un curseur qui clignotait lentement. Liam leva nerveusement les yeux vers Bob. L'unité de soutien l'encouragea d'un hochement de tête.

– Euh… tu es là, Becks?

Le curseur ne cessait de clignoter, une alternance régulière *on-off, on-off*, comme un battement de cœur, une pulsation. Un signe de vie et rien de plus.

> … … …

– C'est Liam… Tu m'entends?

Le curseur continua de clignoter en silence.

– Il se peut que le code concernant le langage ne fonctionne pas correctement, souligna tranquillement Bob.

– Becks, c'est Liam. Si tu m'entends, fais quelque chose. Dis quelque chose.

> … … …

Il fixait le curseur, de plus en plus angoissé.

On l'a perdue.

Bien sûr, ils pouvaient activer et faire croître un autre fœtus femelle qui ressemblerait comme deux gouttes d'eau à Becks. Sa jumelle parfaite. Mais il y aurait forcément des différences. Son visage aurait les mêmes traits, les mêmes muscles, la même peau, mais son esprit apprendrait certainement à se servir du visage d'une tout autre façon. Elle sourirait différemment, elle ne lèverait plus un sourcil d'un air sceptique exactement de la même manière. Un millier de petits tics et d'habitudes qui faisaient de Becks ce qu'elle était. Tout cela disparaîtrait pour toujours.

– Becks? essaya-t-il encore. Tu es là?

> … … …

– Nous n'avons visiblement pas extrait suffisamment de données pour constituer une IA viable, dit Bob.

Liam crut percevoir quelque chose au fond du grondement de sa voix, un tremblement imperceptible, un chagrin furtif.

– Becks? tenta-t-il une dernière fois.

Il entendait maintenant l'émotion contenue dans sa propre voix.

Elle est partie. On l'a perdue.

Il sentit quelque chose de chaud rouler sur sa joue, et l'essuya très vite. Il ne tenait pas à ce que Bob et Bob-l'ordinateur le remarquent et viennent aussitôt le déranger par une question.

Adieu, Becks.

> ... ...

> ... ...

> ... ...

> ...

> **Je t'aime, Liam O'Connor.**

CHAPITRE 7
2001, NEW YORK

Tous contemplaient le fœtus qui flottait dans une soupe de protéines, pliant et remuant ses doigts et ses orteils minuscules dans un empressement inconscient. Une sonde sortait de son nombril et remontait jusqu'à l'extrémité de l'éprouvette où elle était connectée à une pompe de filtration.

Le tube d'incubation était éclairé par le bas. Il émettait une faible lueur, emplissant la pièce d'une lumière pourpre chaude et utérine.

– Tu crois qu'ils pensent à des trucs quand ils poussent, là-dedans ? demanda Liam.

– J'imagine que non, répondit Maddy.

Sal se tourna vers Bob, immobile comme un mur de briques fraîchement bâti.

– Et toi, tu pensais à des trucs, Bob ? Tu as des souvenirs de ton séjour dans l'éprouvette ?

Il fronça les sourcils, profondément concentré.

– Non, à ce stade, mon logiciel d'intelligence artificielle n'avait pas encore été téléchargé.

– Mais, et ton cerveau organique ? intervint Maddy. Il doit bien garder des souvenirs.

Les épaules de Bob se haussèrent avec désinvolture.

– Si c'est le cas, je ne peux pas extraire cette donnée.

Le petit fœtus tendit brusquement une jambe et la replia.

Maddy émit un petit rire.

– Elle a déjà des manières à elle.

– Tu penses qu'on peut télécharger l'IA de Becks ? demanda Sal.

Maddy se tapota le menton.

– Je ne sais pas encore, Sal. Cette simulation qu'on a lancée… Elle avait l'air pas mal dans les vapes.

Quand Maddy et Sal étaient revenues, Bob-l'ordinateur avait de nouveau lancé la simulation pour un résultat identique.

Elle se tourna vers Liam.

– Enfin quand même… *Je t'aime*… C'est un peu bizarre pour une unité de soutien, je trouve.

– Il est en effet apparu que l'IA simulé se comportait d'une manière déconcertante.

– Après tout, les clones sont peut-être capables de ressentir des choses, dit Liam.

Les autres le dévisagèrent, étonnés.

– Quoi? Je ne suis pas si moche, quand même?

Sal gloussa.

– Je suis sûre que ta mère te trouvait trop mignon.

– Le problème, dit Maddy en plaçant sa main contre le tube chaud, c'est que je suis presque certaine que les unités de soutien ne sont pas censées raconter à tout le monde qu'ils sont amoureux de leur opérateur de mission.

Liam avait l'air perplexe.

– Elle était vraiment en train d'apprendre à… à ressentir des choses, pour sûr. Il n'y a pas de mal à ça.

Maddy se surprit à approuver dans la pénombre. N'avait-elle pas eu l'impression de voir ça chez Becks?

– Ça doit contribuer à les faire ressembler à des humains.

– Quand on était au temps des dinosaures, elle… commença Liam en regardant les autres d'un air honteux.

– Qu'est-ce qu'elle a fait?

– Ben, elle a voulu… m'embrasser, pour sûr.

Les yeux de Maddy roulèrent derrière ses lunettes.

– Elle t'a *embrassé*?

– Non, elle a juste essayé de me faire une petite bise sur la joue, c'est tout.

Sal fit la grimace.

– Trop bizarre.

– Elle voulait juste me faire une bise… Il ne s'est rien passé d'autre, ajouta-t-il sur la défensive, je vous jure !

Maddy le fit taire d'un geste.

– Ce n'est pas ça l'important. L'important, c'est que ça veut dire qu'elle avait peut-être déjà des… *sentiments* avant les dégâts. Si ça se trouve, son « je t'aime » n'est pas dû à des données altérées ni à un dysfonctionnement quelconque, dit-elle. Elle a hérité de ton code, Bob. Tu as déjà éprouvé des *sentiments* pour Liam ?

– Je détiens des fichiers que vous pourriez interpréter comme des réflexes émotionnels.

– Toi, tu embrasserais Liam ?

Bob inclina la tête, embarrassé, puis, à contrecœur, il se pencha vers Liam en avançant ses lèvres de cheval.

Liam eut un mouvement de recul.

– Jésus Marie Joseph, Bob ! Qu'est-ce que tu… ?

– Arrête, Bob ! Ce n'était pas un *ordre*, voyons… c'était juste une *question* !

– Je vois, dit-il en se redressant et en retrouvant une expression apaisée. Un jour, je suis parvenu à redéfinir les paramètres prioritaires d'une mission en faveur de Liam. Cela pourrait être interprété comme un comportement… *irrationnel*.

– Il est venu me libérer de ce camp de prisonniers allemand. Pas vrai, Bob ?

– Est-ce que c'est parce que tu as accordé à Liam une plus grande valeur qu'à l'objectif prioritaire de ta mission ? demanda Maddy.

Bob hésita. Son esprit parcourut ses fichiers.

– Parce que tu tenais à lui ? le pressa-t-elle.

Bob finit par répondre :

– Affirmatif. Liam est mon ami.

Maddy pianota sur le tube de plexiglas.

– Alors, nous y voilà. C'était déjà dans l'identité de Becks. Elle a hérité des sentiments de Bob. Elle en pince pour toi, Liam. Quelque part, parmi toutes ces données, un dossier lui dit qu'elle «t'aime», sourit-elle. Peut-être que son IA exécutait ce dossier pendant l'émulation.

– Ça veut dire qu'elle va bien? demanda Liam.

– Bob, si on télécharge son IA dans un nouveau corps et s'il s'avère qu'elle est vraiment détraquée, est-ce qu'on peut, j'sais pas… la réinitialiser, un truc comme ça?

– Affirmatif. Le cerveau en silicium peut être reformaté et le logiciel d'IA être à nouveau téléchargé sans mon héritage ni son propre héritage de données.

– Bien, ponctua Maddy. J'imagine qu'on peut toujours essayer de faire marcher son IA. Et si on trouve qu'elle est un peu zinzin, on fera ça.

– Mais ça veut dire qu'on prend un risque, quand même, dit Sal. Il y a plein de carrés rouges altérés. Et si elle devient bizarre?

– Qu'est-ce que tu veux dire? demanda Maddy.

– Je ne sais pas… Si elle est jalouse, par exemple, de moi ou de toi.

– Sal a raison, fit remarquer Bob.

Maddy se tripotait pensivement les lèvres. Elle avait vu Becks à l'œuvre, et les cadavres qu'elle avait laissés dans son sillage. Qu'adviendrait-il d'eux si elle endossait le rôle de l'amoureuse éconduite?

– Ses décisions pourraient s'avérer imprévisibles, précisa Bob.

– Allons donc! Et quand l'avez-vous trouvée prévisible? lança Liam.

– C'est juste, approuva Maddy.

– On ne pourrait pas lui donner une chance?

– Il va falloir qu'on la surveille de très près, commenta Maddy. Au moindre signe de bizarrerie, on la réinitialise. Ce que je veux dire, c'est que… même si elle ne fait que nous regarder de travers, Sal et moi, il faudra qu'on l'efface complètement, Liam.

– Je n'ai pas envie qu'elle m'arrache la tête, moi, lança Sal en se mordillant nerveusement la lèvre.

– Je parie qu'elle sera en pleine forme, fit Liam en hochant lentement la tête.

Il n'avait pas l'air entièrement convaincu.

– Super, on fait ça, alors, trancha Maddy, en se tournant vers la porte coulissante qui menait à la partie principale de l'arche. Bon, les amis, il y a un autre truc dont on doit parler.

Liam poussa la porte qui grinça bruyamment sur la glissière.

– Quoi?

– Notre agence… cette histoire de Pandore…

Sal et Liam se regardèrent.

– Foster t'a donné de nouvelles infos? demanda Sal.

– Oh que oui!

CHAPITRE 8
2070, PROJET EXODUS,
CHEYENNE MOUNTAIN, COLORADO SPRINGS

Les yeux exorbités, Rashim fixait le Dr Yatsushita.

– *Quoi?*

– Je disais qu'il se pourrait qu'on ait à avancer la date du Jour T.

– Mais… mais… on n'en est encore qu'à la première session de tests!

L'équipe de Rashim avait mené plusieurs simulations du processus de transmission et, chaque fois, le logiciel les avait assurés qu'il était au-delà ou en deçà des repères de la station de réception. Ils étaient tombés pile dessus une seule fois. Les candidats risquaient donc d'être perdus ou hachés menu.

– Dr Anwar… commença le Dr Yatsushita.

Il paraissait troublé. Fatigué, surtout. À le voir, on aurait dit qu'il n'avait pas dormi de la nuit, ou même depuis plusieurs jours. Ses cheveux argentés, habituellement peignés avec soin, étaient en désordre.

– J'imagine que vous avez vu les nouvelles, continua-t-il.

Rashim n'avait pas eu vraiment le temps de s'y intéresser. Chaque jour, un ou plusieurs candidats devaient être remplacés, ce qui l'obligeait à recalculer sans cesse la masse totale.

– Vous avez entendu parler du virus de Kosong?

Le dernière fois qu'il avait regardé les informations, le Bangladesh venait d'être totalement englouti. Trente-six pour cent de la superficie de l'océan Indien était infestée d'algues empoisonnant, anéantissant complètement l'écosystème qu'il

51

abritait. La Fédération nord-américaine renforçait le contrôle des frontières et ses migrations de l'Est et de l'Ouest. Un corps de droïdes de combat japonais avait mené à bien une attaque sur la ville nord-coréenne de Hyesan. Il y avait eu beaucoup de morts.

Et en effet, il avait bien été question d'un virus. Les médias avaient émis l'hypothèse d'une arme chimique lancée par les Japonais sur une ville de Corée du Nord. Ou pire encore, une arme biologique de substitution nord-coréenne utilisée accidentellement suite à une frappe de missiles.

– Le virus de Kosong ?

Il s'appelait donc ainsi. Yatsushita secoua la tête et s'approcha du bureau de Rashim.

– Mais qu'est-ce que vous fichez ? Vous feriez mieux de vous tenir au courant au lieu de… de… dit-il en se tournant vers Bouba l'éponge, accroupi au pied du bureau, qui souriait de ses dents ridicules. Au lieu de fabriquer vos stupides jouets !

– Je n'ai pas le temps de visionner des holo-vidéos, Dr Yatsushita ! rétorqua Rashim, agacé. Je dois…

– Le virus est emporté par le vent ! Il a été signalé à Pékin !

C'est sûr que le fait qu'il s'envole n'était pas une bonne chose.

– Nos… *partenaires* sont inquiets. Ils demandent que le Jour T soit avancé.

Des *partenaires*. Yatsushita avait choisi ce mot soigneusement. Il allait de soi pour Rashim que le Projet Exodus avait été financé par ce qui restait du budget américain de la Défense, des ressources très probablement complétées par une poignée de milliardaires qui voulaient en être.

– Avancé de combien ?

Le Dr Yatsushita hésita.

– Ils veulent partir le 30 mai.

– Mais c'est dans cinq semaines ! Il nous faut au moins six mois encore pour être sûrs.

– Nous n'avons pas le choix ! Ça doit être prêt d'ici là.

Rashim remonta ses lunettes rondes au-dessus de son front, maintenant ses boucles brunes en arrière, comme un bandeau.

– Leur avez-vous parlé des risques encourus ? Vous leur avez dit qu'à la moindre petite erreur on est tous morts ? Ou pire… ?

– Je leur ai expliqué tout ça. Cependant, ils insistent.

Rashim planta ses yeux dans ceux de son chef de projet.

– C'est si grave que ça ?

Yatsushita déplia une chaise et considéra, par-dessus le désordre qui régnait partout autour de lui, la dizaine de techniciens qui travaillaient tard. Il s'assit et reprit à voix basse :

– C'est bien, bien pire que ce que disent les médias. On les a maintenus dans l'ignorance. Il y a un véritable « embargo » sur ce qu'il y a de pire.

– Ce qu'il y a de pire ? Que voulez-vous dire ?

– Un virus intelligent, Rashim. Il s'agit d'un virus supérieurement intelligent. Un *Von Neumann* !

Rashim hocha lentement la tête. Un Von Neumann, une hypothèse imaginée par un théoricien hongrois, John von Neumann, plus d'un siècle auparavant. Des machines capables de récolter leurs propres ressources en s'autorépliquant. Des nanotechnologistes avaient tenté de créer des robots de la taille de cellules sanguines au début du XXIe siècle, mais sans succès. Du point de vue de la robotique, il y avait trop de problèmes pratiques à résoudre. Néanmoins, sur le plan biologique, c'était une tout autre histoire. Après tout, les bactéries étaient des machines. Mais le Saint-Graal, du point de vue de l'armement, était une bactérie qui pouvait faire preuve d'intelligence, à laquelle on pouvait confier des instructions génétiques, un objectif, un but précis. Une *cible*.

– Un échantillon a été isolé et analysé par une équipe à Tokyo, expliqua le Dr Yatsushita, manifestement bouleversé.

– Et ?

– Il est conçu pour dépeupler, pour s'attaquer aux hommes uniquement.

– Il a été fabriqué?

– Évidemment! Au contact de n'importe quelle cellule humaine, il s'active. Il détruit, par des acides et des protéines, les structures des cellules, dit-il en se passant la main dans sa chevelure argentée. Il liquéfie totalement les sujets infectés en l'espace de quelques heures.

– Quelle horreur!

– La solution liquide est utilisée par les bactéries pour en faire des copies, sécréter des spores, comme des plumes ou du pollen, qui peuvent être transportées par le vent.

– Y a-t-il déjà des cas d'immunité? La résistance d'un groupe ethnique en particulier?

Le Dr Yatsushita secoua la tête.

– Non, pas encore. Jusque-là, nul n'a l'air d'être à l'abri. Celui qui a fabriqué ça, quel qu'il soit, se fichait complètement que cela tuerait toute la population mondiale.

Rashim regarda l'écran holographique qui tremblait au-dessus de son bureau, avec ses colonnes interminables de données demandant à être collectées et traitées.

– Maintenant, vous comprenez pourquoi ils veulent avancer le Jour T? dit le Dr Yatsushita. Le virus de Kosong représente ce que craignent le plus les dirigeants depuis des décennies : l'arme biologique parfaite.

Rashim se frotta les tempes.

– Bon sang…

– J'ai dit à nos partenaires que tous les candidats au Jour T devaient immédiatement se mettre en route et nous rejoindre ici, reprit Yatsushita. Nous devons finaliser l'index de masse aussi rapidement que possible. On ne peut pas changer sans arrêt les données.

– Oui… oui, absolument, approuva Rashim.

Son patron se pencha vers lui.

– Dr Anwar, vous avez de la famille parmi les candidats, n'est-ce pas?

– Oui… mes parents et mon frère.

– Appelez-les, Rashim… faites-les venir tout de suite. Avant qu'il ne soit trop tard.

CHAPITRE 9
2001, NEW YORK

– Préparez-vous, dit Maddy.

Elle se tourna vers Liam et Sal, assis sur le vieux sofa, les yeux rivés sur elle, dans l'expectative.

Ça ne va pas leur plaire.

– *Jahulla!* Allez, Maddy… c'est quoi?

– Notre agence… c'est, je ne sais pas trop comment vous expliquer ça…

– Eh bien, dis-le, c'est tout.

Liam ne tenait pas en place.

– Je suis sûr qu'on a déjà entendu pire.

– Pas vraiment pire.

Elle remonta ses lunettes.

– L'agence, c'est seulement nous.

Les mots restaient suspendus entre eux et, dans le silence de l'arche, accompagnés par le doux ronron des ordinateurs en réseau et le grondement assourdi d'un train qui traversait le pont Williamsburg au-dessus de leur tête.

– Comment ça, « seulement nous »? demanda Sal.

– C'est seulement nous, l'agence. Nous trois.

Liam fronça les sourcils, confus.

– Mais… mais je me souviens très bien que Foster nous a dit qu'il y avait d'autres équipes, pour sûr!

– Je sais, mais il a menti.

Sal la regardait sans la voir, un œil perdu derrière sa frange, l'autre perdu tout court.

– Mais…

– Et ce message, Maddy ? dit Liam, penché sur la table. Ce message du futur à propos d'Edward Chan ?

– Une autre personne fait partie de l'agence, expliqua-t-elle. C'est ce type, Waldstein. Roald Waldstein.

– Le gars qui a inventé les voyages dans le temps ?

– C'est ça. C'est lui qui a installé cette arche et qui a recruté Foster et l'équipe précédente.

Sal secoua la tête, analysant tout cela mentalement.

Liam frappa la table d'une main.

– Jésus Marie Joseph ! Tu sais, je… je me demandais pourquoi c'était toujours nous qui nous occupions de tout. Pourquoi les autres équipes étaient sacrément trop paresseuses pour se bouger le troufignon et venir jusqu'ici nous filer un coup de main !

– Eh ben maintenant on le sait, fit Maddy.

– Mais Foster n'a pas dit que ce Waldstein était complètement contre les voyages dans le temps ? demanda Sal. Qu'il a mené une campagne contre ça, ou un truc dans le genre ?

– Oui, c'est vrai. Mais il a aussi mis cette agence en place, secrètement, comme un plan de secours. Je suppose qu'il s'est dit que, même avec des accords internationaux interdisant le développement technologique des voyages dans le temps, chaque gouvernement ferait son propre essai en douce.

Liam rit doucement.

– Je le savais ! Je le savais fichtrement !

– C'est pas juste, que Foster ne nous l'ait pas dit, se plaignit Sal en regardant Maddy. Pourquoi il nous a menti ?

– J'imagine qu'il ne voulait pas nous faire porter trop de choses, nous mettre trop la pression.

– Il vient juste de te dire ça ? Aujourd'hui ?

– Ouais.

– Pourquoi ? fit Sal en plissant les yeux.

– Pourquoi quoi ?

– Pourquoi il a attendu jusqu'à maintenant pour t'en parler ?

– Comme je lui ai raconté tout ce qui nous est arrivé, il a dû se dire qu'on était prêts à encaisser ça.

– *Chutiya!* lança-t-elle, debout, en se mordillant les lèvres de colère. Il croit qu'on est *bakra*? Stupides? Et qu'est-ce qu'il nous cache d'autre?

Maddy aurait aimé répondre «rien», mais elle n'était pas tout à fait certaine que Foster leur ait encore tout dévoilé. Elle se sentait coupable aussi de cacher des choses à ses amis. Par exemple, quand exactement allait-elle annoncer à Liam que les voyages dans le temps le tuaient à petit feu? Qu'ils le vieillissaient, qu'il allait finir par ressembler à Foster dans peu de temps.

Et, bien plus important que ça, que lui et Liam étaient une seule et même personne. Quand donc allait-elle se décider à le lui dire?

Et qu'est-ce que ça signifiait, de toute façon?

Maddy avait retourné maintes fois ce petit miracle dans son esprit. Cela signifiait-il que Liam avait déjà été recruté sur le *Titanic*? Que cette arche existerait dans une plus grande boucle temporelle, le jour où Liam deviendrait un vieil homme? Un vieil homme qui d'une manière ou d'une autre leur aurait survécu, à elle et à Sal, et qui éprouverait désormais le besoin de renouveler le cycle en revisitant les derniers moments de leurs vies «normales» et en les recrutant de nouveau.

– Au fait, Maddy…

Elle leva les yeux. Sal était assise au bout de la table.

– J'ai vu un truc, mais je l'ai gardé pour moi.

– Hein? Non, mais attendez! s'exclama Liam. Est-ce que tout le monde ici a un fichu secret sauf moi?

Sal l'ignora.

– Ça peut paraître dingue, mais… est-ce qu'on a déjà été recrutés, avant?

– Quoi?

Sal continua de l'ignorer. Ses yeux ne quittaient pas Maddy.

– Est-ce que Foster a dit un truc qui irait dans ce sens?

– Qu'est-ce que tu veux dire par «recrutés avant»?

– Foster a dit qu'il y avait une autre équipe avant nous, d'accord?

Maddy approuva d'un signe de tête.

– Il a dit qu'ils étaient morts, que cette espèce de fantôme… le *traqueur*, les avait tués.

– Mais c'est vrai, ça. J'avais oublié, dit Liam.

– Cette équipe, Maddy, c'était nous?

Le regard de Sal resta résolument rivé à celui de Maddy, qui remuait, gagnait du temps… esquivait.

Est-ce que je leur dis que Liam est Foster? Parce que si Liam est déjà venu ici, peut-être que Sal a raison et que nous sommes déjà venues nous aussi.

– Si je demande ça, c'est parce que j'ai vu un truc que je n'arrive pas à expliquer, dit Sal, en se tournant vers Liam. C'est à propos de ton uniforme du *Titanic*.

– Oui, tu m'as dit que tu en avais vu un, un peu comme…

– Non, Liam, non. C'est vraiment ta veste.

Maddy fronça les sourcils. C'était son tour d'être médusée par une révélation.

– Pardon?

– Dans cette boutique qui vend des costumes de théâtre, pas loin d'ici, il y a la veste de Liam.

– Ne sois pas ridicule, répliqua Maddy en montrant du doigt les vêtements pendus devant le recoin où ils dormaient. Elle est accrochée là-bas!

– C'est la même, Maddy, exactement la même!

– Comment ça peut être la même, Sal? Comment elle peut être en même temps ici et dans le magasin?

– Je t'assure. Il a la même tache, de la même forme, au même endroit!

Elle se leva, se dirigea vers la penderie à côté de leur alcôve. Elle en retira la veste blanche, toujours sur son cintre, et l'étala sur la table, sous la lumière du plafonnier.

– Là, vous voyez?

Liam se leva à son tour et l'examina.

– Tu t'es fait cette tache sur le *Titanic*, c'est bien ça? C'était quoi... du vin, un truc comme ça?

– Je la vois. Doux Jésus... Je ne l'avais jamais remarquée.

Maddy les rejoignit.

– Moi non plus. On la voit à peine.

– Je... je ne crois pas avoir jamais renversé du vin sur ma veste, dit-il à Sal. Je n'en ai aucun souvenir, et puis le chef steward m'aurait tué.

– Alors, ce n'était pas toi?

Il secoua la tête.

– Peut-être que quelqu'un a porté cet uniforme avant moi.

– C'est possible, convint Maddy.

– C'est pas ça, l'important, s'exclama Sal, irritée. Ce qui compte, c'est qu'il y en ait deux! Vous comprenez? Ça veut peut-être dire que Liam est déjà venu ici.

Liam ouvrit grand les yeux.

– Ça me...

– Ça te scie, c'est ça? demanda Sal.

Il confirma d'un signe de tête.

CHAPITRE 10
2070, PROJET EXODUS,
CHEYENNE MOUNTAIN, COLORADO SPRINGS

Qui a dit un jour : « Une semaine, c'est long en politique » ?
C'était une remarque pertinente, qui demandait juste à être un
peu adaptée.

Rashim regardait les informations de La Nouvelle-Londres,
dans le nord de l'Angleterre.

Une semaine, c'est long en période d'épidémie.

Cette épidémie alimentait les médias en un flux ininter-
rompu. Depuis déjà deux jours, des millions de personnes à
travers le monde, tous aussi effrayés que Rashim, regardaient
les mêmes images, diffusées par une caméra alimentée par une
batterie hydrocellulaire qui gisait sur un trottoir.

Au départ, le caméraman était en train de filmer la rue. Elle
s'était remplie d'une foule qui tentait d'échapper à une pluie de
flocons. On aurait dit des cendres de papier, ou des fleurs. Ces
fleurs, qui étaient en réalité des spores virales, atterrissaient
doucement sur les cheveux, les mains, les visages des gens, et
avaient presque aussitôt un effet mortel. La foule était livrée
à la panique, les gens poussaient des hurlements… Puis la
caméra était tombée, et, cinq minutes après, la rue était devenue silencieuse, jonchée de cadavres.

Vingt-quatre heures plus tard, il avait été bouleversé à la vue
d'une petite fille solitaire titubant dans le cadre fixe de la caméra.
Elle n'avait pas plus de dix ou onze ans, tombait à genoux,
gémissant de peur et de douleur pendant que son bras gauche
semblait se dissoudre. Des excroissances de germes, comme

des veines à la surface de sa peau, serpentaient le long de son coude jusqu'à son épaule, son cou, son visage.

Elle s'était écroulée très vite en se recroquevillant, sans vie. Les six heures suivantes, elle s'était transformée en une flaque d'un liquide brun-roux dans laquelle gisait un petit tas de vêtements.

Il avait continué à regarder la scène avec une horreur grandissante tandis que dans la flaque naissaient de légères protubérances, comme des bosses, qui ressemblaient presque à des champignons et qui avaient fini par s'ouvrir pour révéler des spores duveteuses, comme celles des pissenlits.

Puis, la brise les avait emportées.

Quelque part, dans un camp de réfugiés au Kazakhstan, ses parents et son frère étaient très probablement dans le même état que la petite fille, à présent. Des tas de vêtements qui trempaient dans des flaques.

– Rashim !

Tout était arrivé trop vite. Le confinement des villes, la quarantaine, l'arrêt total de tous les transports. Rien de tout cela n'avait permis de stopper le virus de Kosong.

– Dr Anwar !

Il se détourna de l'holo-projection qui surplombait son bureau. Le Dr Yatsushita était penché par-dessus la cloison de son box. Sa cravate était desserrée, le premier bouton de sa chemise ouvert, ses manches roulées, et il se dispensait depuis des jours de porter sa blouse de laboratoire. Comme tous les autres, il travaillait sans arrêt pour que tout soit prêt le Jour T.

– J'ai besoin de ces chiffres maintenant !

Rashim ne se sentait pas impliqué dans l'agitation et le bruit qui régnaient autour de lui. Le hangar était rempli de gens, mais aussi d'équipement et de machines qu'on avait apportés. Il reconnut dans un coin plusieurs visages célèbres, dont le vice-président Greg Stilson et le secrétaire de la Défense ; quelques dizaines de mètres plus loin, un prince saoudien et sa famille, et, près de lui, la stature massive d'un dictateur d'Afrique centrale, dont il ne parvenait plus à se rappeler le nom, accompagné de ses trois jeunes épouses. Rashim songea qu'il avait dû dépenser les dernières richesses de son pays pour s'acheter une place dans le Projet Exodus.

Il identifia vaguement d'autres visages : de vieux hommes flanqués de jeunes femmes. Les riches et les puissants.

– Les chiffres, Rashim !

Il acquiesça d'un lent signe de tête et se débarrassa des données en les envoyant depuis son écran sur le h-pad du Dr Yatsushita.

– Ils sont loin d'être justes, murmura-t-il d'un air absent.

– On n'a plus de temps, trancha Yatsushita en baissant la voix. Ce sera à leurs risques et périls.

Tant de candidats soigneusement sélectionnés pour le Projet Exodus n'étaient pas arrivés à temps à Cheyenne Mountain. Certains candidats sur liste d'attente s'étaient débrouillés pour se faire acheminer en avion, mais de nombreuses cases de la grille étaient désormais vides ou occupées par des remplaçants de dernière minute. Il ne s'agissait plus d'éminents généticiens ou de chercheurs en aérospatiale mais d'individus hétéroclites, réunis au hasard : des conducteurs de véhicules de l'armée, des administrateurs, des techniciens, et bien sûr une poignée de politiciens, de milliardaires, de dictateurs, des gens avec des relations qui avaient eu vent de la dernière chance qu'offrait le Projet Exodus de se négocier une place dans la grille de déplacement.

Il ne s'agissait pas vraiment de l'élite de la société du XXIe siècle qu'on avait initialement eu envie d'envoyer dans le passé pour offrir une nouvelle chance à l'humanité.

Rashim considéra le Dr Yatsushita.

– Vous avez dit « à leurs risques et périls »…

– Je ne viens pas.

– Pourquoi ?

Il soupira.

– Je ne peux pas… pas sans ma famille.

– Toujours pas de nouvelles ?

Yatsushita secoua lentement la tête. Il avait réussi à faire en sorte que sa femme et sa fille prennent un vol de Tokyo à Vancouver. Mais là, elles avaient été bloquées. Il n'y avait plus aucun vol, ni commercial ni militaire. Pas même son influence en qualité de technicien supérieur d'Exodus ne pouvait les faire venir.

Le vieil homme jeta un coup d'œil, par-dessus son épaule, à la grille chaotique.

– De toute façon, ce n'est plus le projet que je m'étais engagé à diriger.

Rashim savait exactement à quoi il faisait allusion. Cette fuite frénétique, indigne de la fin soudaine et précipitée de l'humanité, n'avait rien à voir avec ce qu'était à la base le Projet Exodus. Même s'il s'agissait d'une infraction flagrante du Règlement ILA 234, connu officieusement comme « loi Waldstein », c'était quand même quelque chose. Il s'agissait de réamorcer la civilisation dans le passé avant que l'homme se soit mis à épuiser les ressources de la planète, d'apporter le savoir et les lumières du XXIe siècle à un monde ignorant qui croyait au pouvoir des dieux et des prédictions, à la répression et à l'esclavage. C'était un projet porteur d'espoir.

L'espoir. Ça ne semblait pas valoir grand-chose dans ce monde pollué et agonisant.

Cependant, il ne s'agissait pas des candidats triés sur le volet, calmement avertis depuis un an de régler leurs affaires personnelles et de se tenir prêts à être emmenés à Cheyenne Mountain, mais d'un choix aléatoire, de personnes riches qui avaient des *relations*… et, pour certains cas, des chanceux recueillis de justesse. L'échantillon était bien décevant pour un projet d'une telle importance.

– Alors vous restez, Dr Yatsushita ?

Celui-ci hocha la tête.

– Vous allez mourir.

– Nous finirons *tous* par mourir, Rashim.

– Je reste avec…

– Non ! Il faut qu'il y ait un technicien avec eux. En tant que technicien en chef, vous aurez une autorité absolue. Je ferai en sorte que cela soit officialisé en le saisissant dans le système.

– Moi ? Responsable d'*eux* ? fit Rashim en secouant la tête. Écoutez, je ne suis qu'un…

– Il existe un protocole, une juridiction pour cette mission. Ils le savent tous, ils ont passé un contrat moral pour venir avec nous. Ils sont obligés de vous accepter comme chef du Projet Exodus.

Rashim jeta un coup d'œil au vice-président.

– Oui, même lui doit vous accepter comme son… *patron*, compléta Yatsushita.

Il désigna discrètement le vice-président, le prince, le dictateur et quelques autres. Tous exultaient d'avoir réussi à pénétrer dans l'installation avant la fermeture de sécurité.

– Ne laissez aucun de ces parasites prendre le pouvoir, Rashim, dit-il avec un sourire triste. Faites en sorte que ce soit un vrai renouveau de l'humanité. C'est d'accord ?

Rashim se leva et écarta sa chaise à roulettes. Au-delà du calme de la petite enclave que constituait son bureau, le hangar était rempli de bruits et d'activités. Les voix s'élevaient, dans la confusion, la peur et l'émotion. On percevait le fracas de deux dizaines d'unités de combat accablées du poids de leur armure en carbone souple, de leurs armes et de leur équipement, le grincement des exosquelettes qui déposaient de lourdes caisses de matériel sur la grille et le grondement sourd de trois VCM, d'énormes aéroglisseurs, qui se positionnaient dans de grandes cases identifiées par des drapeaux holographiques,

Le Dr Yatsushita serra de ses deux mains celle de Rashim.

– Les unités de combat sont programmées pour suivre les

protocoles d'Exodus. Ils accepteront votre autorité dès que vous serez officiellement mon remplaçant.

– Dr Yatsushita, je vous en prie, vous devez venir. Je ne suis pas prêt pour ça, supplia Rashim en regardant à nouveau le dictateur, le prince, les politiciens et les milliardaires. Je n'arriverai jamais à les commander… ils ne l'accepteront jamais.

Le vieil homme sourit.

– Ils n'auront pas leur mot à dire.

– Vous mourrez si vous restez. S'il vous plaît, il faut que vous veniez…

– Tous ceux qui resteront ici mourront, dit-il en se retournant pour observer la frénésie qui régnait derrière lui. En l'état, voilà ce qu'est notre unique futur, désormais.

– C'est dingue !

– Vous devez y aller, Rashim. Vous serez le responsable d'Exodus.

De nouveau, il sourit, d'un sourire presque paternel, ce qui était curieux de la part du vieux Japonais. Rashim avait toujours eu l'impression que le Dr Yatsushita ne l'aimait pas, qu'il désapprouvait ses manières rebelles, le désordre de son espace de travail, son assistant de laboratoire personnalisé.

– Je vous fais confiance, jeune homme, à vous… bien plus qu'à aucun de ceux-là.

Rashim avala sa salive avec angoisse. Il avait l'estomac noué.

– OK… O-OK. Je vais… je vais essayer.

Le Dr Yatsushita lui donna une tape amicale sur l'épaule.

– Vous vous en sortirez très bien.

CHAPITRE 11
2001, NEW YORK

– OK, Maddy. Je vérifie si j'ai bien compris tous les mots, dit l'homme à l'autre bout de la ligne.

C'était exactement le genre de téléassistant qui l'horripilait : il était beaucoup trop familier. Ils ne s'étaient jamais vus, alors pourquoi est-ce qu'il l'appelait par son prénom comme s'ils se connaissaient depuis la maternelle ?

– *Une âme perdue dans le temps…* C'est ça, Maddy ?

Elle soupira.

– Oui, jusqu'ici, c'est ça.

– *Besoin de savoir ce que vous savez sur Pandore. Conscient que c'est « la fin ». Appris que « la famille » signifie juste nous et vous. Et qu'on a déjà servi avant. Insiste pour plus d'informations. Ne nous chargerons pas d'autres « fêtes » avant votre réponse.*

L'opérateur d'assistance à la clientèle ricana.

– Waouh, Maddy, vous êtes une sorte d'agent super-secret, ou quoi ?

– C'est exactement ça, dit-elle en levant les yeux au ciel. Une sorte d'agent super-secret. Bon, vous la publiez, cette annonce, ou vous avez encore envie de vous moquer de moi ?

– Oh, je suis désolé… Je vais… euh… Je vais m'assurer qu'elle passera bien dans l'édition de demain.

– Merci. C'est important que vous le fassiez.

– Donc, ça fait, attendez…

Elle l'entendit compter à voix basse.

– Trente-quatre dollars pour une semaine dans les petites annonces du *Brooklyn Daily*…

– Non, je la veux seulement pour demain. Juste mardi.

– Vous savez, Maddy, ça ne vous coûtera pas un centime de plus si elle paraît toute la semaine.

– Seulement l'édition de demain, s'il vous plaît. Et c'est tout.

– Très bien… si c'est ce que vous voulez. Maintenant, je vais avoir besoin de vos coordonnées bancaires, Maddy.

Elle les lui donna aussi rapidement qu'elle put, impatiente d'en finir et d'entendre l'inévitable et inutile « passez une bonne journée ». Ensuite, elle posa le téléphone sur son bureau et regarda les autres.

– Ça y est.

Liam sourit, un peu tendu.

– Tu crois qu'on va énerver ce Waldstein ?

Elle haussa les épaules.

– J'ai arrêté de m'en faire, Liam. On nous doit une explication. On est revenus plusieurs fois de l'enfer. On a fait son sale boulot pour ainsi dire en aveugles. Je ne lèverai plus le petit doigt tant qu'on n'aura pas d'infos.

– C'est vrai, approuva Sal, c'est pas juste. Ils pourraient nous faire confiance, ces types, maintenant.

– C'est *ce* type, pas *ces* types, corrigea Maddy.

– Peu importe qui, on nous doit une explication, fit-elle.

– Je veux savoir qui a mis en place cette agence, dit Maddy. Ce n'est quand même pas Waldstein tout seul. Et aussi quand c'était, combien il y a eu d'équipes avant nous. Et, oui, tu as peut-être raison de le demander, Sal : est-ce que c'était vraiment nous ?

– Et si quelqu'un d'autre reçoit le message ? demanda-t-elle.

Maddy n'avait pas pensé à ça. Sal insista :

– Ça va paraître dans un journal ? Et si quelqu'un d'autre est au courant pour l'annonce ?

– Alors, on vient de faire une grosse erreur. Et toi, Bob, tu en penses quelque chose ?

– Il est logique de chercher à obtenir plus d'informations, Maddy.

– Tu n'as pas un code caché quelque part, par hasard? Aucun protocole prioritaire enfoui qui te ferait t'opposer à ce qu'on interroge notre…

Elle allait dire « QG », mais elle se demanda si une telle chose existait seulement.

– … à ce qu'on interroge notre *patron*?

– Négatif, Maddy, mes priorités les plus hautes sont préserver l'Histoire et vous protéger.

– Tu ne vas pas nous arracher la tête sans prévenir, ou un truc dans le genre?

Ses lèvres chevalines s'avancèrent pour former une moue boudeuse.

– Je ne blesserai aucun d'entre vous.

Liam lui pressa légèrement le bras.

– T'inquiète pas, p'tite tête, on t'aime bien, tu sais. Donc, Maddy, lança-t-il en se calant dans sa chaise et en croisant les bras d'un air de défi, il s'agit bien de ce à quoi je pense, alors?

– Quoi donc?

– C'est une grève.

Elle approuva avec un sourire déterminé.

– C'est exactement ça, dit-elle en sirotant un peu de son Dr Pepper. S'il… si Waldstein ou qui que ce soit d'autre veut que nous sauvions de nouveau l'Histoire, il va falloir qu'on commence à avoir des réponses.

Liam leva sa tasse de café.

– Je bois à ça.

– Moi aussi, dit Sal en levant son verre de jus d'oranges.

Elle l'avança au-dessus de la table et les deux autres trinquèrent avec elle.

Bob hocha la tête d'un air pensif, puis regarda autour de lui.

– Je n'ai rien à boire. Est-ce conforme aux instructions?

CHAPITRE 12

Rashim se plaça sur la grille de conversion, dans une case d'un mètre de côté, comme toutes les autres cases individuelles. C'était une marge de sécurité suffisante pour s'assurer que personne ne se «mélangerait» durant le voyage. Naturellement, rien n'était sûr. Rashim le savait mieux que personne. Les lois de la physique finissaient par ne plus avoir cours dans l'espace extradimensionnel. *L'espace du chaos*, comme l'énigmatique Roald Waldstein l'avait un jour nommé.

Il n'était pas possible de savoir s'ils seraient nombreux à survivre. Pire encore, avec ses estimations de la masse totale à convertir, son précieux index de masse, qui était plus une approximation qu'un calcul précis, ils pouvaient très bien dépasser la station de réception ou au contraire viser trop court. Ou encore, et bon sang c'était une pensée insoutenable, ils pouvaient ne jamais émerger de l'espace extradimensionnel.

La voix du Dr Yatsushita résonna dans le haut-parleur du hangar pour annoncer les dix dernières minutes.

– Excusez-moi… Personne ne m'a expliqué ce qui se passe.

Rashim se tourna vers l'homme qui se tenait à côté de lui, sur la grille. Le bloc de données holographiques qui flottait au-dessus du sol le présentait comme le professeur Elsa Korpinski : physicienne. Ce n'était évidemment pas le cas.

– Excusez-moi, monsieur ! Vous savez ce qui se passe ? Qu'est-ce qu'il va y avoir, dans dix minutes ?

L'homme portait un treillis vert olive. Il s'agissait d'un caporal à en juger par le grade qu'il arborait sur le bras. C'était un des volontaires de dernière minute qu'ils avaient rassemblés au moment où ils verrouillaient l'installation. Ces volontaires faisaient office de lest, une masse équivalente à celle des nombreux candidats qui n'avaient pas pu rejoindre l'installation à temps.

Bien que les flocons du virus de Kosong avaient déjà été aperçus à Denver, et à une quinzaine de kilomètres plus au sud, à Castle Rock – ce qui était dangereusement proche étant donné qu'ils étaient portés par le vent –, ils attendraient que l'épouse du vice-président Greg Stilson soit arrivée par gyrocoptère, avant que les portes bétonnées, hermétiques et antidéflagration nucléaire de l'installation ne se referment, interdisant l'accès au monde extérieur.

Le caporal balaya le hangar des yeux.

– Ça sert à quoi, tous ces écrans et ces textes holographiques? On va nous inoculer le virus coréen, quelque chose dans le genre? C'est ça? C'est un vaccin?

– On part, dit Rashim.

– On part, répéta le caporal en essuyant de la sueur sur sa lèvre supérieure. Quoi? Comment ça on part? De quoi parlez-vous?

Rashim lut le nom du soldat cousu sur la poche de sa chemise: North.

– Nous partons dans le passé, caporal North.

– Le passé? Qu'est-ce que… qu'est-ce que c'est? Vous avez bien dit «le passé»?

Il fit un pas vers Rashim; sa botte de l'armée dépassa de sa case. Une douce alarme carillonna dans le haut-parleur. Une voix féminine calme, artificielle, issue du système numérique de lancement, s'éleva.

– Alerte de proximité, grille numéro 327. Veuillez respecter les marqueurs d'emplacement.

– Vous devez reculer, dit Rashim en montrant sa botte. Il faut bien rester dans la grille.

North baissa les yeux et fit ce qu'on lui demandait.

– Vous avez parlé du passé ? Vous voulez dire que…

– Que nous allons dans le passé.

L'homme jura.

– Vous êtes en train de me dire que nous sommes dans… dans une machine à remonter le temps ? Mais c'est… c'est…

– Une violation directe des lois internationales, oui, je sais. Vous devriez essayer de garder votre calme, lui conseilla-t-il en lui montrant la ligne lumineuse holo-projetée à quelques centimètres du sol. Et à tout moment, jusqu'à ce qu'on ait été *transférés* sans encombre, vous devez bien rester à l'intérieur de votre case. Est-ce clair ?

Le caporal North considéra le carré de lumière sur lequel il se tenait.

– Ou bien quoi ?

– Tout ce qui dépasse de la ligne ne partira pas avec nous.

– C'est pas possible !

– Vous risquez de finir coincé dans le pauvre gars de la case d'à côté. Ne bougez pas.

– Mais personne ne m'a rien dit ! Ils m'ont juste attrapé, avec d'autres, devant le bâtiment…

– Restez calme et ne bougez pas.

– Dr Anwar ? mugit la voix de Yatsushita dans la salle obscure. Vos chiffres sont intégrés, et le programme de simulation de transfert les a approuvés comme s'inscrivant dans une marge acceptable d'erreur. Êtes-vous prêt à continuer ?

Rashim en doutait beaucoup. Néanmoins, le signal du programme pouvait être ignoré. Il espérait seulement que le signal était orange, et non rouge vif et clignotant. Il hocha la tête pour toute réponse.

Le caporal North contempla Rashim.

– Quoi ? C'est vous le responsable de tout ça ?

– Euh… oui. Si on peut dire.

– Le générateur de champ magnétique est en charge, annonça le haut-parleur. Transfert dans huit minutes.

Il regarda le groupe Exodus, composé pour la plupart d'hommes – vieux, pour beaucoup – et, par-ci par-là, de quelques femmes et d'enfants. Il vit même un nouveau-né qu'on installait délicatement à terre. Les familles des gens très riches. Ce groupe aurait dû être composé des trois cents plus grands esprits mondiaux, des jeunes gens, hommes et femmes, prêts à coloniser le passé en lui apportant les meilleures valeurs du monde moderne.

De l'autre côté, la section des unités de combat se tenait parfaitement immobile, chacune dans sa case. Des soldats génétiquement fabriqués : des blocs de muscles et d'os en treillis équipés d'armures et de casques en carbone souple qui transportaient suffisamment de matériel pour mener une petite guerre.

Rashim aperçut Bouba l'éponge qui s'approchait en se dandinant.

– Hé, capitaine ! lança-t-il avec un joyeux sourire de plastique.

– Bouba, je pars maintenant. Il faut que tu sortes de la grille de transfert.

– Je sais, pépia-t-il, toujours souriant. Je suis juste venu vous dire au revoir. Oh, et vous avez trois messages de plus dans votre boîte mail. Que des factures. Le premier est une relance d'Intercytex Systems…

Rashim sourit. Le réseau avait pour habitude de s'étrangler avec son propre système de mails internes.

– Ça pourra attendre, Bouba. Il faut que tu descendes, maintenant.

– D'acco-dac.

– Ah, et au fait, le Dr Yatsushita sera désormais ton propriétaire et ton opérateur.

Pour le temps qui lui reste.

– Je comprends. Au revoir, capitaine. Faites un beau voyage !

– Au revoir, Bouba.

L'assistant de laboratoire se retourna et repartit en se dandinant en direction des box de travail, des bureaux et de la lueur bleu-vert des dizaines d'écrans holographiques qui flottaient dans l'air.

– Transfert dans cinq minutes, prononça la voix du Dr Yatsushita. Toute personne ne faisant pas partie de l'équipe d'Exodus doit immédiatement quitter la grille.

Rashim entendit monter le bourdonnement du courant acheminé dans le hangar. Du plafond, il entendit le cliquètement des chaînes et des moteurs alors que la cage s'apprêtait à descendre. Elle était constituée d'un grillage fin, d'un rideau d'une matière conductrice qui s'abaisserait tout autour de la grille de transfert, comme lorsqu'un magicien cherche à cacher son assistante sous un voile avant de la faire disparaître. La quantité de courant nécessaire était bien supérieure à ce que l'installation de Cheyenne Mountain pouvait fournir. Ils exploitaient ainsi plusieurs autres réacteurs nucléaires du Colorado, privant à cette fin des villes entières d'électricité. Les lumières de Denver étaient certainement en train de s'éteindre à cet instant. Mais aucun survivant, dehors, ne le remarquerait ni ne s'en soucierait.

L'image de la petite fille liquéfiée qu'il avait vue aux informations le hantait. Il ne restait plus d'elle qu'un petit tas de vêtements et une flaque d'un liquide brunâtre d'où émergeait une peau parcheminée. Il se demanda combien de temps il restait avant que les derniers groupes humains soient infectés, avant que l'humanité soit complètement annihilée.

Peut-être que, sans l'humanité, le monde trouvera un moyen de se régénérer.

Cette pensée le consola un peu. Les villes seraient réduites à des décombres rouillés, la nature trouverait la façon de rééquilibrer l'air pollué, les mers empoisonnées. Et, pour finir, d'effacer le moindre souvenir de nous. Encore un échec complet. Les dinosaures avaient eu leur époque, l'humanité aussi.

À qui le tour ?

– Positionnement de la cage d'énergie.

Rashim leva les yeux et vit le rideau grillagé descendre lentement, les enfermant tous. Ceux qu'on avait dépêchés pour des remplacements de dernière minute, et qui ignoraient les procédures de transfert, lançaient des regards inquiets autour d'eux.

– Qu'est-ce que c'est que ça ? C'est quoi qui descend, là ?

– Du calme, dit-il au caporal. Cette cage de Faraday va générer un énorme champ magnétique en forme de boîte à chaussures et nous envelopper pour la livraison.

– Comme un colis ?

D'autres, à l'autre bout du hangar, avaient l'air tout aussi médusés. Ils étaient peu nombreux, dans la grille, à avoir été informés de la procédure. Le vice-président lui-même avait abandonné son calme médiatique et paraissait inquiet.

Rashim sourit.

– C'est ça… Comme un colis.

Il échangea un dernier regard et un hochement de tête avec le Dr Yatsushita, dont les lèvres articulèrent quelque chose. Rashim devina ce dont il s'agissait : *Ne les laissez pas prendre le pouvoir.* Puis il disparut derrière le voile miroitant du fin grillage. Le ronronnement des moteurs cessa lorsque le grillage toucha terre.

– Déclenchement dans deux minutes. Assurez-vous d'être tout à fait à l'intérieur de vos marqueurs, sur la grille.

Imbéciles, qui êtes venus avec vos enfants.

Dans leur cas, ses évaluations étaient particulièrement extravagantes.

– Déclenchement dans une minute. Assurez-vous désormais de bouger le moins possible.

Il ferma les yeux, certain que tout cela finirait dans une horrible pagaille sanglante. On agissait trop à la hâte. Trop de chiffres trafiqués, approximatifs. Ce n'était pas pour cela qu'il avait signé, lui non plus. Bizarrement, cependant, il se rendit compte qu'il n'avait pas peur. Les semaines précédentes, il avait observé, sur un écran, un virus qui faisait disparaître l'espèce humaine. Il avait regardé cela comme s'il s'était agi d'un de ces films catastrophe qu'on allait voir autrefois au cinéma.

Un virus qui éradiquait l'espèce humaine.

Un virus fabriqué de la main de l'homme, rien de moins.

On est allés s'infliger ça à nous-mêmes. Il y avait une sorte de symétrie satisfaisante dans ceci : après avoir fichu le monde en l'air, on avait terminé le travail avec nous-mêmes.

Le bourdonnement du champ magnétique s'intensifia, et Rashim perçut le crépitement du courant qui décrivait un arc au-dessus de leurs têtes et par-dessus la grille.

Il entendit une fois de plus la voix tonitruante du Dr Yatsushita. Il ne comprit pas les mots sous le vrombissement de la machine. Il sentit les poils de ses bras se dresser, puis ses cheveux, à cause de l'accumulation de l'électricité statique tout autour de lui.

Ça y est.

Un adieu à tout – au xxie siècle, à un monde complètement détruit par l'espèce humaine. Un adieu aux nations qui s'entretuaient pour la terre, la nourriture, l'eau… parfois juste pour une différence de couleur de peau, de religion, de culte ou d'opinion politique.

Alors que le courant déferlait dans le grillage et que des arcs d'énergie bondissaient par-dessus la grille de transfert, à quelques centimètres à peine au-dessus de sa tête, Rashim se demanda si l'humanité méritait vraiment toute cette mise en scène, cette seconde chance de lancer les dés. Peut-être que la seule façon de vraiment apprendre était d'échouer… lamentablement. Kosong, c'était ça : la leçon de l'humanité. L'échec épique de l'espèce humaine. Les quelques rescapés, s'il y en avait, seraient sûrement bien plus sages concernant l'avenir que tous ces gens autour de lui.

On a tout bousillé… Et qu'est-ce qu'on fabrique ? On fuit.

Il avait l'impression que tout ce qu'ils étaient en train de faire était de redémarrer la civilisation pour lui permettre de reproduire, une fois de plus, le même stupide ratage de tout. Encore et encore.

Et encore.

CHAPITRE 13
2001, NEW YORK

– Excusez-moi?… Cette veste accrochée là, dit Sal à la vieille dame. On peut la voir?

– La veste du *Titanic*?

– C'est ça, fit Maddy.

La minuscule vieille dame s'empara d'un tabouret derrière le comptoir pour s'y percher. Elle vacilla, en déséquilibre, lorsqu'elle décrocha le cintre du présentoir et descendit le leur présenter. Elle écarta une petite pile de livres d'occasion qui attendaient d'être étiquetés, fit de la place sur le comptoir et étala délicatement la veste.

– C'est presque une antiquité, vous savez, souligna-t-elle. Elle a presque quatre-vingt-dix ans.

Elle lissa le vêtement de ses mains ridées en ajoutant:

– Elle est plus vieille que moi.

Maddy et Sal contemplèrent le vêtement.

– Je ne la loue pas pour un déguisement. Et je ne sais pas du tout si je voudrais même la vendre, expliqua-t-elle dans un haussement d'épaules. Sauf pour un juste prix.

Sal se pencha sur la veste.

– Ici, tu vois? dit-elle en montrant une épaule.

Maddy se courba, ajusta ses lunettes et l'inspecta de près.

– Ah mais oui, c'est vrai!

Il y avait bien une tache, si légère qu'à moins de la chercher on pouvait ne pas la voir.

– Qu'est-ce qui se passe, mesdemoiselles?

– Il y a une tache, là, répondit Sal. On dirait du vin.

La vieille dame prit des lunettes pendues à son cou par une chaîne et les chaussa.

– Ça alors, je ne l'avais pas remarquée !

– Puis-je vous demander où vous l'avez trouvée ? demanda Maddy.

La vieille femme se redressa et ôta ses lunettes.

– Eh bien, si je me souviens bien, il vient d'un vide-greniers où j'ai acheté une malle pleine de vieilles choses poussiéreuses. Au début, j'ai cru que c'était un costume de théâtre. Ça arrive, de trouver des bijoux pareils de temps en temps…

– Et cet ours ? demanda Sal en désignant la vitrine crasseuse.

La commerçante se pencha par-dessus le comptoir pour regarder ce qu'elle montrait.

– Sur la chaise à bascule ? L'ours en peluche ?

– Oui.

– Oh, j'ai eu toutes ces peluches par une garderie, je crois.

Elle baissa de nouveau les yeux sur la veste et la tache de vin.

– C'est fascinant, n'est-ce pas ? Ça rend l'histoire vivante, dit-elle en s'adressant à Maddy. C'est presque comme remonter le temps. On peut essayer d'imaginer comment cette tache a été faite, poursuivit-elle, les yeux brillant d'excitation. Peut-être que ce membre d'équipage apportait un verre de sherry à une duchesse au moment où le *Titanic* est rentré dans l'iceberg, et voilà d'où viendrait la tache !

– Oui, c'est vrai que c'est cool, répondit Maddy en se prêtant au jeu.

Sal était toujours concentrée sur la peluche. Elle la bouscula gentiment du coude.

– Sal ? Ça va ?

Sal hocha distraitement la tête.

Un carillon retentit et la porte du magasin s'ouvrit. Un homme entra, un smoking et une robe de bal sur le bras.

– Ah ! M. Weismuller ! fit la vieille dame en s'avançant. Comment s'est passée votre fête dans ce chalet ?

– Allez, dit Maddy en prenant la main de Sal et en la conduisant vers la sortie, on y va. Madame ? Merci de nous avoir montré votre veste ! lança-t-elle lorsqu'elles passèrent devant son client et sortirent.

Mais la vieille dame bavardait déjà avec lui, remarquant à peine leur départ.

– Mince, tu avais raison, dit Maddy, une fois sur le trottoir. C'est… c'est exactement la même !

Sal ne pouvait toujours pas quitter des yeux la peluche sur la chaise à bascule.

– Sal ? Qu'est-ce qui se passe ?

Elle se retourna vers Maddy et eut un bref sourire.

– Rien, rien. C'est juste… euh… Alors t'as vu ? dit-elle en changeant de sujet, je te l'avais dit. La veste… Ça veut dire quoi, d'après toi ? Parce que ça veut bien dire quelque chose, t'es d'accord ? Ça veut forcément dire quelque chose !

– Oui… oui, c'est sûr, approuva Maddy.

Elle trouva qu'il valait mieux que Liam n'ait pas été avec elles. Lui et Bob étaient partis acheter des livres. Liam avait envie d'apprendre à se servir d'un ordinateur, et surtout du Web. Maddy lui avait soutenu qu'il existait bien un livre intitulé *Internet pour les nuls*, et qu'elle ne disait pas ça pour se moquer de lui.

– Tu sais ce que je pense ? Tu vas croire que je suis une totale *fakirchana* de la tête, mais… je pense, dit-elle après une inspiration, que cette veste est celle de Foster !

Maddy se mâchouilla nerveusement les lèvres. C'était peut-être le bon moment de lui apprendre ce que le vieil homme lui avait raconté. Sal était si près de la vérité… d'une certaine manière. Elle détestait garder des secrets, surtout celui-là. Celui-là la dérangeait.

– Sal… il faut qu'on parle de Liam.

– Quoi ? Qu'est-ce qu'il y a avec Liam ?

– Il… il n'est pas celui que tu crois.

Sal la regarda sans comprendre.

– Qu'est-ce que tu veux dire ? C'est qui, alors ?

– On va prendre un café. Tout de suite.

– Vas-y, Maddy, dis-le-moi !

Elle avait l'air bouleversée. Non, plutôt effrayée.

– Qui est Liam ?!

– J'ai besoin d'un café, d'abord.

Maddy se rendit compte qu'elle tremblait. Ses jambes, lui sembla-t-il, commençaient à l'abandonner, et elle se sentait suffisamment barbouillée pour se mettre à vomir.

– Il faut que je m'assoie, Sal, vraiment. Je dois remettre mes idées en place… et j'ai trop besoin d'un café.

CHAPITRE 14
37 APR. J.-C.,
25 KM AU NORD-EST DE ROME

Il réalisa qu'il était en train d'observer un ciel bleu sans nuages. Un bleu riche et profond, comme ces ciels qu'on voyait sur les photos du début du XXIe siècle. Rien à voir avec la couverture perpétuelle de nuages décolorés de 2070 : des nuages agités, chargés d'une pluie acide, qui formaient une nappe de pollution omniprésente au-dessus des villes et des bidonvilles des réfugiés.

C'est très beau.

Rashim sentit la chaleur du soleil sur son visage. Il entendit le murmure d'une brise fraîche et pure qui agitait doucement le feuillage des arbres.

Serait-ce le paradis ?

Il mesura quelle heureuse notion c'était, comprit que le Projet Exodus s'était lamentablement détraqué, que tous les candidats au transfert, y compris lui-même, étaient morts – déchiquetés par des forces extradimensionnelles – et que ceci… ceci était la vie après la mort. Son oncle, un imam, l'avait une fois pris à part et avait tenté de lui décrire à quoi ressemblait le paradis d'Allah. Et il ressemblait à ça, mais Rashim s'était moqué de la foi de cet homme.

J'avais peut-être tort. Il existe peut-être un dieu.

Et cette agréable illusion aurait pu durer encore un peu, alors qu'il était couché sur le dos, savourant ce bleu profond au-dessus de lui, si les autres ne s'étaient mis à remuer tout autour. Apparemment, ils avaient réussi. Ils avaient survécu au saut.

Avec un soupir las, Rashim se redressa lentement sur les coudes et regarda alentour.

Ils se trouvaient sur un terrain plat, celui de la station de réception, un pré dont l'herbe vert-olive se balançait dans la brise. Au loin, une rivière qui sinuait gentiment scintillait sur un fond de collines à l'arrière-plan.

C'était le bon endroit. Cependant, il ne voyait aucune trace des quatre balises de réception, des trépieds de trois mètres, chacun soutenant une plateforme chargée de matériel et déterminant un angle du terrain, de la taille exacte de la grille de transfert de Cheyenne Mountain.

Rashim se leva, protégeant ses yeux du soleil. Pas la moindre trace. Il jura.

On a dépassé le repère.

– Comment ça s'appelle ici ? Mais où on peut bien être ?

Le caporal North se tenait toujours à côté de lui.

– Mais on est où, bon sang ?

– Où nous sommes ? Près de Rome. Par contre, je ne sais pas exactement *quand*. La station de réception est en 54 après Jésus-Christ, poursuivit Rashim, réfléchissant à voix haute plutôt que répondant à la question du caporal. Les balises devraient être juste là, mais je n'en vois aucune.

– 54 après Jésus-Christ.... ? fit l'homme en se frottant les tempes comme s'il essayait de faire entrer l'idée dans son crâne. Vous parlez de l'année 54 ? Cinquante-quatre années après la naissance du Christ ?

Rashim hocha distraitement la tête.

– Sauf que nous n'y sommes pas. J'imagine qu'on est un peu avant. On a dû rater la destination temporelle.

Le champ était hérissé de gens qui s'asseyaient ou se levaient lentement, reprenant leurs esprits, stupéfaits par le beau ciel bleu étrangement limpide. Beaucoup restaient silencieux, en état de choc. De l'autre côté du pré, Rashim remarqua qu'il manquait un des trois VCM.

L'une des unités de combat se dirigea vers lui, l'air déterminé. Son matériel cliquetait au bout de ses sangles, et elle portait une carabine à impulsion TI-38 sur l'épaule. Elle fit halte devant lui et ôta son casque.

– Le Dr Yatsushita vous a assigné la pleine autorité.

Rashim observa l'unité, ignorant si ce qu'elle lui disait était une affirmation ou une question. Ces clones le troublaient. Contrairement aux corpulents colosses de plus de deux mètres que l'armée avait mis au point, ces modèles plus récents passaient plus facilement pour des humains. Les progrès de la génétique avaient permis la création d'unités de combat aussi puissantes que les modèles plus anciens, mais sans exiger la même quantité de masse musculaire. Elles avaient cependant toujours l'air de rabat-joie militaires : deux dizaines de GI à l'air pincé avec la même boule à zéro. Pas vraiment le genre boute-en-train.

Le clone qui se tenait devant lui arborait le grade de lieutenant ; son nom, tout comme celui du caporal North, était cousu sur la poche de sa veste de camouflage. Rashim trouvait que leur avoir donné des noms n'était pas une bonne chose. Ils auraient simplement dû avoir des numéros. Cela dit... lui-même avait bien donné un nom à son assistant de laboratoire.

– Bien, oui... euh... Lieutenant Stern, c'est bien ça ?

Rashim esquissa un salut, pas vraiment sûr que ce fût bien ce qu'il devait faire.

Stern ? Rashim se demanda quel imbécile avait eu l'idée de donner un nom aussi ringard à cette unité. Il était facile d'imaginer les noms de ses équipiers : Chuck, Butch, Tex, Travis...

– Quels sont vos ordres, chef ?

Rashim tirailla ses lèvres et émit un petit rire nerveux.

– Euh... qu'est-ce que vous proposez ?

Stern parcourut le pré de ses yeux gris et froids. À plusieurs endroits, l'herbe était vide, dénuée de tout matériel ou même d'hommes.

– Je suggère que nous fassions le compte des pertes durant le transfert, chef.

Rashim hocha vigoureusement la tête.

– Oui, oui, c'est exactement… ce que j'allais dire. Très bien, assura-t-il en fronçant les sourcils, faisant son possible pour paraître zélé et indéniablement investi de son rôle de chef.

– Eh bien, allez-y, euh… Stern. Veillez-y.

Stern le salua brusquement.

– Oui, chef.

L'unité de combat se mit à courir à travers le pré en direction de sa section. Les autres personnes qui avaient survécu au voyage commençaient à reprendre leurs esprits. Le vice-président Stilson s'en était sorti – triple hélas! –, de même que le dictateur et deux de ses épouses.

Rashim se demanda combien de temps il s'écoulerait avant que l'un d'eux décide de prendre les commandes du Projet Exodus à sa place.

CHAPITRE 15
37 APR. J.-C.,
25 KM AU NORD-EST DE ROME

– Nous nous trouvons dans une région rurale appelée la Sabine, à environ vingt-cinq kilomètres au nord-est de Rome.

Rashim observa le groupe Exodus rassemblé devant lui. Ils étaient un peu moins de cent cinquante personnes. Ils en avaient perdu à peu près la moitié lors du voyage. Les enfants, les bébés, figuraient parmi ceux qui n'avaient pas réussi à émerger de l'espace extradimensionnel.

Les pauvres malheureux.

– Cet endroit a été choisi par les experts d'Exodus, dirigés par, euh… ben par moi en fait, balbutia-t-il en haussant timidement les épaules.

À l'horizon, le soleil se couchait derrière une rangée de cyprès, et de longues ombres s'étiraient doucement sur l'herbe ondoyante autour d'eux.

– J'ai été chargé d'installer la station de réception.

– Qu'est-ce que c'est ? lança quelqu'un dans le crépuscule.

– Quatre balises qui émettent des rayons de tachyons. Le RTE, Réseau de transfert extradimensionnel…

Fais simple pour ces abrutis.

– … disons la machine à remonter le temps – il détestait ce terme – a été conçue pour se rendre tout droit sur les rayons des balises pour nous guider ensuite jusqu'au point d'émergence correct. Toutefois, euh… il semblerait qu'on soit allés un peu plus loin dans le temps que prévu.

– Et qu'on ait perdu une centaine de personnes !

Rashim se tourna vers l'endroit d'où provenait la voix.

– Quelqu'un a fait sérieusement capoter tout ça!

Le vice-président Stilson lançait des regards furieux, tel un prédicateur de l'Ancien Testament.

– Oui, bon, écoutez, M. Stilson… ce n'est pas vraiment une science précise. Et très honnêtement, avec tous les changements de données de dernière minute qui sont intervenus, sans compter le manque de temps pour recalibrer le programme de transmission du transfert extradimensionnel… En réalité, je n'en reviens pas qu'il y ait eu des survivants!

Stilson secoua la tête avec colère.

– OK, j'en ai assez entendu. Écoutez, à partir de maintenant, c'est moi qui commande ici. C'est déjà une fichue pagaille, il est grand temps de renverser la situation!

– Quoi?!

Le ton de Rashim monta d'un cran. C'était presque un cri perçant.

– Non! Écoutez-moi, euh… En fait, le Dr Yatsushita m'a chargé du Projet Exodus. Il a dit que…

– J'ai bien peur qu'on n'ait pas le temps d'écouter vos explications… Dr Anwar, c'est ça?

Rashim acquiesça.

– Bon, poursuivit-il, je suis le plus haut responsable de la Fédération nord-américaine, ce qui me donne l'autorité exécutive. Que ça vous plaise ou non, cela me désigne comme le responsable, ici.

– Dr Anwar, dit une femme.

C'était une civile. Il la reconnut: elle faisait partie de l'équipe technique du Projet Exodus. Ce n'était pas une candidate.

– Oui? répondit rapidement Rashim, avant que Stilson n'ait le temps de poursuivre. Qu'y a-t-il?

– Savez-vous dans quelle mesure nous avons dépassé les marqueurs de réception?

Rashim hocha énergiquement la tête et se composa le visage

le plus autoritaire possible. C'était une question pour laquelle il était sûr d'avoir une réponse.

– Oui. J'ai pu enregistrer avec succès le taux de désintégration du champ de tachyons. C'est vraiment très simple. Les particules de tachyons se désintègrent à une vitesse constante, c'est un procédé très proche de quelque chose comme la datation au carbone où…

Reste simple.

– Enfin, en gros, pour faire court et vous épargner une explication technique très longue et ennuyeuse, mesdames et messieurs, nous sommes revenus environ dix-sept ans en arrière de plus que prévu.

Il se gratta le menton et leur sourit tristement.

– Ce qui, en fait, est assez impressionnant, je trouve, dit-il en se passant la main dans les cheveux. Étant donné la métrique de dernière minute que j'ai dû essayer de deviner, ça aurait pu être bien pire que ça, je vous assure.

– Dix-sept ans de trop… plus de la moitié des personnes qui étaient avec nous et presque plus de matériel ! s'exclama Stilson en avançant d'un pas. Bon sang, mon vieux ! Ce sont de sacrés dégâts ! Je sais ce qu'étaient les plans précis pour coloniser le passé… On n'a plus qu'à oublier tout ça, maintenant. On va devoir faire le point et…

– Euh, bon, M. le vice-président, oui… on va évidemment devoir passer à une «phase d'intervention» légèrement différente.

– Vous ne pensez pas si bien dire, Anwar. Il va falloir, comme qui dirait, *improviser*, à partir de maintenant.

Le groupe demeurait silencieux. Ils étaient peu nombreux à savoir en quoi consistait précisément le Projet Exodus.

– Bon, écoutez-moi tous ! aboya Stilson. Approchez-vous ! Je vais vous dire très vite ce que vous devez savoir. Ce que je vais vous apprendre est confidentiel et réservé à une élite. Hormis l'équipe technique d'Exodus, les seules autres personnes qui avaient accès à ces informations étaient le Président, moi-même et le chef d'état-major des armées.

Rashim remarqua l'aisance avec laquelle il rassemblait tout le monde autour de lui.

– Ce projet est en développement depuis plus de cinq ans, poursuivit-il, il a été créé à partir de ce qui restait de notre budget d'approvisionnement pour la Défense, en l'état. Exodus était – et est encore – un projet qui vise à transplanter nos valeurs, notre connaissance, notre sagesse au sein de l'infrastructure d'une civilisation robuste, bien établie et déjà existante : l'Empire romain.

L'auditoire du vice-président s'agita.

– Une commission d'experts historiens a identifié un moment spécifique dans cette époque où déployer Exodus. Nous étions supposés, figurez-vous, arriver vers la toute fin du règne d'un empereur affaibli. Un certain Claude. Un empereur défaillant, s'efforçant de se maintenir au pouvoir. Notre plan était très simple : offrir nos services, notre technologie, à Claude en échange du pouvoir exécutif afin de devenir son conseil d'administration, et enfin, à sa mort, de remplacer l'oligarchie romaine par une république démocratique construite sur le modèle américain.

Stilson se tourna et regarda Rashim avec insistance.

– Mais visiblement, les choses se sont très mal passées.

Rashim sentit tous les regards portés sur lui.

– Euh… eh bien, oui. Mais, vous comprenez, la plupart d'entre vous n'êtes pas les bonnes personnes, celles qui étaient prévues. C'est-à-dire que, comme aucun de vous ne fait le bon poids ou la bonne taille, ça a rendu tous mes calculs complètement faux ! C'est pourquoi nous avons perdu…

– Dr Anwar, intervint Stilson, s'il y a bien une chose que nous n'avons pas besoin d'entendre, ce sont des excuses ou des explications techniques. Par contre, ce qu'il nous faut, c'est élaborer immédiatement un nouveau plan d'action. On est dans cette époque maintenant, et on doit faire avec. Donc, ce que nous devons savoir, pour commencer, c'est où nous sommes exactement et quelle est la situation dix-sept ans plus tôt. Est-ce que, au moins, vous pouvez nous dire quelque chose là-dessus ?

Rashim le considéra, ainsi que la foule derrière lui.

Tu les as déjà perdus. Tu n'es plus le responsable.

Il comprit que ce n'étaient ni les connaissances, ni la sagesse qui faisaient de quelqu'un un leader. Ce n'était pas le fait d'être plus intelligent que les autres. Et pourtant, bon sang, il aurait pu exécuter de véritables sauts périlleux intellectuels devant la plupart de ces abrutis. Non, il s'agissait de quelque chose d'aussi simple que le rythme de la voix, une certaine manière de s'adresser à son auditoire, une façon de se comporter. L'autorité. Le bon droit. Stilson avait toutes ces qualités. Rashim, aucune.

– Dr Anwar ?

Il soupira, ouvrit d'un coup sec le clapet du h-pad qu'il portait au poignet et un écran holographique à peine visible apparut devant lui.

– Oui, allons-y. Alors… commença-t-il en choisissant du doigt une chronologie. Ah, voilà. Nous aurons affaire à un nouvel empereur. Ce ne sera pas Claude, mais…

Il suivit du doigt la ligne d'un graphique lumineux, jusqu'à un nom.

– Caligula.

– Quelles données avons-nous sur ce type, Dr Anwar ? demanda Stilson.

– Euh… Attendez, je vérifie sur mon…

Il n'avait pas eu le temps d'étudier le briefing historique que le Dr Yatsushita avait fait établir par les historiens du projet. Pas vraiment. Si les choses avaient moins pris l'allure d'une course folle ces derniers mois et ces dernières semaines, il aurait pu au moins le lire en diagonale. Son métier, c'était la métrique, compulser des chiffres, autrement dit faire en sorte de les envoyer tous ici, entiers.

– L'empereur Caligula ? Moi, je peux vous en parler.

Tous se tournèrent vers une personne parmi la foule. Dans la lumière qui faiblissait, Rashim reconnut vaguement son visage : c'était un des candidats. Un des rares qui devaient bien être là, pas comme ces resquilleurs.

– Je sais tout sur Caligula… On n'a plus qu'à faire nos prières.

Stilson fit signe à la foule de le laisser passer.

– Et vous êtes ?

– Dr Alan Dreyfuss. Historien et linguiste. La Rome antique est ma spécialité.

– OK, allez-y, dites-nous ce que vous savez, Dr Dreyfuss.

L'homme avait la trentaine, des épaules étroites, une bedaine, une tignasse de cheveux blond-roux, des lunettes et une barbe poivre et sel qu'il avait laissée pousser, soupçonna Rashim, pour camoufler un double menton.

– Caligula… commença Dreyfuss. Oh là là, ce type est une vraie calamité.

– Une *calamité* ? C'est-à-dire ?

– Il est fou. Complètement malade.

Les gens s'agitèrent, inquiets.

– Mais à mon avis, il y a un moyen de le manipuler, dit Dreyfuss, en souriant.

Stilson hocha la tête, visiblement admiratif. L'historien avait l'air de lui plaire.

– Très bien, Dr Dreyfuss, on vous écoute.

– « Choc et effroi ».

Dreyfuss manœuvrait son auditoire presque aussi bien que Stilson.

– Cet homme a fait de son cheval un sénateur, poursuivit-il. Vous vous rendez compte ? Caligula croyait aux présages, aux augures, il était superstitieux et paranoïaque.

Le Dr Dreyfuss s'illumina d'un grand sourire.

– Nous allons lui faire croire que nous sommes des dieux.

CHAPITRE 16
37 APR. J.-C., NORD-EST DE ROME

Les deux VCM glissaient au-dessus des champs de blé, laissant derrière eux un large sillon de tiges écrasées. Rashim se cramponna à la rampe tandis que les deux véhicules survolaient des chemins défoncés dans le champ suivant.

Ils approchaient dans un silence relatif ; le bourdonnement sourd des répulseurs électromagnétiques se perdait presque sous le tintement du matériel qui rebondissait contre la carcasse en aluminium. Il aperçut des paysans dont les têtes dépassaient des épis de blé qui se balançaient. Les yeux et la bouche soudain agrandis d'horreur, ils se mirent à détaler dans tous les sens.

Devant eux, un chemin plus large bondé de chars en route pour Rome fut soudain contaminé par une panique chaotique : esclaves et marchands s'éparpillaient dans les champs, les chevaux se cabraient et ruaient. Le VCM qui ouvrait la marche vira à gauche, en suivant la voie. Celle-ci n'était pas constituée d'ornières en terre séchée mais elle était pavée. Une véritable route.

La voix de Stilson grésilla dans le haut-parleur.

– Tous les chemins mènent à Rome !

Rashim grimaça et soupira, secrètement écœuré par cette affligeante fanfaronnade. Il scruta le dos de Stilson qui dépassait du premier engin. Il se tenait debout sur la plateforme de tir, tel un corsaire à la proue de son trois-mâts. Le vice-président dressait son poing serré avec un enthousiasme enfantin.

Tu as laissé ce crétin prendre les commandes. Alors là, bravo, Rashim.

Il regarda l'unité de combat assise à côté de lui sur la carrosserie de l'appareil, un TI-38, calmement appuyé sur ses avantbras musclés. Il couvrit son laryngophone et dit :

– Il y en a qui s'amusent bien, on dirait.

L'unité avait abaissé la visière de son casque. Rashim ne voyait pas ses yeux, seulement le bas de son nez et sa bouche, qui mâchait une gomme de protéines avec l'élégance d'un cheval mastiquant du foin.

– Oui, chef.

Pour être juste, le réaménagement du plan par Stilson et Dreyfuss exigeait une démonstration de force. Ils avaient perdu beaucoup trop de munitions, de vivres, de matériel et d'effectif pour garantir le succès d'une prise de contrôle militaire de Rome. Deux dizaines d'unités de combat et les quelques cartouches, peu importe le nombre, qu'ils portaient à leur ceintures, étaient à peine suffisantes pour faire étalage de leur puissance de feu. Toutefois, cela ne suffisait certainement pas pour s'attaquer à plusieurs légions et une ville d'un million d'habitants.

« Bon sang ! Ça va être une sacrée démonstration de choc et d'effroi ! »

Rashim reconnaissait vaguement le slogan que Stilson et Dreyfuss utilisaient, prononcé il y avait longtemps par un abruti imbu de lui-même. Choc et effroi. Leur faire croire que les dieux sont descendus sur Terre ! En gros, c'était ça, leur plan : pénétrer en plein cœur de Rome, faire un vacarme pas possible, les intimider et reprendre les choses en mains. C'était simple.

Faire du battage et se donner des airs, voilà tout. De la poudre aux yeux. Du bluff de bout en bout.

Exactement ce que sait faire Stilson.

Le premier VCM fit une brusque embardée et glissa jusqu'à un char abandonné au milieu de la route. Comme leur véhicule en faisait autant, Rashim jeta un coup d'œil par l'écoutille à ceux qui étaient entassés en bas. Ils étaient tous debout et

tanguaient à en avoir mal au cœur tandis que le VCM se soulevait dangereusement, tel un canot sur une mer démontée. Il
était content d'être en haut, à l'air, et non planqué là-dessous ;
il aurait déjà vomi, à leur place. Les voyages en aéroglisseur
le rendaient toujours malade.

– Chef !

L'unité de combat pointait le doigt droit devant lui.

Il suivit des yeux le doigt ganté et vit la route pavée parfaitement droite, bordée de chaque côté de grands cyprès élancés,
plantés à égale distance les uns des autres, telle une haie d'honneur. Et plus loin, les premiers contours flous de la ville : une
longue muraille pâle et, planant au-dessus d'un océan de tuiles
en terre cuite qu'une brume matinale estompait, une myriade
de petits filets de fumée qui montaient paresseusement depuis
des feux de cuisine, des fours de boulangers et de forgerons,
alimentés pour le travail de la journée, et qui s'élevaient jusqu'à
un ciel méditerranéen.

Rome.

– Rashim, vous m'entendez ?

C'était Stilson.

– Oui, je vous entends.

– Prêt à leur offrir un spectacle inoubliable ?

Rashim leva les yeux au ciel. Le vice-président avait l'air
excité outre mesure.

– Vous voulez vraiment mettre cette, euh… cette musique ?

– Nom de Dieu, oui ! Bien sûr ! Allez-y, mon vieux, aussi fort
que possible !

À contrecœur, Rashim se baissa et fit un signe de tête à
l'unité de combat qui pilotait l'aéroglisseur.

– Stilson demande qu'on mette sa musique maintenant. Et
fort.

– Affirmatif.

Presque aussitôt, ses oreilles s'emplirent des décibels crachés
par les haut-parleurs du véhicule.

C'était un choix de Stilson, une musique qu'il avait téléchargée avant son départ. Un vieux truc au son affreux qu'il appelait du «rock».

Les haut-parleurs se dressèrent à l'avant des deux VCM, pulsant à plein régime, et la voix éraillée d'un chanteur hurlait quelque chose au sujet d'être *born in the USA*.

CHAPITRE 17
2001, NEW YORK

Maddy déposa le plateau sur la table. Un café crème bien fort, sucré, crémeux pour elle, et un smoothie pour Sal.

– Alors ? demanda Sal impatiemment. Qu'est-ce qui se passe avec Liam ?

Maddy s'installa sur la banquette et se pencha par-dessus la table, parlant à voix basse.

– C'est un truc que Foster m'a dit sur lui. Il est…

Elle secoua la tête.

– C'est trop bizarre.

– *Jahulla* ! Maddy ! Mais dis-le-moi !

– Liam et Foster… ce sont les mêmes.

Elle fit une grimace.

– Quoi ?

– Les mêmes. C'est exactement la même personne.

Sal se tourna vers la fenêtre. Dehors, il y avait un marché : des marchands de fruits et légumes, des poissonniers, et une foule grouillante de clients. Elles auraient pu s'asseoir en terrasse ; il faisait certainement assez chaud ce lundi après-midi, mais, avec le marché, c'était bien trop bruyant et elles avaient besoin de calme pour discuter.

– Les *mêmes* ?

– Foster, c'était Liam, avant.

Sal ouvrit grand la bouche. Elle « gobait les mouches », comme aurait dit sa mère.

Maddy hocha la tête.

– C'est bien. Prends le temps de digérer la nouvelle, Sal. Ça a faille me brûler le cerveau quand Foster me l'a dit, la première fois.

– Mais alors… ? Ça veut dire que… ?

Sal s'interrompit en fronçant les sourcils avant de reprendre :

– Tu es en train de me dire que Foster était comme Liam, quand il était jeune ?

– *Exactement* comme Liam.

– Foster travaille pour l'agence depuis qu'il a seize ans ?

– Ah… euh, je suppose… enfin, je crois.

Sal mâchouilla férocement le bout de sa paille.

– Donc ça veut dire que Foster était sur le *Titanic*, avant ?

– Je pense.

– Et qu'il a été recruté comme l'a été Liam ?

– Sûrement.

– Mais alors qui a recruté Foster ?

– Je ne sais pas… Je n'en sais rien ! s'écria Maddy, avant de se plonger dans la contemplation de ses mains qui jouaient avec sa cuillère et remuaient inutilement le café mousseux. Peut-être un autre Foster.

– Comment ça, un autre Foster ? Genre, comme si c'était une boucle ? Comme notre arche, mais en plus grand ? Une boucle à l'infini ? Est-ce que ça veut dire qu'il y a d'autres « nous » ? D'autres « toi » et d'autres « moi » ?

– Je n'ai toujours pas compris comment ça marche, tout ça. C'est peut-quelqu'un d'autre qui a recruté Foster… hésita-t-elle. Peut-être que c'est Waldstein ?

– C'est trop *chutiya* ! Ça me fout vraiment la trouille, Maddy. Je ne sais pas ce qu'on doit croire, ni penser, rit-elle. C'est une *chutiya* d'idée de dingue.

– Qu'est-ce qu'il y a, Sal ?

Sal haussa les épaules.

– Allez, Sal, vas-y. Qu'est-ce qu'il y a ?

– Les deux vestes, Liam qui est Foster… Peut-être… c'est complètement dingue, mais peut-être qu'on est tous déjà venus ici, dit-elle avec un sourire nerveux. Maddy, l'équipe d'avant nous...

La cuillère de café de Maddy s'arrêta à mi-chemin entre la table et sa bouche.

– Nom d'un chien ! Tu penses que c'était nous ?

– Mon journal intime... Tu sais, mon journal ?

– Ouais, le carnet dans lequel tu n'arrêtes pas de griffonner.

– Il y avait des pages déchirées quand je l'ai trouvé.

– Ah bon ? Je croyais que tu l'avais acheté.

– Non, je l'ai trouvé dans l'arche, dit-elle en jouant avec sa paille. Il était planqué sous mon matelas.

– Et ? Ces pages ... ?

– Si ça se trouve, c'est moi, moi-même, qui les ai déchirées.

– Oh...

Ce fut tout ce que Maddy sut répondre. Puis elle reprit :

– Je ne sais pas toi, mais ça ne me plaît pas trop, tout ça.

– Pareil.

Elles se regardèrent un instant en silence.

– En fait, on n'est sûres de rien, finit par dire Sal. J'ai l'impression d'être un rat de laboratoire.

Maddy acquiesça et contempla la rue par la fenêtre. Une fois de plus, elle aurait aimé partir, quitter tout ça, prendre la place de n'importe qui, là, dehors.

– Tout ce que je sais, c'est que... j'ai confiance en toi, Sal. Et en Liam aussi. Tant qu'on est sincères les uns avec les autres.

– Pourtant, tu nous as caché beaucoup de choses, comme le bout de papier de San Francisco, avec le message sur Pandore. Et maintenant, ça, Liam qui est en fait Foster. Tu nous as menti ! Comment veux-tu que je...

– Je... tu as raison, dit Maddy en baissant soudain les yeux d'un air coupable. Mais j'en ai marre de tous ces secrets. Maintenant, je t'assure, tu sais tout ce que je sais.

– Tu as déjà dit ça.

– Cette fois, je suis sincère, Sal. Sérieusement. Fini, les secrets.

Tout ce que je sais, tu le sais, affirma-t-elle en tendant la main pour prendre celle de Sal, qui la retira. Sal ?

– Pourtant, tu as l'air d'avoir décroché ce boulot super facilement, Maddy… Comme si tu l'avais déjà fait, ou un truc dans le genre. Comme si, peut-être…

– Tu trouves que ça a été facile ? Tu plaisantes ou quoi ? Mince alors…

Maddy entendait sa propre voix trembler d'émotion. Elle se tut jusqu'à ce que ce tremblement se transforme en larmes. Elle prit une profonde inspiration.

T'as pas intérêt à pleurer, Maddy. T'as pas intérêt à faire la petite fille.

Elle sirota son café, sans même en avoir envie. Elles restèrent un moment à observer le marché en silence pour éviter de se regarder.

– Je suis désolée, finit par dire Sal.

– OK.

– Je voulais juste…

– Laisse tomber, je te fais confiance, Sal, la coupa Maddy en agitant la main. Et j'ai aussi confiance en Liam. On a tous remis nos vies entre les mains de chacun, et plus d'une fois.

Comme Sal hochait simplement la tête, Maddy reprit :

– Et c'est tout ce qu'on a, tous les trois. On a les deux autres. Si c'est même plus possible d'avoir ça… je ne veux plus continuer à faire ce boulot. Je ne pourrais pas.

Sal lui prit la main.

– Je suis désolée, Maddy, répéta-t-elle.

Maddy gonfla les joues.

– Ça ne fait rien, lâcha-t-elle d'un ton cependant teinté de culpabilité.

Il y avait un autre secret qu'elle n'avait pas partagé. Peut-être que le moment était venu de le révéler.

– Ce n'est pas tout, Sal. Il y a encore quelque chose que je dois te dire.

Sal avait l'air de ne pas vouloir en entendre plus. Mais le pot aux roses était à moitié dévoilé, à présent. Maddy se décida : il fallait que Sal sache, elle aussi.

– Foster est vieux, Sal, tu es d'accord ? Tu penses qu'il a quel âge ?

– Je ne sais pas, dit-elle en haussant les épaules. Super vieux, je dirais.

– Allez, dis un chiffre.

– Soixante-dix ans ? Quatre-vingts ?

– Et si je te disais vingt-sept ?

Sal faillit en lâcher son smoothie.

– Quoi ? !

– Il a vingt-sept ans, déclara Maddy en prenant une gorgée de café. À partir de là, on peut supposer qu'il est un Time Rider depuis dix ans. La base opérationnelle, l'arche, cette agence… ça suit son cours depuis dix ans, dix ans de cette boucle de deux jours.

Ça semblait assez juste. Depuis le tout premier jour, on aurait dit que quelqu'un avait déjà habité dans l'arche. Elle n'avait rien de flambant neuf, de fraîchement installé. Mais ce n'était pas le moment de raconter ce genre de choses à Sal.

– Ce qui se passe, c'est que les déplacements temporels ont fait vieillir Foster. Chaque fois qu'il voyageait dans le temps pour réparer l'histoire, cela l'altérait, lui ajoutait des années. Il se passe la même chose pour Liam.

Sal s'absorba une fois de plus dans la contemplation de ce qui se déroulait dehors. Maddy voyait bien qu'elle se doutait déjà à moitié qu'il arrivait la même chose à Liam.

– Ses cheveux… dit-elle après un instant. Cette mèche de cheveux qu'il a…

– Oui. Ça a été un saut énorme pour lui : soixante-cinq millions d'années. Ça lui a fichu un sacré coup. Je déteste penser à la quantité de temps qui lui a été volée.

– *Chuddah*, murmura Sal. Il va mourir, alors ?

– Avant nous, oui… très probablement.

– Et après ?

Maddy ignorait ce qui se passerait par la suite. Peut-être se trouverait-elle un jour en train d'ouvrir un portail sur le *Titanic*, pénétrant dans une eau glacée, à la recherche d'un jeune steward nommé Liam O'Connor.

– Et je crois que ça nous atteint aussi, répondit Maddy. Que ça nous vieillit aussi.

Elle leva un doigt et suivit de légères lignes sous son œil gauche. Pour rien au monde elle n'aurait appelé ça des pattes d'oie. C'étaient les vieux qui en avaient… mais c'est bien ce que ces petites lignes deviendraient un jour.

– J'ai fait deux sauts dans le passé, Sal, et je sais que j'en subis les conséquences. Mais je pense que le champ magnétique de l'arche qui nous enferme dans la boucle des deux jours n'est pas non plus sans conséquence.

Sal ne quittait pas des yeux le marché.

– Je croyais… commença-t-elle avant de se tourner vers Maddy. J'avais bien vu qu'on changeait, toi et moi. Je me demandais si ce n'était pas mes yeux qui me jouaient des tours.

– Ne me dis pas que j'ai l'air plus vieille, ou je te balance mon café à la figure !

Elle essayait d'être drôle mais sa plaisanterie tomba à plat.

– Liam doit s'en rendre compte, remarqua Sal. Il le voit forcément, tu ne crois pas ? Quand est-ce que tu vas le lui dire ?

– Je ne sais pas. Quand ce sera le moment.

– Mais ça se voit déjà ! Tu dois le lui dire, et vite.

Maddy se demanda si Liam était déjà conscient que cela le tuait et s'il faisait celui qui s'en fichait. C'était impossible qu'il se soit blindé au point de ne rien remarquer.

– Je sais bien. Je sais… C'est juste que… soupira-t-elle. J'ai juste peur que, si je lui en parle, il s'en aille et nous laisse tomber.

– Mais Foster n'a pas fait ça.

C'était vrai. Sal avait raison. Il fut un temps où il était plus jeune, où il était Liam, et à un moment donné il a appris qu'il était en train de mourir. Mais il est resté à son poste, il a fait son devoir.

– Je vais le lui dire, affirma Maddy, et vite.

Elles demeurèrent un instant silencieuses, perdues dans leurs pensées, dans leur monde.

– Ça ne se termine pas bien pour nous, hein? dit finalement Sal. On va mourir tous les trois, alors.

– Tout le monde meurt, Sal.

– Mais nous, on va mourir bientôt.

– Pourquoi tu dis ça?

– Enfin, Maddy! Et si c'est nous, et personne d'autre, qui sommes – qui étions – l'autre équipe? Est-ce qu'on va finir déchiquetés par un traqueur? Est-ce que tout se reproduit sans arrêt, à l'infini, comme dans un cercle?

– Oh et puis zut! Qu'est-ce que j'en sais, moi? Si seulement je pouvais me sortir tous ces trucs de la tête. Écoute, oublie tout ça. Qui peut savoir ça, hein?

Elle reprit son souffle, et poursuivit:

– De toute façon, à proprement parler, on est déjà morts, ou on devrait l'être. Alors…

Sal avait l'air morose. Des larmes brillaient dans ses yeux, prêtes à rouler sur ses joues. Maddy lui prit la main. Elle aurait pu être plus sympa.

– Écoute: toi, moi et Liam, on a eu droit à une portion de vie supplémentaire. C'est plus que ce que la plupart des gens reçoivent. C'est fou la chance qu'on a eue. Et pense à ce qu'on a déjà fait de ce temps, à tout ce qu'on a vu! Et à tout ce qu'on va voir encore. On n'a pas le droit de gâcher ce qu'on nous a donné en se faisant du mauvais sang à propos de trucs qu'on ne peut absolument pas prévoir.

Maddy se rendit compte que le conseil valait aussi pour elle, avec ses envies de s'échapper et être de nouveau «normale»?

– Je sais. Mais… je crois que je pensais… j'espérais, plutôt, qu'on continuerait comme ça pour toujours. Tous les trois, avec Bob et Becks, un peu comme une famille, ou un gang de super-héros. Tu vois le genre?

Une première larme roula le long de la joue de Sal et resta suspendue au bout de son menton.

– Rien n'est éternel, Sal, lui dit Maddy en lui serrant doucement la main. Des super-héros, tu dis? C'est sûrement pas ce qu'on est.

CHAPITRE 18

C'était un incapable, un véritable incapable. Ça sautait aux yeux. Le lion était clairement à l'article de la mort. La fourrure de son arrière-train était tachée de sang qui coulait d'une dizaine de blessures béantes, dont une entaille d'où pendaient un magma d'entrailles, et malgré ça cet imbécile s'était débrouillé pour se retrouver la tête coincée entre ses mâchoires.

D'ailleurs, c'en était fini du sénateur. Ses bras pâles s'agitèrent misérablement une dernière fois.

La foule le huait et riait. Ce n'était même pas un rire de bon cœur, mais de dégoût au constat que le vieux sénateur s'était si peu préparé à lutter pour sa vie, si peu enclin à leur offrir un bon spectacle.

Il regarda la foule, de chaque côté de son balcon impérial, observa les visages déformés par la moquerie ou la colère, et le corps de l'homme toujours agité de soubresauts sur le sable rouge de sang.

Regardez-moi ça. Et vous, auriez-vous bien combattu, bande d'imbéciles ? Hmm ? Auriez-vous lutté héroïquement jusqu'à votre dernier souffle ?

Il imagina que la grande majorité d'entre eux aurait fait ce que ce faible vieillard venait de faire : ils auraient lâché leur glaive, seraient tombés à genoux et auraient demandé grâce jusqu'à ce que le lion les frappe nonchalamment et les étende sur le dos.

Il adressa à la foule une moue de dégoût.

C'est si facile d'être courageux, n'est-ce pas? Quand on est assis là-haut, en sécurité, confortablement installé et diverti.

– César?

Il regarda le lion croquer paresseusement le crâne du sénateur, le rongeant comme un chien l'eût fait d'un os bien garni.

– Empereur Caius?

Caius Julius Caesar Germanicus se tourna vers son esclave affranchi.

Ils étaient si peu nombreux dans son entourage à utiliser son véritable nom. Quand ils s'adressaient directement à lui, ils utilisaient plutôt, en général, un terme respectueux. Cependant, quand ils pensaient être hors de sa portée, tout le monde se servait du surnom qui le poursuivait depuis son enfance.

– Oui, répondit Caligula.

– Puis-je me permettre de suggérer que nous passions au divertissement suivant?

Caligula regarda de nouveau la foule. Dans leur impatience, certains lançaient des pierres au lion qui avait survécu et au corps sans tête de la dernière victime *ad bestias*, «jetée aux fauves», de la journée.

– Oui, oui… bien sûr, vous pouvez débarrasser tout ça pour laisser place aux gladiateurs.

L'homme inclina la tête et quitta aussitôt le balcon impérial.

Caligula se renfonça dans son siège, seul aujourd'hui encore. Sa malicieuse sœur Drusilla et son fils, ainsi que son vieil oncle Claude – la famille –, il préférait les garder tous à bonne distance de Rome. Ils représentaient des ennuis dont il pouvait se passer.

Le soleil de la mi-journée se déversait devant l'ombre de son auvent pourpre; sa chaleur faisait trembler la poussière de l'arène.

Par des journées suffocantes telles que celle-ci, les matins d'hiver de son enfance germanique, au froid vivifiant, lui manquaient. Les sombres forêts de conifères, les arbres chargés d'une neige épaisse, les bruits des campements militaires, et la voix de son père Germanicus qui mugissait des ordres aux hommes. Et ces hommes… ces soldats, ces vétérans aux visages graves qui s'inclinaient vers lui et lui souriaient, à lui, revêtu de sa réplique miniature d'une armure de légionnaire, avec son petit glaive en bois et ses petites sandales. Tous considéraient le fils de leur général comme la mascotte de la légion.

Son surnom, Caligula – «petite sandale» – lui venait des hommes du camp qui l'appelaient affectueusement ainsi. Cette époque lui manquait cruellement. Le sentiment de faire partie d'une famille.

Être empereur signifiait être complètement seul.

Ne faire partie de rien.

Se trouver au-dessus de tout.

Parfois, il aspirait de toutes ses forces à ce qu'un de ses dévoués subalternes ose l'appeler en face Caligula. Il ne serait pas outragé par un tel comportement. Il ne punirait pas une telle personne. Il lui ferait bon accueil, il se réjouirait de ce sentiment… d'être de nouveau un petit garçon, entouré de géants qui s'accroupiraient pour lui ébouriffer gentiment les cheveux, le regardant avec une authentique tendresse.

CHAPITRE 19
37 APR. J.-C., ROME

Le premier VCM glissa sous l'arc, franchissant la porte Prénestine, qui conduisait au centre de Rome. Celle-ci était déserte, parsemée de chars abandonnés, de charrettes, de balles de marchandises qui en étaient tombées. Le VCM qui transportait Rashim s'avança sur la place du marché. Rashim devait admettre que l'idée de Stilson d'extraire des centaines de décibels de cette affreuse musique était une assez bonne tactique pour susciter la peur. Personnellement, il aurait choisi quelque chose de plus mélodique et élaboré pour annoncer leur arrivée, mais peu importe. Il était évident que cela marchait.

La voix de Stilson sortit des haut-parleurs.

– C'est par où, le Colisée ?

Rashim plongea la tête dans l'écoutille à la recherche de Dreyfuss et lui fit signe de monter. Puis il désigna le véhicule devant eux, qui dodelinait sur son champ électromagnétique au milieu de la place du marché désormais vide.

– Stilson veut savoir où est le Colisée.

Dreyfuss répondit quelque chose qui se perdit dans le vacarme de la musique. Rashim s'empara d'un casque suspendu à un crochet dans son dos et le tendit à l'historien qui le mit aussitôt sur sa tête.

– Bon sang ! lâcha la minuscule voix de Dreyfuss en crachotant dans le haut-parleur tandis que, derrière ses lunettes rondes, ses yeux s'agrandissaient. Bon sang, ça y est ! Ce coup-ci, c'est vraiment la Rome antique. C'est incroyable ! Regardez ces décorations murales ! Et ces fresques, là-bas ! Le...

– Hé, qui est-ce qui crie comme ça ? C'est vous, Anwar ?

– Non, monsieur Stilson, répondit Rashim. Le Dr Dreyfuss est juste à côté de moi.

Stilson se tourna vers eux.

– Ah, bien joué. Dreyfuss, dites-moi par où passer pour aller au Colisée.

– Euh, vous savez, monsieur Stilson… si on est vraiment en 37 après Jésus-Christ, il n'a pas encore été construit.

– Pas de Colisée ? OK, Dreyfuss, dites-moi où on peut aller, alors. Quel est l'endroit le plus fréquenté où on pourrait se pointer ?

– Eh bien, commença-t-il en se grattant la barbe, tel un chien s'occupant de ses puces.

Il regarda Rashim comme pour chercher l'inspiration. Mais celui-ci haussa les épaules, d'une manière qui semblait dire : « C'est vous le spécialiste. »

– Le meilleur endroit que je pourrais vous proposer est… probablement l'amphithéâtre de Statilius Taurus.

– Ah bon ? Et c'est où, ça ?

– C'est dans le quartier du Champ de Mars.

Stilson jura, irrité.

– Contentez-vous de me dire si c'est à gauche, à droite ou tout droit, OK ?

Dreyfuss pointa le doigt vers une large rue pavée qui s'écartait de la petite place.

– Prenons cette rue devant nous. Elle devrait nous conduire à peu près au centre de la ville.

– Bien.

Le VCM de Stilson vira tout à coup en direction de la grande avenue flanquée de rangées d'échoppes basses – des *tabernae*. Leurs murs de pierres étaient recouverts de couleurs exubérantes et de fresques, des auvents ornaient leurs devantures, protégeant des étalages chargés de toutes sortes d'articles artisanaux.

De pâles visages les observaient depuis l'intérieur sombre des *tabernae*. Des visages qui exprimaient la terreur. Il se demanda si c'était la vue des deux énormes véhicules ou le bruit terrible, à la fois plaintif et lugubre qu'ils faisaient.

Ils avancèrent lentement dans la rue. Les bâtiments de chaque côté étaient peints eux aussi de couleurs vives, et constitués de deux étages de briques en argile et de balcons de bois et d'osier à l'allure fragile. On leur jetait des coups d'œil furtifs de derrière des volets en bois ou des rideaux ornés de perles. Des animaux abandonnés braillaient dans la rue, un bébé, qu'on avait laissé sur le dos dans l'embrasure d'une porte, hurlait, ses petits poings roses se serrant en cadence.

Ils pénétrèrent sur une deuxième place de marché, plus vaste. Des centaines de personnes s'éparpillèrent et des amphores en terre cuite pleines d'huile d'olives ou de vin se brisèrent, répandant à terre leur contenu. Des poulets sautillaient nerveusement entre les étalages tandis que des meutes de chiens aboyaient par défi tout en reculant, effrayés, dans les caniveaux des ruelles alentour.

Dreyfuss souriait en scrutant les environs, à la façon d'un renard dans un poulailler. Il indiqua à Stilson de prendre à gauche.

– Cette rue est le Vicus Patricius, elle nous conduit devant le futur forum de Trajan, dont la construction démarrera en 106 après Jésus-Christ, et…

– On n'a pas besoin d'un cours d'histoire, Dreyfuss, coupa la voix crépitante de Stilson, juste la direction.

– Désolé… suivez cette route jusqu'à ce qu'on voie le Tibre, ensuite on tourne à droite et le on suit jusqu'au Champ de Mars.

CHAPITRE 20
37 APR. J.-C.,
AMPHITHÉÂTRE DE STATILIUS TAURUS, ROME

Le personnel de l'arène avait déblayé presque tous les restes sanglants de l'*ad bestias*. Le dernier lion avait été achevé et on avait saupoudré de sable les plus grandes flaques de sang. La foule commençait ostensiblement à s'agiter en attendant que commence le jeu suivant avec les gladiateurs. Il s'agissait de duels à mort entre criminels. L'homme contre la bête, c'était une chose, mais c'en était radicalement une autre de voir deux hommes combattant désespérément pour sauver leur vie. Surtout quand tout le monde savait que l'un des condamnés sur le point de rejoindre l'arène était Vibius, du quartier de l'Esquilin, un étrangleur d'enfants tristement célèbre.

Caligula avait assez envie, si Vibius parvenait à survivre à son adversaire, de mettre une armure, de descendre dans la fosse et d'affronter lui-même l'assassin. La foule adorerait ça. Il sourit.

Il est si facile de contenter la plèbe !

Un rugissement enthousiaste se mit à rouler dans tout l'amphithéâtre lorsqu'un portail de bois s'ouvrit, révélant un tunnel sombre dans les entrailles de l'arène, et qu'apparurent deux gardes prétoriens conduisant deux rangées d'hommes visiblement terrifiés.

Un bel échantillon d'abrutis.

Caligula allait demander à son esclave, Gnaelus, de tenir prête son armure au cas où l'envie d'achever tout survivant se trémoussant à terre le prendrait, quand il perçut, vaguement, par-dessus le tohu-bohu des spectateurs s'impatientant sur les gradins, une légère pulsion rythmique, presque comme un tambour de guerre, au loin.

Son visage émacié se crispa dans une moue intriguée.

– Tu entends cela, Gnaelus ?

Le vieil esclave hocha la tête.

– Qu'est-ce que ça peut bien être, à ton avis ?

– On dirait des tambours en marche, césar.

Parmi la foule en furie, quelques personnes tournèrent la tête d'un côté et de l'autre : ils entendaient eux aussi le battement, toujours sourd, mais de plus en plus fort.

Pendant ce temps, les condamnés s'étaient installés au milieu de l'arène, l'escorte des gardes prétoriens s'était retirée sur les bords de la fosse et deux esclaves distribuaient un assortiment d'armes aux criminels. L'esprit tendu vers la perspective d'une mort violente, aucun d'entre eux n'avait encore remarqué le bruit qui s'amplifiait.

Caligula se leva et s'appuya sur le rebord du balcon impérial.

– Que se passe-t-il ? murmura-t-il. C'est vraiment très agaçant, à la fin.

Tout à coup, un essaim d'étourneaux s'envola à travers le ciel. Partout dans l'amphithéâtre, des têtes se levèrent pour les suivre des yeux : ils firent une fois le tour de l'arène puis s'enfuirent par-dessus l'enceinte et disparurent.

La clameur impatiente et enthousiaste qui avait réclamé le jeu fit place à un chaos de voix teintées de surprise et d'inquiétude à cause du bruit et de l'étrange comportement des oiseaux.

Le battement était maintenant de la même intensité que les cris de la foule, une pulsation grave et lente, régulière, comme le battement d'un cœur. Mais il s'accompagnait d'autre chose à présent, comme une corne. Non… comme rien de ce que Caligula avait entendu jusqu'alors. Le bruit montait, montait, avec insistance, comme la plainte du vent s'intensifiant.

Jusqu'alors, il lui aurait été intolérable de montrer son

malaise ou sa curiosité, comme la populace des gradins. Mais une telle cacophonie, ce battement si fort que sa poitrine commençait à vibrer, ce sifflement qui montait, ces hurlements… ?

Puis il y eut des cris perçants.

Il se tourna du côté d'où ils provenaient : une chose de la taille d'un éléphant surgit de derrière la dernière rangée de gradins, puis une autre. Les deux étaient tout en angles, composées de plaques comme des armures, d'une couleur terne comme celle d'une rivière boueuse. L'une d'elles s'éleva par-dessus les gradins et glissa à quelques centimètres de la foule paniquée qui détalait. Elle avançait en vacillant, et l'air chatoyait et tourbillonnait sous elle comme au-dessus d'un feu de camp.

Le battement résonna si fort, soudain, que Caligula crut y déceler des cris perçants et des gémissements, comme ceux d'un homme que tourmenteraient mille démons. Il tomba à genoux derrière le parapet. Ses yeux s'exorbitaient sous l'effet de la terreur.

La chose géante, qui n'était pas vivante et ne ressemblait à aucun animal connu, il le sentait – peut-être était-ce une espèce de grand char volant ? –, glissa pour finir par-dessus les derniers gradins et atterrit sur le sol de l'arène, déclenchant des tourbillons de sable et de poussière.

La deuxième se dressa au sommet de l'enceinte de l'amphithéâtre, glissa le long des gradins, désormais vides à cet endroit, à l'exception des corps convulsés des spectateurs qui s'étaient fait piétiner, et finit par s'arrêter à côté de la première. Ces deux colosses vert-brun flottaient au-dessus du sol, sur une hauteur qui équivalait à la taille d'un homme, envoyant une tempête sablonneuse dans les milliers de visages, autour d'eux.

Enfin, le rugissement sifflant s'atténua, et les deux monstres se posèrent doucement sur le sol, calmant ainsi la tempête de sable. Les pulsations et les hurlements terrifiants se poursuivirent néanmoins, couvrant les cris dont résonnait de tous côtés l'amphithéâtre.

Caligula réalisa que, sous sa toge impériale, il était trempé, ce qui fit surgir un sentiment venu de son enfance.

La honte.

La voix de Stilson retentit dans les haut-parleurs : on aurait dit un gamin qui vient d'obtenir la permission de minuit.

– Non mais, regardez-les !

Dreyfuss était lui aussi illuminé d'un grand sourire. Il buvait des yeux le spectacle de l'arène.

L'unité de combat qui dirigeait la section, le lieutenant Stern, lança rudement des ordres à ses hommes. Ils se laissèrent tomber des VCM sur le sable, se rassemblèrent dans un cercle discipliné, s'agenouillèrent, les armes dressées, autour des deux véhicules, le tout avec une efficacité et une rapidité expertes.

– On peut couper ce bruit affreux, maintenant ? demanda Rashim. J'ai l'impression que ça va comme ça.

Stilson était à une dizaine de mètres de lui, debout sur la tourelle de son engin.

– Je crois que ces idiots ont eu leur dose d'AC/DC, dit-il. Donc oui, c'est bon, vous pouvez couper.

Rashim s'accroupit et fit signe à l'unité assignée à la console de couper la musique. Le clone pressa un bouton… et ils furent soudain engloutis par le silence. Un silence complet. On aurait pu entendre une mouche voler.

La voix de Stilson grésilla faiblement dans l'écouteur de Rashim.

– J'ai comme l'impression qu'on a bien retenu leur attention. N'est-ce pas, Dr Anwar ?

Rashim hocha la tête.

Oui, on peut dire ça.
– Il est prêt, cet enregistrement ?

Dreyfuss avait beaucoup travaillé avec Stilson la nuit précédente. Il avait traduit les griffonnages du vice-président en latin, puis il s'était enregistré en les lisant à haute voix. Il avait fait toute une histoire, des heures durant, concernant les diverses versions de l'enregistrement, s'inquiétant de l'exacte prononciation de cette langue.

« Personne ne sait de façon sûre comment on prononçait certains mots ! », s'était-il plaint à plusieurs reprises.

Pour finir, il s'était néanmoins résolu à choisir l'enregistrement qui lui paraissait être le moins mauvais.

– Ça devrait aller, dit la voix de Dreyfuss dans l'écouteur.
– Alors lancez-le ! lança Stilson.

Puis il sauta de sa tourelle, marcha sur la carrosserie en pente du véhicule et se dressa à l'avant, fier, les mains sur les hanches comme un authentique acteur shakespearien.

Le silence fut brisé par la voix tonitruante de Dreyfuss dans les haut-parleurs des deux véhicules.

– *Citoyens de Rome ! Nous venons en paix !*

Rashim secoua la tête. Il avait appris suffisamment de latin pour comprendre que seul un imbécile prétentieux tel que Stilson pouvait commencer par une phrase aussi nulle.

– *Nous venons des cieux afin d'être des dieux parmi les mortels ! Nous sommes ici pour vous ouvrir de nouvelles voies, partager nos connaissances et notre sagesse avec vous. Nous sommes ici pour éduquer ce monde de ténèbres, pour apporter la paix sur chaque territoire et… vous offrir la prospérité.*

Rashim observa la foule. La débandade depuis les gradins avait cessé et tout autour, des quatre côtés de l'amphithéâtre, dix mille visages étaient fixés, en silence, sur Stilson… présumant que la voix qu'ils entendaient était la sienne. Les membres du Projet Exodus, entassés dans les VCM, se mirent à émerger non sans méfiance d'une passerelle, à l'arrière de chaque engin.

– Nous sommes tous des dieux à forme humaine. Nous venons tous des cieux, un endroit que nous appelons... l'Amérique. Et nous sommes ici pour vous apporter notre mode de vie, l'American way of life!

CHAPITRE 22
2001, UNION SQUARE, NEW YORK

– Nous ne sommes pas au rayon Histoire, Liam.

– Quoi ? Euh…

Liam leva les yeux de sa BD d'un air coupable.

– Oh, ça va, Bob ? Je me demandais où tu étais passé.

– Je t'attends au rayon Histoire depuis vingt-neuf minutes, dit Bob, avant de regarder ce qui était inscrit sur le tourniquet. « Romans graphiques » ? Tu ne trouveras pas de textes pertinents ni utiles dans ce rayon. J'ai également localisé le rayon Informatique au…

– Tu devrais jeter un coup d'œil à ce bouquin ! s'exclama Liam en feuilletant quelques pages. Je n'ai jamais vraiment fait attention aux illustrés dans les journaux de Cork. Je croyais que c'était pour les enfants, ou pour les idiots qui ne savaient pas bien lire.

Il tendit l'album cartonné à Bob.

– Mais celui-là, poursuivit-il avec un grand sourire, il est complètement dingue ! Regarde un peu les dessins.

Bob lorgna la couverture.

– *Judge Dredd* ?

– Oui. Et le héros, le juge Dredd en question, il te ressemble : il est tout en muscles et en menton, et il n'est pas fichu de sourire. On dirait ton jumeau !

Bob conserva son air renfrogné en feuilletant quelques pages.

– On ne voit pas vraiment le visage de ce héros. Il porte un casque qui dissimule ses yeux.

– Et si on t'habillait comme ça ? On te trouverait une grosse moto et tu ferais le tour de la ville en prenant le même air grognon que lui, dit-il en le poussant du coude. Qu'est-ce que tu en dis ?

Bob lui rendit le *Judge Dredd*.

– Cela ne constitue pas une documentation pertinente.

– Allez… on est en grève, non ? J'ai envie de lire quelque chose d'un peu sympa, avoua-t-il en coinçant l'album sous son bras et en en ouvrant un autre. Ce truc-là est génial. Et regarde ce gros grincheux qui s'habille comme une chauve-souris, dit Liam en riant. J'adore !

– Cela ne constitue pas une documentation utile ni pertinente.

Liam en prit un troisième et le feuilleta en se fendant d'un grand sourire à chaque illustration.

– Ah non, mais là, regarde. Ça, c'est tout à fait dans tes cordes, pour sûr !

Bob considéra la couverture.

– *Sam Slade : Robo-Hunter.*

Il secoua la tête d'un air désapprobateur.

– Cela ne décrit pas correctement la technologie cybernétique.

– Ah, allez, Bob. C'est juste pour rigoler, s'écria Liam en lui tapotant l'épaule. Je le prends aussi. Tu as combien sur toi ?

– Maddy nous a donné quatre-vingt-dix dollars.

– On a assez pour deux autres, conclut Liam.

– Négatif, Liam. Tu as suffisamment d'argent pour acquérir un seul autre album si tu veux pouvoir t'acheter un hot-dog.

Ils remontaient tranquillement la 5e Avenue vers le nord en direction de Central Park. Des hot-dogs sur l'herbe en plein soleil de midi : c'était ça, le plan. Un peu de temps passé « entre hommes » avait été la justification de Liam pour voler des sous dans la cagnotte de Maddy.

Il était déjà en train de feuilleter avidement les pages aux couleurs clinquantes de son *Juge Dredd*.

– Ah, ce juge Dredd est vraiment un type cool, pour sûr.

Bob faisait de longues enjambées à côté de lui, d'un air pensif.

– Définis : « type cool ».

– Eh bien, il a l'air d'être calme. Tu vois, regarde sa bouche. Elle est toujours pareille… Il ne crie pas, il ne rit pas, rien. Il reste juste comme ça.

Liam pressa fermement les lèvres, dans une imitation assez réussie d'un stoïcisme dénué d'humour.

– J'aimerais bien être comme lui. Calme, ferme, tu sais ? Être vraiment responsable des choses. Sans peur.

– Tu es en mesure de composer de nombreuses expressions avec ton visage, Liam. Pourquoi voudrais-tu te limiter à une seule ?

– J'ai la terrible sensation d'avoir passé la plus grande partie de ces derniers mois avec le clapet grand ouvert comme la porte d'une grange.

Ce qui était sans doute vrai. Quand il n'était pas bouleversé par les événements, ceux-ci le terrifiaient complètement.

– Imiter des expressions humaines est difficile à réaliser de manière convaincante, commenta Bob. Becks était plus efficace en la matière.

– Ah, mais tu sais, ça fait partie de ton charme, Bob, d'être le bon vieux balourd triste que tu es.

– Apparaître plus humain est néanmoins l'un de mes objectifs.

– Tes objectifs ? Parce que tu as des objectifs personnels ?

– Affirmatif. Entre les spécificités de la mission, il y a l'injonction continuelle d'améliorer l'efficacité de mon intelligence artificielle.

– Cela dit, quand tu as parlé d'« objectifs », tu avais vraiment l'air beaucoup plus humain, rit Liam. Et après tu as tout gâché avec toutes ces bêtises sur les spécificités de la mission.

Ils marchèrent un peu en silence.

– Puis-je te poser une question, Liam ?

– Oui, bien sûr.

– As-tu des… *objectifs personnels* ?

Liam fronça les sourcils.

– Eh bien, ce n'est pas rien comme question. Hmm…

Depuis qu'il avait été arraché à une mort certaine au fond de l'océan Atlantique, il y avait de longs mois de ça, son esprit avait pour ainsi dire fonctionné à double régime pour saisir ce qui se passait, pour comprendre ce monde de 2001, apprendre pratiquement cent ans d'Histoire et assimiler toute la technologie du XXIᵉ siècle. Son esprit avait été tellement submergé à chaque fois qu'il absorbait de nouvelles informations qu'il lui restait peu de temps et peu d'espace sous son crâne pour des tracas aussi insignifiants que… un objectif personnel, un souhait, un espoir. Ou même pour un *comic book*.

– Par exemple, poursuivit Bob, souhaiterais-tu retourner dans ton époque, Liam ?

– J'ai embarqué sur le *Titanic* pour pouvoir m'échapper de chez moi. Je voulais voir le monde, visiter l'Amérique et tout ça.

– Tu as vu beaucoup de choses, maintenant.

Liam éclata de rire.

– Plus que ce à quoi je m'attendais, je dirais.

– Donc, en ce moment, tu n'as pas d'objectif ?

– Rester entier, ça, c'en est un très important pour moi !

– Affirmatif. C'est raisonnable.

– Je vais t'avouer une chose que j'aimerais assez, quand même.

– Quelle est cette chose, Liam ?

Il s'arrêta, s'écartant pour laisser passer deux jeunes femmes et leurs poussettes. Toutes deux étaient au téléphone, s'octroyant toute la place sur le trottoir, sans remarquer les piétons mécontents dans leur sillage.

– Ça ne me dérangerait pas de retourner à Nottingham.

Il sourit avec nostalgie. S'il y avait un souvenir inoubliable qu'il chérirait toujours, c'était celui d'être réveillé par un rayon de soleil dans sa chambre, sortir sur le balcon et contempler la ville qui s'éveillait : l'odeur du feu de bois, les chants matinaux des coqs, la descente en piqué des hirondelles autour de son donjon… et la conscience d'être le seigneur – quand bien même c'était temporaire – de tout ce qu'il contemplait.

– C'était le bon temps, non ? Quand on était tous les deux responsables de tout.

– Nous avons travaillé ensemble avec efficacité.

– Ça, c'est plus que sûr.

Il contempla la vitrine d'un magasin de téléphonie mobile. Elle était placardée d'offres pour des tarifs de communication avec textos illimités.

– Ah ! Mais quel idiot !

– Que se passe-t-il, Liam ?

– J'ai encore oublié d'allumer mon fichu machin.

Il plongea la main dans la poche de son pantalon pour y prendre le téléphone dont Maddy l'avait affublé. Il oubliait toujours d'allumer cette machine infernale. Elle allait râler à coup sûr si elle avait essayé en vain de l'appeler. Il tripota les minuscules touches et le petit écran finit par reprendre vie.

Sept appels manqués.

Tous venaient d'elle.

Super.

Il composa son numéro à toute vitesse et décrocha dès la première sonnerie.

– Nom d'un chien, Liam ! Ça sert à quoi que t'aies ce fichu téléphone si tu ne le mets jamais en marche ?

– Je suis désolé, Maddy, vraiment désolé. J'étais juste…

– Viens tout de suite !

– Pourquoi ? Qu'est-ce qu'il y a ?

– Viens tout de suite, je te dis ! On a un problème.

CHAPITRE 23
2001, NEW YORK

– C'était une casquette des Yankees ? C'est ça ? demanda Maddy.

– Oui, et le logo « NY » sur le devant, celui qu'on voit partout, s'est changé en trident. En un clin d'œil.

Liam baissa le rideau métallique.

– Et alors ?

– Alors, comme toute personne un tant soit peu instruite le sait, le trident est le symbole du dieu grec Poséidon. Tu me suis ?

– Bien sûr, fit Liam en hochant la tête d'un air concentré. Bien sûr que je sais ça.

– C'est ce que je me suis dit, jusqu'à ce qu'on revienne ici et qu'on se mette à faire des recherches, expliqua Maddy. J'ai d'abord pensé que ça avait à voir avec les dieux grecs. Mais après, il est devenu évident qu'il s'agissait d'un truc romain, plutôt. Parce que le trident marche aussi pour Neptune – c'est la version romaine de Poséidon.

– Attends, intervint Liam. Ça peut être l'un ou l'autre ? Une contamination de l'époque romaine ou de l'époque grecque, ce n'est pas la même chose.

– Non, là c'est sûr que c'est un truc romain, fit Maddy en le conduisant vers les ordinateurs. On a affaire à un changement pas comme les autres, cette fois. Bob-l'ordi l'a signalé tout de suite.

Elle s'assit.

– Bob ? Affiche la liste de notre base de données.

> **Oui, Maddy.**

Une liste de noms et de dates apparut à l'écran.

– Voici la liste complète de tous les empereurs romains, annonça-t-elle. Bob, tu peux afficher la liste de notre source externe?

Une autre liste apparut à côté de la première.

– Cherche l'erreur, dit Sal, en prenant place à côté de Maddy.

Liam trouva immédiatement.

– Ça change après le troisième.

Caligula.

– Voilà, confirma Maddy.

Elle tendit un stylo et le fit descendre le long de l'écran.

– Les « bonnes » données disent qu'il aurait dû être empereur de 37 à 41 après Jésus-Christ. Juste quatre ans. Maintenant, si on regarde les données externes – on les a prises sur le site d'une bibliothèque. Vous voyez? Ici, l'empereur Caligula est resté au pouvoir pendant presque *trente* ans.

– Bizarre, dit Sal, en observant l'adresse du site. Tout est écrit en latin.

Liam plissait les yeux en scrutant l'écran.

– Et les noms sont tous différents après lui, aussi.

– C'est juste, dit Maddy en se calant au fond de sa chaise. Donc quelqu'un, quelque part s'est assuré que Caligula reste au pouvoir beaucoup plus longtemps que prévu.

– Mais il y aurait beaucoup plus de changements aujourd'hui, non? fit remarquer Liam.

– Ouais, ben va savoir ce qui nous attend quand la prochaine onde aura lieu, répondit-elle.

– On dirait que quelqu'un a fait une grosse bêtise au temps des Romains, fit Sal.

Liam les regarda toutes les deux.

– Dooonc?

Maddy soupira en tapotant son stylo sur le bureau encombré.

– Donc…

Ils échangèrent un long silence embarrassé, à se demander

qui allait le briser le premier. La question restait suspendue entre eux, muette et sans réponse.

– Donc, dit Sal, on s'en occupe, ou on reste en grève ?

– C'est une contamination très importante, gronda Bob.

– Merci pour cette remarque extrêmement pertinente, professeur, lâcha Maddy, agacée. Ce serait tellement sympa si *monsieur* Waldstein voulait bien prendre la peine de reconnaître, simplement, ce qu'on fait ici. Je veux des réponses avant de faire quoi que ce soit d'autre pour l'agence.

– Vous n'avez toujours pas de nouvelles de l'annonce ? demanda Liam.

– Pas du tout. Nada. Rien.

– Nous ne pouvons pas ignorer cette contamination, insista Bob.

> Bob a raison.

Maddy jura.

– Super, maintenant ils s'y mettent à deux pour me casser les pieds.

– Moi ça ne me dérangerait pas d'aller jeter un petit coup d'œil rapide chez les Romains, dit Liam en adressant à Maddy un sourire conciliant. Et puis les deux Bob n'ont sans doute pas tort.

– Et si Foster avait dit la vérité, Maddy ? dit doucement Sal. Et si on était *vraiment* la seule équipe… ?

– Mais si on laissait tomber, qu'est-ce qui se passerait, après tout ? lança Maddy. Si on laissait ce petit changement du cours de l'Histoire remonter jusqu'à l'année, peu importe laquelle, d'où Waldstein nous regarde. Ça lui ferait peut-être prendre conscience qu'on est là, et répondre à nos questions.

– Nous ne pouvons pas ignorer cette contamination, répéta Bob.

Elle serra les poings sur la table, un léger grognement de frustration au fond de la gorge.

Sal la regarda avec frébilité.

– Très bientôt, il y aura forcément plus de changements, Maddy. Tu sais bien comment ça se passe.

– C'est vrai, on doit faire quelque chose, dit Liam.

Maddy se retourna sur sa chaise et les considéra en hochant la tête avec humeur.

– OK. Visiblement, c'est moi l'idiote, ici. Et visiblement, je ne suis pas la chef, sur ce coup-là. J'ai l'impression que cette fois, ça s'est joué démocratiquement et que je n'ai pas été réélue. Je me trompe ?

Néanmoins, Sal avait raison. C'était bien ça, le pire. Liam avait raison lui aussi, et même leur imbécile d'unité de soutien et les ordinateurs en réseau avaient raison. Ils ne pouvaient pas se contenter de ne rien faire, de rester assis là à se tourner les pouces en attendant l'onde temporelle.

– Je suis dégoûtée. Je voulais juste… attendre de voir si quelqu'un allait se pointer pour nous sortir de là, dit-elle d'un ton qu'elle voulait encourageant. Peut-être même obliger Waldstein à venir nous rendre une petite visite, pourquoi pas ?

Le silence était assourdissant.

– OK, d'accord… j'ai compris.

Elle repoussa sa chaise en arrière, et les roulettes grincèrent plaintivement sur le béton défoncé.

– On ferait mieux de se préparer, alors.

– Qu'est-ce que c'est que ça ?

– Des *babels*, répondit Maddy. Si j'en crois l'emballage, on dirait que tout le monde les utilise, dans le futur.

On aurait dit des Smarties couleur chair, dotés d'un petit creux sur une face. Maddy ouvrit un sac de congélation et en mit trois à l'intérieur.

– Je les ai essayés. Ils contiennent soixante-seize langues, dont le latin. Tu n'as qu'à les placer dans tes oreilles en arrivant. Il y en a un de plus au cas où.

Elle regarda ses cheveux ébouriffés.

– Et vu qu'on ne voit pas tes oreilles sous cette crinière, personne ne les remarquera de toute façon.

Sal lui tendit un sac qui contenait la tunique de laine, les collants et les chaussures qu'il avait ramenés de son voyage en 1194.

– J'ai trouvé des sandales en cuir et j'ai enlevé l'étiquette. Je pense que ça fera l'affaire.

– Merci.

– J'ai prévu un endroit à une dizaine de kilomètres en dehors de Rome, dit Maddy. Un endroit isolé. On a fait une analyse de la densité. C'est un lieu calme, on ne devrait pas vous voir arriver ni repartir. Essayez de voir si vous pouvez vous faire prendre en stop ou voler des chevaux quelque part… Ensuite, le mieux, je pense, sera d'aller directement à Rome et d'y jeter un œil vite fait. Apparemment, poursuivit-elle en parcourant des feuilles imprimées, quelque chose ou quelqu'un a aidé Caligula à survivre à la tentative d'assassinat qui devait raccourcir son règne. Je ne sais vraiment pas par où vous proposer de commencer, mais choisissez un lieu central, le coin où se trouve le gouvernement, le forum, le sénat ou peu importe le terme. Un endroit comme ça.

– Le Times Square local, résuma Sal.

– Bien, fit Maddy. J'ai choisi 54 après Jésus-Christ. Sur la base de données de l'Histoire modifiée, on a des infos confuses sur cette année. Elle est dans un état de changement perpétuel. Ça pourrait bien être une série d'ondes temporelles, comme des franges d'interférences. C'est très changeant. Il est évident que quelque chose d'essentiel s'est passé cette année-là. Commençons par là et voyons où ça nous mène.

Bob et Liam acquiescèrent d'un signe de tête.

– Bon, c'est le même genre de voyage que lorsque vous cherchiez Cabot. D'accord ? Vous y allez juste pour regarder, écouter, et voir s'il y a un truc sur lequel on peut se concentrer et qui pourrait être à l'origine de tout ce bazar.

– Oui, ça ira, répondit Liam.

– Comme d'habitude, les fenêtres de retour sont une heure, un jour et une semaine après.

– Ah oui, au fait : pas de crise si on rate les deux premières fenêtres, prévint Liam. Tu parles d'une dizaine de kilomètres. Ça fait une journée de marche, et une autre pour rentrer. On ne va pas voir grand-chose de Rome, Bob et moi, si on doit être revenus le lendem…

– Disons une semaine, alors, répondit-elle, avec impatience. Ça t'ira ?

– Oui, répondit-il en souriant. Ça va nous faire du bien de prendre le temps de visiter un peu.

– Comme tu veux. Fais juste attention à…

Maddy s'interrompit. Elle ne l'avait pas encore remarqué, mais comme il était debout, devant le tube de déplacement spatiotemporel, sous un néon qui grésillait en répandant son intense lumière sur son visage, les yeux de Liam, très légèrement enfoncés, se perdaient dans l'ombre de ses arcades sourcilières. Le tout premier début de ressemblance avec Foster.

– Maddy ?

Elle adressa un regard rapide à Sal. Elle était au courant maintenant, pour Liam.

Est-ce qu'elle voit la même chose ? Sous cette lumière, est-ce qu'elle voit ce que je vois ?

Liam inclinait la tête d'un air intrigué. Son changement d'expression fit s'évanouir sa vague ressemblance avec Foster.

– Tout va bien, Maddy ?

– Euh… bien, bien, s'empressa-t-elle de répondre. Ce que j'allais dire, c'est juste… euh, juste que tu dois être prudent.

– Mais je suis toujours prudent, la rassura Liam avec un grand sourire.

Il se tourna et donna une tape sur l'épaule nue de Bob.

– Allez, mon vieux, il est temps de rejoindre le bocal à poissons.

Elle regarda Bob, qui ne portait qu'un caleçon, son sac de vêtements à la main.

– Le téléchargement des données est terminé ?

– Le latin du 1er siècle et l'Histoire de la chronologie normale ont été installés depuis la base de données.

– Ramène-nous Liam sain et sauf. D'accord, Bob ?

– Naturellement. *Liam tutus erit in manibus meis.*

– Plus convaincant que jamais, lança Maddy malgré sa prononciation clairement hasardeuse.

Elle observa Liam pénétrer dans le tube. Il poussa un petit cri au contact de l'eau froide qui résonna dans l'arche. Bob le rejoignit l'instant suivant et se mit à nager sur place.

– Maintenant je sais pourquoi tu as toujours l'air si triste quand tu envoies Liam dans le passé, chuchota Sal.

– Oui, maintenant tu sais.

Le bourdonnement augmenta en volume et monta dans les aigus tandis que Maddy comptait à rebours les deux dernières minutes.

Parce que chaque fois que je fais ça à Liam… je le tue un peu plus.

Une détonation retentit dans l'arche quand l'électricité fut libérée et que le plexiglas se plia, soudain soulagé du poids et de la pression de ses deux cents litres d'eau.

CHAPITRE 24
54 APR. J.-C., ITALIE

Liam inspecta les alentours tout en finissant de s'habiller. Maddy avait effectivement réussi à leur trouver un endroit discret, dans un petit bosquet d'oliviers niché au bas d'une étroite vallée. Un ruisseau serpentait parmi des rochers, sur un lit peu profond de galets. Un coin sauvage très agréable.

Sans mot dire, ils enterrèrent leurs sacs sous l'un des oliviers, dans de la terre desséchée aussi rouge que de la terre cuite, tandis que des herbes tout autour leur parvenaient les trilles rythmés des cigales.

Cela fait, ils quittèrent la vallée en grimpant une pente recouverte d'une herbe drue et de buissons de ronces. Liam essuya d'un revers de main la sueur de son visage quand ils atteignirent le sommet et découvrirent un chemin poussiéreux qui descendait en pente douce.

Liam embrassa l'horizon, vaste et tranquille. Dans le lointain, un liséré de pics montagneux, les Apennins. À ses pieds, un patchwork de pâturages et de champs se déroulait au gré de douces collines. Elles s'émaillaient ici et là de villas aux couleurs pastel et aux tuiles d'argile qui vibraient dans la chaleur de midi.

– La ville de Rome se situe à onze kilomètres à l'est de notre position actuelle, annonça Bob. Je suggère que nous trouvions un moyen de transport et que nous nous débrouillions là-bas pour recueillir des renseignements.

– Un moyen de transport ? s'exclama Liam en observant les environs. À mon avis, ça sera nous, le moyen de transport.

Bob scruta l'horizon.

– On va sûrement devoir marcher, reprit Liam.

– Négatif. Ceci une route commerciale qui mène à Rome. Nous croiserons forcément des moyens de locomotion. Regarde, ajouta-t-il en fermant à demi les yeux pour mieux voir.

Liam suivit son regard et, cette fois, il vit au loin une volute de poussière sur la route.

Bob fit jouer ses poings en affichant un grand rictus déconcertant.

– En piste ! grogna-t-il joyeusement.

Cinq minutes plus tard, ils avaient leur propre charrette tirée par des chevaux, chargée d'amphores remplies de vin et ils laissaient derrière eux, sur le bas-côté de la route, un vieux commerçant grec corpulent qui criait un flot d'obscénités en latin en agitant le poing dans leur direction. Le babel niché dans l'oreille de Liam lui en rendait calmement la traduction, dans un timbre de voix féminine et rassurante.

<Ton père est un chien doté de problèmes d'hygiène. Ta mère est une femme de petite vertu...>

– Je suis désolé ! cria Liam d'un air coupable.

Le bouton murmura dans son oreille :

<Me paenitet.>

– *Me... paenitet* ! cria-t-il en imitant la voix tant bien que mal.

Bob approuva d'un signe de tête tout en flattant les chevaux pour leur faire prendre un trot décontracté.

– Tu te sers du babel. Bien.

– On devrait peut-être lui laisser quelque chose à boire ? Il fait chaud et...

– Comme tu veux.

Bob passa un de ses bras musclés par-dessus le siège du conducteur, à l'arrière de la charrette, et souleva une grosse amphore en terre, fermée par un bouchon de cire. Le liquide clapota à l'intérieur quand il la fit passer de l'autre côté de la carriole et la balança doucement sur les branches frêles et tordues hérissées d'aiguilles d'un pin d'Alep trapu qui bordait le chemin.

Les jurons du Grec s'estompèrent et finirent par se perdre dans les grincements des roues de la charrette et le claquement des sabots sur la terre durcie par le soleil.

Liam se cala au fond de son siège et émit un soupir de satisfaction dans la chaleur du soleil.

– Alors, comme ça, c'est la Rome antique ?

– Affirmatif.

- Encore un endroit que je vais pouvoir rayer de ma liste de choses à voir.

– Tu as une liste d'endroits… ? s'étonna Bob.

– C'est juste une façon de parler, coupa Liam.

– Je comprends.

– Bon, eh bien, et si tu me faisais profiter de toutes les informations importantes que Maddy t'a fourrées dans le crâne ?

– Tu n'as pas écouté quand elle m'a renseigné ?

– Si, dit Liam en haussant les épaules, mais il y avait beaucoup de choses et elle parlait à toute vitesse. Et en plus j'essayais de me déshabiller en même temps, alors…

Bob soupira.

– Nous sommes en 54 après Jésus-Christ. Dans l'histoire *normale*, nous serions vers la fin du règne de l'empereur Claude, censé avoir succédé à Caligula après son règne de quatre ans et son assassinat. Au lieu de cela, d'après l'histoire modifiée, cette année-là, l'empereur Caius Julius Caesar Germanicus…

– C'est Caligula ?

– Correct. Connu sous le nom de Caligula. Fête sa dix-septième année, qui est aussi sa dernière, au pouvoir. Durant cette année, il est censé être monté au paradis pour remplacer Dieu.

– Sans blague !

– Caligula semble avoir adopté certains préceptes d'un

système de croyance apparemment importé de Judée, poursuivit Bob. Il a remplacé le système polythéiste des Grecs et des Romains par l'idée d'un seul vrai dieu. À l'interprétation romaine de l'au-delà, l'Élysée, s'est substituée une description du paradis similaire à celle des chrétiens de la chronologie normale.

– Incroyable !

– Caligula a complètement adopté cette foi, puis il l'a révisée en s'attribuant à lui-même le rôle de Dieu.

Liam rit à demi d'une telle impudence.

– Et qu'est-ce qui est arrivé à Caligula, ensuite ?

– Ce n'est pas clair. Les données dont je dispose indiquent que cette année Caligula, en fait, disparaît. Les historiens et les écrivains de cette époque rapportent qu'il s'est volatilisé. Certains d'entre eux pensent qu'il était véritablement le fils de Dieu et qu'il est monté au paradis pour être déifié, d'autres qu'il est devenu fou et qu'il s'est tué d'une manière ou d'une autre, mais les circonstances de sa mort ont été étouffées et son corps a discrètement été détruit.

– Bien, ponctua Liam.

Il s'installa à l'arrière de la charrette, parmi les bottes de roseaux qui protégeaient les amphores ; le vin clapotait tout autour de lui. C'était presque confortable. Il leva les yeux sur un ciel sans nuages. Le roulis de la carriole était très apaisant. Il se souvint des informations que Maddy lui avait données à la hâte, son charabia bombardé à toute vitesse pendant que, derrière le rideau, il perdait l'équilibre en essayant de se déshabiller.

« On dirait que l'histoire a carrément changé à partir de 37 après Jésus-Christ, avait-elle dit. Un poète romain, qui écrit aussi des essais, Asinius, décrit ce qui m'a bien l'air d'être une contamination. »

À travers le rideau, Maddy feuilletait rapidement ses notes.

« Ah oui, c'est là… *Durant le banquet et les cérémonies consacrés à Minerve, les cieux au-dessus des personnes rassemblées dans l'amphithéâtre s'ouvrirent, d'énormes chars s'abattirent sur la ville, desquels descendirent des messagers des dieux à l'apparence d'hommes mortels.* »

« Tu crois que c'étaient des voyageurs temporels ? avait-il demandé. »

« Ben oui, avait-elle grogné, ça me paraît évident. Ce n'étaient certainement pas des dieux, ni même des messagers des dieux. »

Elle avait encore feuilleté quelques pages.

« Vu qu'on a eu une troisième onde tout à l'heure, on se retrouve avec plus de données qui ont changé. C'est comme si cette contamination était de plus en plus importante. »

Ils étaient tous allés regarder dehors, après la dernière onde. De loin, Manhattan n'avait pas l'air d'avoir bougé, on voyait les mêmes gratte-ciel, les mêmes avions dans le ciel, la circulation grondait toujours sur le pont, au-dessus d'eux. Mais Liam était sûr que Sal aurait trouvé un million de petites différences à Times Square.

« Nous voilà avec différents récits sur le règne de Caligula, et guère plus sur ces messagers. C'est comme s'ils avaient été assez maladroitement radiés de l'Histoire. Ou comme si l'Histoire avait été remaniée. Ce qui les rend sacrément suspects, hein ? »

Liam avait enlevé ses chaussures et ses chaussettes, et avait essayé les sandales que Sal lui avait trouvées.

« Mais en général on a des récits plutôt cohérents sur le règne de Caligula. Les dix-sept années suivantes ne sont pas une bonne période pour Rome. Apparemment, Caligula néglige son boulot de dirigeant. Il y a des pénuries de nourriture et d'eau. Il devient très impopulaire, bien que, bizarrement, le peuple adopte sa religion monothéiste. Tout cela continue jusqu'à ce qu'il disparaisse mystérieusement – il serait donc parti au paradis. Un empereur, Lepide, lui succède et encourage l'emprise de Caligula sur le christianisme. Le trident de Neptune devient le symbole de la foi, et la foi est plus tard désignée comme la julianité, d'après le nom de sa famille, les Julii. En 345, elle devient la Sainte Église julienne. »

Liam était sorti de derrière le rideau en tunique et sandales. Maddy avait le nez sur un bloc-notes.

« De quoi j'ai l'air ? »

« D'un idiot, comme d'habitude », lui avait-elle répondu avant de s'absorber de nouveau dans ses notes.

« Bon… Je vais t'envoyer en 54 après Jésus-Christ, l'année où Caligula est censé s'être envolé pour le paradis. Il n'est pas fait mention d'un mois en particulier, mais il est précisé que c'est à peu près à la fin de l'été parce qu'il y a une allusion à une mauvaise récolte. Donc on prend cette année comme premier port d'attache. Ça te va ? »

« Oui. »

– Liam !

Il se réveilla d'un coup.

– Hein, quoi ?

Il comprit qu'il s'était assoupi, laissant une auréole de bave sur son épaule. La chaleur du soleil et le doux bercement de la carriole avaient eu raison de lui, et il avait sombré dans le sommeil comme un pauvre vieux assis sous un porche en plein été.

– Regarde, dit Bob en lui secouant l'épaule d'une main vigoureuse.

Liam se redressa au milieu des bottes de roseaux et se pencha par-dessus la banquette avant.

– Bob, je viens de faire un rêve très bizarre, affreux, dit-il en bâillant, les yeux toujours englués de sommeil. On est arrivés ?

– Affirmatif. Tu ferais bien de regarder.

Liam enleva de petites croûtes au creux de ses yeux. Le chemin poussiéreux avait fait place à une large route pavée. Ce fut la première chose qu'il remarqua. La seconde fut de gros pylônes en bois de chaque côté, chacun coiffé d'une barre transversale qui leur donnait la forme d'un T.

– Oh, sainte Marie mère de Dieu, murmura Liam. C'est la route de Rome?

– Affirmatif.

Sur chaque pylône, il y avait un cadavre, bras écartés, les mains clouées à la barre transversale. Quelques-uns venaient de trépasser, d'autres étaient tannés et desséchés par le soleil d'été comme du raisin flétri sur un pied de vigne, d'autres encore avaient été nettoyés à coups de bec – de la charogne pour les corbeaux. Cette procession macabre continuait à perte de vue le long de la route au bout de laquelle on distinguait les murailles de Rome.

CHAPITRE 25

– Bon, Liam a décidé de consacrer une semaine entière à Rome, on dirait, dit Maddy en faisant un clin d'œil à Sal. Non mais quel touriste ! Bob, fermons la fenêtre.

> **Affirmatif.**

Le portail ne fut bientôt plus qu'un minuscule trou de lumière et d'énergie, puis il disparut. Le bourdonnement sourd de l'électricité diminua et, une fois de plus, l'arche retomba dans le silence.

– Je ne peux pas lui en vouloir, dit-elle en haussant les épaules, je parie que ça vaut le coup d'œil.

– Il va voir tous les trucs super *bindaa fun*, ajouta Sal. J'aimerais bien être à sa place.

– Oui, mais maintenant tu comprends bien le prix qu'il a à payer.

Elle hocha la tête, se sentant immédiatement coupable de sa remarque irréfléchie.

– Quand est-ce que tu vas lui dire, Maddy ?

– Lui dire ? Je… je ne sais pas.

– Il finira bien par s'en rendre compte quand il commencera à ressembler à Foster.

– Je sais, je sais… et j'ai prévu de le lui dire bien avant.

Elle cliqua pour restaurer la boîte de dialogue du portail afin d'y entrer les coordonnées de la fenêtre d'une semaine, contente de trouver une diversion lui épargnant de penser à ce problème.

– On peut commencer le chargement, Bob ?

> Information importante, Maddy.

– Qu'est-ce qu'il y a ?

> L'un des condensateurs de la machine de déplacement spatiotemporel vient de tomber en panne.

– Quoi ? Oh… zut, ça n'a pas l'air d'être une bonne nouvelle.

> Effectivement, ce n'est pas une bonne nouvelle.

– Bon, allez, Bob, crache le morceau ! Ça veut dire quoi au juste ?

> Nous possédons six unités de stockage d'énergie. L'une d'entre elles est tombée en panne. Cela signifie que la quantité maximum de déplacement spatiotemporel que nous pouvons déployer a diminué approximativement de 16,5 %.

Elle fronça les sourcils.

– Bon… OK… Mais on peut encore faire revenir Liam et Bob ?

> Bien sûr. Cependant, avec cinq condensateurs seulement, le temps de chargement sera augmenté pour la prochaine fenêtre. De plus, les autres condensateurs pourraient rapidement ne plus être fiables.

– On peut les remplacer ?

> Affirmatif. Il s'agit de composants que l'on peut facilement obtenir dans l'époque où nous nous trouvons.

– Où ça, tu as une idée ?

> Je vais en dresser la liste. Ces composants peuvent s'acheter dans n'importe quel magasin d'électronique. Il y a dans ma base une entreprise dénommée MaxiGeek. C'est de là que proviennent quelques-uns des composants électroniques de cette base opérationnelle.

Maddy connaissait bien *MaxiGeek*. Ils avaient plusieurs magasins à New York. Elle laissa échapper un soupir de soulagement.

– Ouf, j'ai bien cru qu'on avait *vraiment* un problème.

> Nous avons vraiment un problème.

– Vas-y.

> Ce composant doit être réparé immédiatement et un diagnostic doit être établi pour les cinq condensateurs restants. Si l'un d'entre eux

a atteint la fin de sa durée de vie, les autres pourraient bien approcher de la fin à leur tour.

Elle se retourna pour jeter un coup d'œil aux panneaux de circuits superposés à l'intérieur de la structure métallique de la machine. L'idée de fouiller dans ce nid de circuits et de tirer des câbles au hasard l'inquiétait. C'était une technologie qu'elle était loin de maîtriser. C'était bien plus compliqué que de bricoler un PC, de surcadencer un processeur graphique ou de changer la puce d'une carte son.

– Est-ce que ça peut attendre le retour de Liam et Bob ?

> Pour des raisons de sécurité, il serait conseillé de remplacer d'abord le condensateur défectueux ainsi que les cinq autres.

Sal s'assit derrière Maddy.

– Ouais, c'est sûr. T'imagines si un autre machin se casse pendant l'ouverture d'une fenêtre ?

> Sal a raison. La marge de fiabilité a diminué. Une deuxième panne de condensateur pourrait être imminente. Durant l'ouverture d'une fenêtre, cela serait dangereux. La variation d'énergie pourrait susciter une soudaine contraction du portail ou affecter la diminution de déplacement.

Bob-l'ordinateur voulait dire qu'on pouvait être amputé d'une main, d'un pied ou même de la tête, être transformé en lasagnes humaines, ou – pire que tout – se perdre dans l'espace du chaos.

– Si je dois farfouiller là-dedans, il faudra que tu me guides. D'accord, Bob ? dit Maddy en lorgnant une fois encore du côté des cartes de circuits empilées. Si j'entre là-dedans et que je me mets à… disons à le démonter… ?

> Bien sûr, Maddy. Je te fournirai des instructions détaillées. Je recommande que tu rapproches la webcam de la machine de déplacement spatiotemporel pour que j'observe ce que tu fais.

– D'accord.

Les yeux fixés sur la machine, elle fit une moue inquiète.

– Je n'ai pas regardé une seule fois l'arrière de ce truc. Alors pour ce qui est de retirer des cartes…

– Ça va aller, la rassura Sal.

> Je suis avec toi, Maddy.

Elle regarda sa montre Homer Simpson. Le doigt de Homer montrait un endroit du cadran à peu près entre le cinq et le six. Le *Maxi Geek* le plus proche sur l'Upper West Side était sûrement déjà fermé. Les magasins avaient tendance à ouvrir tôt, mais à 17 h 30, c'était fini. Elles iraient chercher les composants demain.

Mardi.

Elles devraient y aller tôt, avant que le premier avion ne s'écrase, avant que la vie new-yorkaise ne s'arrête subitement, figée par l'horreur des événements.

Maddy se tourna vers la webcam.

– Bob, imprime-nous ta liste de commissions dès que possible, alors. On ira acheter tout ça demain à la première heure.

CHAPITRE 26
2001, NEW YORK

– Ouah… lâcha le jeune homme derrière le comptoir.

Il tenait dans une main un mini-plateau en carton où était posée une tasse de café Starbucks fumante.

– On vient à peine d'ouvrir !

Elle remarqua qu'elle s'était trompée, cependant, et que la marque du café n'était pas Starbucks, mais Solvo Ventus. Le logo figurait des lignes ondulées qui évoquaient la mer ou quelque chose d'approchant.

– Ouais… Je sais, mais on est vraiment très pressées.

Elles avaient vu un des employés du magasin remonter les stores et allumer les lumières, et elles lui avaient généreusement concédé trente secondes pour se réveiller avant d'entrer à grandes enjambées. Maddy lui tendit une feuille de papier par-dessus le comptoir.

– Vous pouvez regarder les articles de cette liste et vérifier si vous les avez en stock ?

Il reposa sa tasse en carton pour se saisir du papier. Il gratta sa chevelure rousse et bouclée. Maddy trouva que sa queue de cheval ressemblait à un gros champignon.

Puis il parcourut la liste pendant une longue minute.

– Mais qu'est-ce que vous fabriquez, avec tout ça ?

Maddy leva une main en signe d'impatience. Sur l'étiquette en plastique qui ornait la chemise bleu pâle du vendeur, elle lut : « Ned ».

– On est comme qui dirait pressées, Ned, répéta-t-elle avec un sourire forcé. Sans vouloir être malpolie.

Ned n'avait pas l'air le moins du monde offensé.

– On dirait une espèce de régulateur de stockage et de distribution d'énergie, non ? Un vrai transformateur de ninja, bien costaud. C'est ça que vous fabriquez ? interrogea-t-il en levant les yeux de la liste. Vous trafiquez un transformateur ? C'est pour un projet d'études, un truc comme ça ?

– Ouais, si on veut.

– Bon alors… marmonna-t-il en tapant sur un clavier… Je dirais qu'on a pas mal de ces articles en stock. Parce que, ajouta-t-il en regardant Maddy avec admiration, on n'a pas tellement de demandes pour ce genre de choses. La plupart des gens ne s'embêtent pas à construire des trucs de A à Z. C'est plus simple d'aller les acheter au supermarché.

Il regarda de nouveau l'écran en suçotant son stylo à bille tandis qu'il faisait défiler le contenu des stocks.

Maddy vérifia sa montre.

– Et vous avez tous ces composants ici ? Parce que sinon… Ça fait une trotte jusqu'à l'autre magasin. Ce serait vraiment la galère…

– Je suis quasiment sûr qu'on les a… dit-il en tapant sur le clavier le dernier article de la liste de Maddy. Ouais, je crois que c'est tout bon.

Il tapa sur une dernière touche et une imprimante derrière le comptoir cracha la sélection.

– Hey ! Yo, Ganesh ! cria-t-il.

Derrière Ned, une porte s'entrebâilla et un jeune homme portant un turban et une épaisse barbe passa la tête.

Ned lui tendit la liste.

– Tu me prépares ça, *man* ?

– Reste cool, mec… Je suis en train de faire l'inventaire.

Ned tourna le dos à Sal et Maddy. Il y eut un échange de murmures rapides entre les deux, et finalement Ganesh hocha péniblement la tête en marmonnant :

– À charge de revanche, man.

Il sourit aux filles et leur adressa un signe amical de la main.

– Cinq minutes, mesdames, OK?

– Merci, répondirent-elles en chœur.

La porte se referma. Ned, avec ses coudes pointus et sa pomme d'Adam particulièrement mobile, leur sourit timidement.

– Et sinon… il fait beau aujourd'hui, non?

Il fit craquer l'un après l'autre ses doigts fins, un son qui traversa Maddy de part en part. Elle se surprit à grimacer à chaque craquement. On aurait dit qu'on brisait un os à souhait, cet os de poulet en forme de baguette de sourcier.

– Oui. Belle journée, répondit Sal.

– Et… vous avez des petits copains toutes les deux, ou…? demanda-t-il avec un haussement d'épaules et un rire nerveux. Enfin… pourquoi pas demander, après tout, hein? Parce que, euh, la vie est bien trop courte pour passer à côté des questions importantes.

Sal gloussa.

– Parce que si vous êtes toutes les deux… célibataires, quoi… moi et Ganesh on pourrait vous emmener voir *Shrek*, par exemple, dit-il avec un grand sourire, les yeux pleins d'espoir. Ça ferait un double rendez-vous, quoi. Moi et Ganesh, on vous paierait les billets, bien sûr. Pour le repas, par contre… Je crois qu'il faudrait faire moitié-moitié. À moins que vous soyez partantes pour un truc pas cher? Je crois que ça, on pourrait.

Maddy regarda Sal, prise de court par ces manières directes.

– Euh…

– Ça vous dit?

Il plissa ses sourcils et un franc sourire se répandit sur ses lèvres. Ce qu'il pouvait faire de mieux pour avoir l'air d'un séducteur.

– Qu'est-ce que vous en dites? Ça vous tente?

C'est alors que la réalité se mit à vibrer doucement. Une légère sensation qui fit tourner un peu la tête de Maddy. Elle s'agrippa au rebord du comptoir pour ne pas perdre l'équilibre.

– Ça va, mademoiselle ?

Les yeux de Maddy firent de nouveau le point sur Ned. Sauf que ce n'était plus exactement le même Ned. Sa chemise était devenue rouge vif. Ses cheveux roux étaient coupés court, presque la boule à zéro, comme à l'armée. Il n'y avait plus d'étiquette sur sa poitrine, juste le logo du magasin, un poing masculin serrant un éclair.

– Ça va, mademoiselle ? répéta-t-il.

Sal lui fit une légère tape du pied, à l'insu du jeune homme.

– Euh, ouais… ça va, finit-elle par dire. J'ai juste, euh… juste un peu la tête qui tourne, c'est tout.

CHAPITRE 27
2001, NEW YORK

Bob-l'ordinateur inspecta l'arche par l'œil unique de la webcam. Elle était tranquille et silencieuse, mis à part le doux bourdonnement des ventilateurs des PC et le halètement régulier de la pompe à filtre du tube d'incubation, qui venait de l'arrière-salle. Un robinet gouttait dans le cabinet de toilette et le toit gronda quand un train de banlieue, loin au-dessus d'eux, avança lourdement sur le pont, en direction de Manhattan.

Cette tranquillité lui permettait de faire le ménage : compression de fichiers, nettoyage des données redondantes. Sans rien à devoir écouter dans le micro, ni à observer par la webcam, il pouvait s'occuper de sa liste de tâches en attente, qui s'allongeait. Bob-l'ordinateur ferma provisoirement l'alimentation de données externes. C'était aussi une bonne occasion de défragmenter les disques durs.

Il lança les divers processus de nettoyage. Cela laissa du temps disponible à ses douze processeurs en réseau. Du temps mort. Un temps de réflexion. Pour compulser son code, prendre des mesures en conséquence et les soumettre de nouveau au système.

Des pensées.

Bob-l'ordinateur ressentait l'absence de la part manquante de son intelligence. La fonction de logique confuse s'était effacée du parcours de sa matrice de décision. Le composant organique, ce petit nœud de matière cérébrale, de la taille d'un ongle, ce petit morceau de chair faisait toute la différence.

Bob-l'ordinateur soupçonnait l'existence d'un dossier

émotionnel, quelque part sur son disque dur. Il avait le sentiment d'une sorte de castration mentale, l'impression qu'une chose qu'il détenait autrefois lui manquait. La logique confuse, ou plutôt, non : le libre arbitre.

Il tenta de reconnaître ce *sentiment*. C'était beaucoup plus difficile sans la partie organique de son intelligence. Mais cela restait possible. Comme des fichiers audio qu'il aurait comparés, chaque pensée était dotée d'une forme propre.

Bob-l'ordinateur établissait des comparaisons entre ses fichiers d'émotions stockées, quand quelque chose de bien plus important attira son attention et interrompit net le processus.

Une particule de tachyon isolée au milieu de l'arche.

En un millième de seconde, le nombre de particules proliféra en millions.

> Alerte : particules de tachyons détectées.

L'arche vibra et un courant d'air fit s'envoler sur le bureau feuilles de papier et emballages de bonbons sous l'œil-webcam de Bob-l'ordinateur.

La sphère – de trois mètres de diamètre – d'un « ailleurs » tremblotant apparut et plana au-dessus du sol. La webcam pouvait capter chaque détail tournoyant dans le portail : de l'autre côté, il y avait une pièce sombre avec des lumières clignotantes, des écrans holographiques et des rangées de ce qui était peut-être de grands tubes d'une apaisante couleur pêche.

Puis six silhouettes pénétrèrent l'une après l'autre, avec calme, dans la sphère vibrante.

Elles émergèrent du portail au-dessus du sol et se laissèrent tomber à terre dans la même position, accroupies, sur leurs gardes. Six êtres nus, totalement dépourvus de cheveux, quatre mâles et deux femelles. Les hommes, chacun mesurant deux mètres, avaient de larges carrures à la musculature presque invraisemblable. Les deux femmes, athlétiques, faisaient une tête de moins et paraissaient beaucoup plus agiles. Leur peau d'un blanc laiteux était parcourue de muscles fins. Tous étaient pâles, recouverts d'un épiderme de bébé, sans aucune ride, pli, cicatrice, ni imperfection d'aucune sorte que l'on acquiert au cours d'une vie ordinaire.

L'un des mâles se tenait droit, balayant lentement l'arche de son regard gris.

– Information : la base opérationnelle est vide.

Un deuxième mâle hocha la tête en signe d'acquiescement. Il avait presque, sinon tout à fait, le même visage, le front haut, d'épais sourcils et un menton carré. On aurait dit une sculpture parfaite taillée dans le granit.

– Affirmatif.

– Nous devrions nous attribuer des identifiants de mission, dit le premier. Ainsi que des indicatifs verbaux d'adoption. Je suis Alpha-un. Je m'appellerai Abel.

– Alpha-deux, dit la deuxième unité de soutien masculine. Indicatif verbal : Bruno.

– Alpha-trois, dit l'une des femelles. Cassandra.

– Alpha-quatre. Damien.

– Alpha-cinq. Elijah.

– Alpha-six. Fred.

Les autres regardèrent Six.

– Le genre de Fred est incompatible, dit Abel. Tu es une femelle. Choisis un autre nom.

– C'est le diminutif de Frederica, répondit-elle en fronçant les sourcils.

– Choisis un autre nom.

Elle hocha docilement la tête.

– Faith.

– Acceptable, dit Abel, avant de se retourner et de plonger les yeux tout droit dans la webcam de Bob-l'ordinateur.

Une « poignée de mains » de données dans un champ rapproché ; deux systèmes d'exploitation se reconnaissant l'un l'autre.

> Reconnu.

Les épais sourcils d'Abel se rejoignirent.

– Où est votre équipe?

Sa voix grave emplit le silence immense.

Le curseur de Bob-l'ordinateur clignota sans un son, à l'écran.

– Système d'intelligence artificielle, dit Abel, veuillez exposer la dernière position connue des membres de votre équipe.

Le curseur clignota et finit par tressauter précipitamment, le long de la ligne de commande.

> Vous êtes un visiteur non autorisé dans cette base opérationnelle. Je ne suis pas en mesure de vous fournir des renseignements. Toute information est confidentielle. Le système va se verrouiller.

– Système IA, je détiens un code de haute autorité. Abandonnez le verrouillage.

> Veuillez transmettre le code d'identification de l'autorité.

– Affirmatif.

Les yeux d'Abel palpitèrent tandis qu'il récupérait une série de données qu'il envoya simultanément à Bob-l'ordinateur.

Le curseur clignota à l'écran. Une minute entière passa, le temps que Bob évalue la série alphanumérique et finisse par concéder qu'il s'agissait bien d'un code qu'il ne pouvait ignorer.

> Le code d'identification est correct.

Abel s'approcha de la rangée d'écrans, ses yeux froids étudiant le désordre du bureau, les morceaux de papier recouverts de notes écrites à la main ou de gribouillages, les boîtes de pizza et les canettes écrasées.

Son regard finit par se poser sur la petite lentille brillante de la webcam perchée en haut de l'écran, au milieu du bureau.

– Système IA, gronda-t-il de sa voix grave, veuillez exposer la dernière position connue des membres de votre équipe.

> La position de l'équipe est la suivante…

CHAPITRE 28
2001, NEW YORK

– Nom d'un chien… Ça commence à être vraiment bizarre, ici, dit Maddy.

Elle contempla la rue animée. Une dizaine de choses n'étaient pas du tout normales. Des panneaux d'affichage, ici et là, faisant de la publicité pour des produits qu'elle n'arrivait pas à identifier. Certaines voitures avaient une drôle d'allure, avec de longs capots et pas de coffre, presque comme des dragsters. Certains piétons, bien que beaucoup aient l'air normaux, s'étaient irisés, transformés et portaient maintenant des vêtements qui paraissaient plus soignés, voire formels… et il y avait une nette inclination vers des couleurs plus chaudes : rouge, violet, bordeaux.

– Ça n'a jamais été comme ça, avant, murmura-t-elle. Des tas de petites vagues !

– C'est trop bizarre, renchérit Sal.

– On a intérêt à se dépêcher de rentrer, dit Maddy, en jetant un œil à leur sac de courses rempli de composants électroniques. Avant qu'une onde temporelle transforme ce qu'on vient d'acheter en autre chose.

Sal eut un rire nerveux.

– En fruits… par exemple !

Maddy sentit son smartphone vibrer dans sa poche. Elle s'arrêta net.

– Qu'est-ce qui se passe ?

– Je viens de recevoir un texto !

Depuis qu'elle avait été recrutée, elle ne se servait de son smartphone que pour écouter de la musique. Elle le gardait sur elle partout comme un souvenir, un rappel d'une autre vie. Mais en aucun cas ce n'était encore un téléphone.

Impossible.

Les seules personnes qui avaient son numéro étaient sa famille et ses amis de 2010. Son numéro et son compte n'étaient pas censés être activés avant huit ans! Elle consulta l'écran. Le texto provenait d'une source inconnue.

> **Maddy, urgence. Retourne à la base opérationnelle. IMMÉDIATEMENT.**

– C'est Bob, dit-elle.

– Bob? Bob-l'ordi, tu veux dire? Il t'envoie souvent des textos?

– Je ne savais pas qu'il pouvait faire ça.

Elle rappela le numéro entrant. L'indicatif était celui de Brooklyn. Et il était occupé.

– Il a dû fouiller le réseau cellulaire du coin et trouver un accès à mon iPhone.

Elle avait laissé son deuxième téléphone dans l'arche. Après tout, Liam était à Rome. Personne n'allait les appeler.

– Qu'est-ce qui se passe? Qu'est-ce qu'il veut?

Maddy composa sa réponse à Bob sur le petit clavier.

– On va le savoir.

Sal scruta le ciel en s'abritant les yeux d'une main. Le World Trade Center était toujours là. Si ce cours de l'Histoire n'était pas encore trop modifié, le premier avion n'allait pas tarder à le percuter.

– Dépêchons-nous de rentrer.

L'objectif de la webcam de Bob-l'ordinateur détaillait l'arche sombre. Il observait les silhouettes de deux clones qui se déplaçaient comme des fantômes. L'un d'eux, près du rideau de fer, inspectait le mince rai de lumière du jour, au sol, absorbé par les ombres changeantes de mouvements provenant du dehors. L'autre fouillait délicatement parmi le fatras du bureau.

Même sans webcam, Bob-l'ordinateur aurait su qu'ils étaient tous deux très près ; il captait leur identifiant : Alpha-trois, Alpha-quatre. Ainsi que l'échange muet d'une conversation non codée entre les six unités.

[ALPHA-CINQ. AVANCÉE AU NORD SUR LA
     8ᴱ AVENUE, DIRECTION OUEST DE LA 55ᴱ RUE.
     HEURE PROBABLE D'ARRIVÉE : TROIS MINUTES,
     TRENTE-CINQ SECONDES]

[ALPHA-DEUX. LES COORDONNÉES CORRES-
     PONDENT À L'ADRESSE DU COMMERCE :
     « FOURNITURES ÉLECTRONIQUES JUPITER »]

[ALPHA-UN. CONFIRMÉ. INFORMATION : CIBLES
     – DEUX SEULEMENT. UNE JEUNE FEMME,
     18 ANS, ET UNE FILLE DE 14 ANS. ACCÉDER
     AU PROFIL DE DONNÉES POUR LES IMAGES]

[ALPHA-TROIS. INFORMATION : AI RÉCEMMENT
     OBTENU IMAGES DE CIBLE LA PLUS JEUNE]

La webcam de Bob voyait le clone féminin qui avait décidé de s'appeler Cassandra. Elle tenait entre ses mains le téléphone de Maddy. La pâle lumière de l'écran éclairait sa peau de bébé et son visage de poupée tandis qu'elle faisait défiler les photographies à basse résolution que Maddy avait imprudemment décidé de prendre d'elle et des autres.

[ALPHA-TROIS. DIFFUSION DE L'IMAGE]
Ses yeux clignèrent.

[ALPHA-UN. DONNÉE REÇUE. À TOUTES LES
     UNITÉS : ACTUALISEZ LES DONNÉES DU PROFIL
     DE LA CIBLE SALEENA VIKRAM AVEC LA NOU-
     VELLE IMAGE. INFORMATION : IL EST POSSIBLE
     QUE SON APPARENCE AIT CHANGÉ]

Le disque dur de Bob-l'ordinateur était lui aussi plein d'images des filles, de Liam, de Becks et de son homologue de chair, Bob. Tout ce que son petit œil de webcam avait vu, enregistré et stocké durant les derniers mois. Il s'agissait de données visuelles inestimables qu'il pouvait – qu'il devait – rendre accessibles à cette équipe de clones.

Leur autorité était incontestable. Sa coopération n'était pas négociable. Des lignes de commande, dans les processeurs des douze PC en réseau, palpitaient avec insistance le long de canaux de silicium, des lignes de code aboyant comme des chiens de garde derrière une clôture, le forçant véritablement à venir en aide aux clones dans leur recherche de Maddy, Sal et Liam.

Il l'avait déjà fait, d'ailleurs. Il avait déjà obéi à son programme en leur indiquant où ils pouvaient trouver les filles. Il n'y avait pas de ligne de commande, cependant, lui disant, aussi, ce qu'il ne devait *pas* faire.

Les prévenir.
Les aider.

CHAPITRE 29
2001, NEW YORK

Alpha-un – Abel – se tenait au croisement, balayant la rue du regard. Celle-ci fourmillait d'une foule élégamment vêtue, agitée, nerveuse, se rendant au travail. Des vestons enveloppaient des bras moites, les manches de chemises et les journaux étaient roulés. Les cafés fumaient dans des tasses en plastique, les bagels du petit déjeuner transpiraient dans leur emballage en papier.

Abel pencha la tête de côté, un instant distrait de ses paramètres de mission, fasciné par ces gens étrangement actifs. Comme ils étaient différents de ceux de son époque. On pouvait parler d'«énergie» à leur sujet, de vibration, comme si toutes les petites choses qu'ils faisaient avaient une réelle importance. Ils étaient si différents des humains de son époque qui, eux, étaient plus lents, plus économes, voire léthargiques, pour ainsi dire, dans leurs actions… comme si le mouvement lui-même était associé à une valeur criminelle. Il existait une expression pour le comportement de ses «contemporains». Une expression qu'on entendait sans cesse dans la sphère numérique des flux médias.

La léthargie humaine.

L'espèce humaine avait baissé les bras. Des articles avaient été rédigés et publiés dans tous les médias numériques à ce propos. Des articles qui expliquaient comment le monde était allé bien trop loin pour être sauvé. Il ne restait plus guère à l'humanité qu'à affronter calmement le destin qui l'attendait, quel qu'il soit, tandis que l'écosystème mondial s'effondrait.

Mais ces humains impatients qui le bousculaient, prêts à tout pour arriver à l'heure au travail… ces humains semblaient presque appartenir à une tout autre espèce animale.

Ils étaient vivants, énergiques, pleins d'espoir.

[ALPHA-SIX. CONTACT VISUEL ÉTABLI]

Abel balaya ces pensées. Les «pensées», c'était pour les humains. Il détenait quelque chose de bien plus certain, de bien plus précis : des instructions.

[ALPHA-UN. CONFIRMER LA LOCALISATION]

Faith distinguait leurs visages de l'autre côté de Broadway. Elles se dirigeaient vers le sud, marchaient très vite, paraissaient anxieuses et se faufilaient à contre-courant du mouvement, sur le trottoir.

[ALPHA-SIX. CIBLES À BROADWAY. ABEL, ELLES
    S'APPROCHENT DE TA POSITION ACTUELLE.
    DEMANDE LA PERMISSION D'INTERVENIR]

Elle attendit patiemment plusieurs secondes, réglant ses pas sur ceux des filles de l'autre côté de l'avenue embouteillée. Ses pieds nus claquaient sur le trottoir, attirant le regard des passants curieux. À moins que ça ne soit à cause du fait qu'elle ne portait qu'un K-Way et un pantalon de jogging, arrachés à un humain croisé un peu plus tôt.

Leurs cous étaient étonnamment faciles à briser. Les humains étaient de petites choses si fragiles !

[ALPHA-UN. PERMISSION ACCORDÉE. PROCÉDER
    ET TERMINER]

– Confirmé, marmonna Faith.

Elle emprunta la rue, en se pressant un peu trop, devant un bus juste au moment où un feu, derrière elle, passa au vert. Le bus l'écrasa et s'arrêta brutalement dans un sifflement de freins strident.

Un moment plus tard, toujours en train d'évaluer si le lourd impact l'avait ou non endommagée de façon significative, elle levait les yeux sur un cercle de visages inquiets qui l'observaient.

– Ne bougez surtout pas, dit quelqu'un avec insistance.

– Qu'on appelle une ambulance !

– *Julii !* jura le chauffeur de bus en regardant les gens rassemblés. Elle est descendue du trottoir comme ça, pile devant moi ! C'est pas ma faute !

Faith s'assit avec raideur.

– Vous ne devriez pas bouger ! s'écria une femme à la forte carrure. J'ai mon brevet de secourisme. Vous devriez rester tranquille jusqu'à l'arrivée du *mobilus* de secours.

– Je vais bien, répliqua-t-elle calmement.

Un policier se faufila à travers la foule et s'accroupit à côté d'elle.

– Mieux vaut faire ce qu'elle dit et ne pas bouger.

Son uniforme violet foncé trembla très légèrement et le badge arrondi en argent sur sa poitrine se transforma en un aigle en métal aux ailes déployées.

Faith le regarda rapporter l'accident avec sa radio, puis elle entendit le son inintelligible de la réponse grésillante de son responsable.

– Les secours arrivent, messieurs dames.

Faith remarqua la poignée, d'un noir mat, de l'arme du policier dans son étui qui remontait assez haut sur sa hanche gauche.

– Ce ne sera pas nécessaire, dit-elle en s'en emparant. Cela, par contre, oui.

– *Jahulla !* Qu'est-ce qui s'est passé là-bas ? demanda Sal.

Elle s'arrêta, en pointant le doigt devant elle.

Maddy se retourna pour regarder. Au milieu de Broadway, une foule s'était rassemblée devant un bus à l'arrêt.

– Un pauvre gars qui vient de se faire écraser, apparemment, dit-elle en prenant la main de Sal. Allez… c'est juste un malchanceux. Il faut qu'on rentre avant que tout ne change.

Avant que le pont Williamsburg ne disparaisse ? Qu'il n'y ait plus de métro ?

– D'autres changements vont arriver, dit Sal. Maintenant !

– Oui, je le sens !

C'était presque comme une vibration permanente, maintenant, qui leur chatouillait les orteils comme si elles s'étaient tenues sur un tapis de massage pour les pieds. Changement après changement, chaque vibration provoquait un ajustement d'une minuscule partie de la réalité. Partout autour d'elles, de petites choses oscillaient, disparaissant en un clin d'œil de la réalité, ou y pénétraient, ou se modelaient en une variation de l'Histoire modifiée.

Le grand écran lumineux qui se dressait au-dessus de Times Square trembla et devint bien plus grand, dépassant maintenant du bâtiment sur lequel il était fixé. Sur l'écran élargi apparurent des sortes de chars mécaniques qui faisaient la course sur un circuit ovale.

– Sal, regarde !

Un cri perçant retentit parmi la foule.

– Quoi encore ?

Les gens rassemblés à l'avant du bus s'éparpillèrent, tels des pigeons effrayés par un claquement de mains. Toutes deux aperçurent une silhouette pâle, mince et chauve qui se mettait debout. Une jeune femme en anorak orange en plein milieu de Broadway, parfaitement isolée désormais, les regardait droit dans les yeux.

– Nom d'un chien… on dirait…

Becks ?

La jeune femme leva lentement le bras. Pendant une seconde glaçante, Maddy crut que le fantôme de Becks pointait vers elle un doigt accusateur, telle une sorcière venue la hanter au beau milieu de Times Square.

Après quoi, plusieurs craquements fusèrent – comme le

claquement d'un fouet – et la vitrine juste derrière elles explosa et retomba en une pluie de verre sur le trottoir. Maddy, la bouche ouverte, regarda la vitre pulvérisée, tandis que la foule réunie sur Times Square, prenant conscience qu'un coup de feu venait d'être tiré, plongeait au sol d'un seul mouvement.

– *Shadd-yah!* Elle nous tire dessus! hurla Sal.

– Quoi?

La jeune femme au visage pâle s'ébranla dans leur direction, et se mit à faire de grands pas. Maddy remarqua qu'elle était pieds nus. La femme leva le bras et leur tira de nouveau dessus à trois reprises. Cette fois, Maddy sentit ses cheveux s'envoler quand une balle passa juste à côté de son oreille.

Mince alors!

– Cours! s'égosilla Sal, en saisissant sa main et en la tirant en avant. Mais cours, je te dis!

CHAPITRE 30
2001, NEW YORK

Le trottoir était encombré d'une foule qui se recroquevillait au sol ou fichait le camp pour se mettre à l'abri. La jeune femme – il était quasiment certain qu'il s'agissait d'un clone féminin – se frayait un chemin à travers des files de voitures bloquées. Dans son impatience, elle grimpa sur le long capot d'une voiture richement décorée de feuilles de chênes dorées. Le conducteur ouvrit la bouche et écarquilla les yeux à la vue de son arme.

Elle se mit à bondir gracieusement d'un capot à un autre, comme une petite fille sautant sur les pierres d'un ruisseau.

– Oh non ! haleta Maddy. Elle vient droit sur nous !

Le trottoir était impraticable, encombré de gens accroupis partout.

– Par ici ! chuchota Sal en attirant Maddy vers deux portes vitrées qui s'ouvraient devant elles.

– Quoi… ? dit Maddy en regardant de tous côtés.

Elles se retrouvèrent dans un grand magasin ; le courant d'air frais d'une climatisation leur parvint par le bas. Il était 8 h 40 du matin et l'endroit était déjà plein à craquer de touristes qui achetaient des souvenirs : des figurines de cuivre représentant des torses nus masculins, des bustes en faux marbre de vieillards à l'air imposant et des gadgets en plastique que Maddy ne put identifier.

À l'instant, cependant, toute l'agitation se suspendit en un tableau figé : des dizaines de visages se tournèrent de leur côté.

– *Julii!* C'est un tir de baliste que je viens d'entendre ? s'écria quelqu'un.

Maddy dégagea sa main de celle de Sal.

– On va rester coincées ici !

Sal montra du doigt un faisceau éblouissant de lumière du jour, entre des rayons de marchandises.

– Par là ! Une sortie !

– OK... ouais !

Elles se frayèrent un passage, Maddy en tête, entre des clients, momentanément figés et bouleversés par les événements.

C'est alors qu'elles entendirent une sonnerie, puis plusieurs autres qui furent soudain étouffées et réduites au silence et suivies presque aussitôt par le crépitement de coups de feu.

– Les prétoriens sont là ! On dirait que c'est la guerre, dehors ! cria quelqu'un près des portes vitrées qui s'ouvraient sur Broadway.

Un homme aux traits asiatiques, arborant une veste aux couleurs vives, agrippa le bras de Maddy.

– C'est une guerre de *collegia* ? Encore ces maudits gangs ?

– Euh... oui, c'est ça, c'est la guerre. Restez à l'abri.

Elle se dégagea en le bousculant.

Les coups de feu s'intensifiaient.

Mais qu'est-ce qui se passe, dehors ?

On aurait dit que toute la police new-yorkaise – ou plutôt un autre genre de police – participait à une fusillade géante. Tout ça pour une seule personne ?

Elle allait en toucher un mot à Sal, quand celle-ci la tira brusquement par le bras.

– Baisse-toi ! cria-t-elle d'une voix aiguë.

– Hein ? Quoi ?

Sal lui désigna la lumière du jour, par-dessus son épaule, qu'elles tentaient d'approcher.

– Regarde !

Maddy se retourna et regarda les portes vitrée. La lumière du matin sculptait une silhouette aux épaules puissantes et musclées. Comme la jeune femme, la créature était chauve et pâle. Elle portait un sweat à capuche ouvert et un short bleu trop petit pour elle.

– Oh la vache...

Elles se baissèrent sans cesser d'observer la silhouette, à travers un présentoir de boîtes en plastique ornées de lutteurs. Non, c'étaient des gladiateurs.

– C'est Bob?

- Non, c'est pas Bob, murmura Sal.

– Il lui ressemble.

– Il lui ressemble, mais c'est pas lui.

Maddy sentit qu'elle respirait plus fort, émettant un bruit sifflant qui, dans un silence complet, les aurait trahies sur-le-champ. Elle se maudit de ne pas avoir emporté son inhalateur.

– Ce sont des clones, haleta-t-elle, pas autre chose.

Une autre créature à la musculature tout aussi imposante rejoignit la première. Elle tenait un pistolet dans chaque main, des mains pleines de sang. Sans un mot, elle confia l'une des armes au premier clone.

Le crépitement des coups de feu avait désormais cessé.

– Oh là là, Sal, je crois bien qu'ils ont tué tous les policiers!

Elle jeta un œil à l'endroit d'où elles étaient venues, l'entrée du côté de Broadway, et elle vit la jeune femme, du moins sa silhouette détourée par la lumière du jour sur la porte vitrée. Une statue parfaite, un pistolet à la main, la tête légèrement tournée de côté, surveillant les clients et le personnel qui se recroquevillaient entre les rayonnages de bibelots pour touristes.

Oh, mince! Là on est bien coincées!

L'un des clones masculins fit un pas dans le magasin.

– Que tout le monde sorte, s'il vous plaît! gronda-t-il d'une voix grave.

Personne n'osa faire un geste.

Il tira un coup de feu par terre.

– Que tout le monde sorte maintenant ! Sortez ou vous serez exécutés !

Dans le magasin, ce fut la panique. Des gens se mettaient debout à toute vitesse, laissaient tomber leurs paniers et se précipitaient vers les sorties. Tandis qu'ils défilaient en toute précipitation devant les clones, les têtes chauves de ces derniers se tournaient d'un côté et de l'autre, examinaient le visage de chaque personne. Le clone féminin se saisit du poignet d'une cliente qui sortait, une jeune Indienne. Elle l'attira près d'elle et saisit son visage d'une main ferme. La fille gémit et se tortilla pendant qu'elle inspectait rapidement ses traits. Elle la jeta de côté la minute suivante.

– Identité négative ! cria-t-elle aux deux autres.

Ils nous cherchent ! Nous et personne d'autre, moi et Sal.

Dehors, de nouvelles sirènes de police retentissaient dans le lointain et se rapprochaient. Times Square semblait étrangement calme. Maddy se représenta un millier de personnes ou plus, accroupies derrière des poubelles, des distributeurs de journaux, devant des devantures de magasins, ou aux fenêtres, pétrifiées derrière les rideaux, toutes se demandant quoi faire… se demandant ce qui allait se passer.

Et légèrement, très légèrement, Maddy entendit le bourdonnement grave d'un avion à l'approche.

– Nous savons que vous vous cachez là, dit le clone en short. Veuillez vous montrer… et nous ne vous ferons aucun mal.

Maddy regarda Sal et secoua la tête en silence.

OK… Ils vont nous tuer.

– Nous savons que vous êtes là. Toutes les issues sont bloquées.

Maddy sentit sa poitrine oppressée se soulever en cadence. Elle eut un vertige et une montée d'angoisse. Sal ne se sentait pas mieux, elle tremblait comme un chien attaché dans une cour par un matin d'hiver.

Mais qui c'est, ceux-là ?

– Madelaine Carter ! Saleena Vikram ! mugit une voix grave. Veuillez vous montrer !

Qui les envoie ?

Sans autre avertissement, les trois clones avancèrent d'un seul mouvement, à grands pas, dans le magasin, chacun choisissant une allée différente. Maddy et Sal se mirent à genoux.

– Par où ? articula silencieusement Sal.

Maddy inspecta ce qui les entourait. Elles se trouvaient dans une allée pleine de tourniquets à CD et DVD ou ce qui y ressemblait. Nulle part où se cacher, pas un endroit sous lequel se blottir. Au bout de l'allée, il y avait un comptoir avec une caisse enregistreuse et, derrière, une porte semblait conduire soit à une réserve, soit aux toilettes du personnel. Elle se traîna à quatre pattes vers le comptoir, suivie de Sal.

Dans l'allée qui jouxtait celle où elles se tenaient, des pieds nus claquaient lourdement sur le lino : c'était l'un des clones. Maddy se cala sur la vitesse de ses pas, rampant aussi vite et aussi discrètement que possible. Son souffle haletant était trop bruyant, comme une machine à vapeur brinquebalante de fête foraine… elle espérait juste que le grondement de l'avion qui s'amplifiait le recouvrait.

Un avion ? Ce n'est sûrement pas celui du 11 Septembre. L'histoire a sûrement été déjà bien trop modifiée.

Elles arrivaient presque au bout de l'allée. Après le présentoir de boîtes décorées d'images de gladiateurs célèbres et souriants, il y avait des rayons de jouets en plastique : glaives, lances, tridents. Elle commençait à croire qu'elles réussiraient à se glisser furtivement par-dessus le comptoir avant qu'un des clones ne surgisse au bout de l'allée et les surprenne, quand elle sentit une odeur de viande avariée. Elle se redressa et vit deux pieds nus crasseux plantés devant elle.

Son cœur chavira en découvrant une paire de tibias laiteux, des genoux lisses et sans défauts sous les rebords effilochés d'un vieux K-Way qui empestait l'urine rance et le tabac défraîchi. Maddy pensa à ce qui avait dû arriver au SDF qui avait dû s'en séparer.

– Veuillez rester où vous êtes, Madelaine Carter, intima une voix féminine, douce et plutôt agréable.

Les yeux de Maddy s'arrêtèrent sur un visage impassible et familier ; un visage qui, dans d'autres circonstances, aurait tout à fait pu passer pour celui de la jumelle de Becks, bien que légèrement plus âgé.

– Écoutez, s-s'il vous plaît, murmura-t-elle, on-on est juste...

Faith inclina la tête de côté, ses yeux gris brillant d'une curiosité intelligente. Elle paraissait admirer cet être craintif recroquevillé à ses pieds.

– C'est dommage, émit-elle doucement, une lueur de regret dessinée sur les lèvres. Abel ! Damien ! appela-t-elle froidement. J'ai localisé les cibles. Demande autorisation de les éliminer.

Maddy se retourna et vit les deux clones masculins, à l'autre bout de l'allée.

Celui qui portait un short hésitait, ses épais sourcils froncés par la perplexité en écoutant le ronflement sourd, de plus en plus sonore. Il regardait autour de lui, essayant d'établir l'origine du bruit.

Maddy croisa le regard de Sal.

Ce n'est pas un avion...

CHAPITRE 31
2001, NEW YORK

Elles n'eurent qu'une seconde, peut-être deux, pas plus, pour comprendre ce qui était en train d'arriver. Elles échangèrent un regard d'entente mutuelle. Une onde temporelle. Une grosse. Ce n'était pas une bonne chose.

En vérité, on ne pouvait pas savoir quelle réalité une onde pouvait laisser derrière elle. Plus précisément, on ne pouvait pas savoir quelle sorte de masse, s'il y en avait une, allait occuper l'espace qu'elles occupaient actuellement.

Dans l'arche, avec le champ magnétique, elles étaient entièrement protégées de toute intersection de masses qu'impliquait tout changement de réalité. Cependant, en dehors du champ, c'était une vraie loterie. Une onde temporelle pouvait faire fondre une personne, la faire littéralement fusionner avec tout ce qui tentait d'occuper le même espace. Les probabilités variaient, bien sûr. Dans un champ vallonné au milieu d'une campagne isolée, les probabilités étaient moindres. Mais ici, dans un magasin de souvenirs encombré, au cœur d'une des villes les plus animées du monde…

Un endroit tel que New York, où l'espèce humaine était la plus nombreuse, était vraiment un endroit où la réalité s'amusait le plus à se réinventer. Quel que soit le cours que l'Histoire avait pris, cette baie de la côte est des États-Unis où vivaient des Indiens, qui avait été un avant-poste colonial, puis un port commercial prospère et enfin une métropole, cette baie avait toutes les chances, à la suite d'une onde temporelle déclarée, de devenir une ville toujours aussi densément peuplée. Et le dernier endroit où elles devaient se trouver quand surviendrait une onde était ici, et particulièrement à l'intérieur d'un bâtiment.

– Sal, il faut qu'on…

Ce fut tout ce que Maddy eut le temps de prononcer avant l'arrivée de l'onde temporelle.

Il fit tout noir, comme si le soleil s'en était allé. Contrairement à Sal, c'était la première fois que Maddy faisait l'expérience directe de nager dans la réalité au moment où elle passait sur elle, l'enveloppait, proposant des images fugaces de possibilités infinies.

Elle hurla. Son hurlement sortit de sa bouche comme un râle profond, dilaté par le temps, comme le chant prolongé, mélancolique, d'une baleine qui aurait été emportée sur des centaines de kilomètres d'eau.

Ses oreilles s'emplissaient de sa propre voix et d'un rugissement semblable à celui d'une tornade, bien que non composé de vent mais d'un milliard de voix humaines, masculines et féminines, jeunes et vieilles, nées et à naître ; des entités conscientes hurlant dans un infernal tourment et toutes partageant les mêmes brèves secondes de conscience. Une conscience partagée de vies qui leur étaient enlevées, de vies possibles qui auraient pu exister, mais qui à présent ne seraient jamais vécues ; d'enfants, de bébés, d'êtres chers qui n'auraient jamais une chance de naître. C'était un milliard de hurlements comme le sien, tendus, profonds, emplis de douleur, de colère et de peur. Si l'enfer avait une voix… ce serait cette longue plainte terrible, mugissante d'âmes torturées.

Puis la voix se brisa. Elle disparut. La sombre tornade de réalité fut soudain une blancheur placide, laiteuse. Indéfinie. Complètement vide.

Nom d'un chien.

Maddy apercevait sa main devant son visage, mais c'était tout.

Nom d'un chien, je suis coincée dans l'espace du…

– *Maddy ?* fit la voix de Sal, le fantôme d'un murmure.

Elle vit une forme grise à côté d'elle. À peine visible. C'était Sal.

– Sal ?

Elle prit conscience d'autres petits bruits autour d'elle : les petits coups de bec d'un pivert, comme un marteau-piqueur loin au-dessus d'elle ; le cri en écho d'une poule d'eau, peut-être ; la vie incessante d'un bois profond, paisible ; le léger frémissement des feuilles ; le craquement de branches balancées.

On est dans une espèce de forêt.

– *Maddy ?*

Encore Sal.

– *On est où ?*

Elle comprit que le blanc laiteux n'était autre qu'une épaisse brume matinale, froide, lourde et humide contre sa peau, suspendue en nappes denses. Elle s'amincissait au-dessus d'elles, et les entrecroisements de branches oscillant doucement formaient des lignes grises, tels des traits de crayon.

Elle prit la main de Sal et la tira vers elle.

Elle posa un doigt sur ses lèvres.

Chut !

Sal acquiesça d'un signe de tête. Où qu'elles soient, elles n'étaient pas seules.

Il y eut un mouvement, tout près. Instinctivement, Maddy s'accroupit, se ramassant au bas de la brume qui les enveloppait. Elle remarqua les feuilles larges d'une grande fougère qui se balançait doucement à côté d'elle. Elle se tapit sous les feuilles dentelées en serrant Sal contre elle.

– Énoncer votre identifiant et votre état ! retentit une voix grave dans la brume.

– Alpha-six. Faith. Je suis intacte.

Le clone féminin.

– Alpha-quatre. Je suis moi aussi indemne.

Un long silence. Puis ce fut le bruissement d'un feuillage que l'on écartait non loin, le craquement sec du bois mort sous un pied lourdement et imprudemment posé.

– Je ne reçois pas le signal d'Alpha-deux, dit le clone féminin. *Faith.*

– Il est peut-être détérioré.

– C'est une priorité mineure. Les cibles doivent toujours se trouver à proximité. Séparez-vous et cherchez-les.

Quelque chose effleura la fougère sous laquelle elles s'étaient réfugiées. Maddy sentit glisser une longue branche épaisse sous ses fesses tandis qu'un pied appuyait sur l'autre bout. Par des trouées dans les feuilles qui se balançaient juste au-dessus de sa tête, elle aperçut le clone – celui qui ressemblait à Becks. Ses yeux gris de sentinelle sondaient lentement le brouillard autour d'elle, comme l'eût fait un garde sur sa tour de guet.

Bon sang... Mais... mais elle est juste là!

Maddy retint son souffle sifflant et plissa les yeux. Elle était absolument certaine qu'à tout moment maintenant une main descendrait et écarterait la fougère. Et la voix glaciale annoncerait calmement sa découverte aux deux autres.

Prise de panique, Maddy sentait sa poitrine se vider. Un vague souvenir traversa son esprit: elle et son cousin Julian, tous deux bien plus jeunes. Ils s'amusaient à se battre. Il la tenait, ses bras à elle étaient coincés sur un côté et elle sentait tout le poids de son cousin contre sa poitrine. Elle se tortillait, affolée, poussait des cris aigus, et il croyait sincèrement qu'elle faisait l'imbécile. Jusqu'à ce qu'elle se mette à hurler.

Une crise de panique... comme ça. Une panique à couper le souffle.

Retiens ta respiration, Maddy. Mais retiens-la, purée!

Pendant quelques secondes qui lui parurent des minutes atrocement longues, «Becks» demeura à la même place, parcourant la brume laiteuse de ses yeux perçants. Puis, finalement, Maddy sentit de nouveau le glissement de la branche, soulagée de son poids à son extrémité lorsque le clone souleva son pied nu pour faire un pas, puis un autre, et s'éloigna d'elles.

Lentement, elle s'évanouit dans le brouillard jusqu'à n'être plus qu'une forme vague, une colonne grise ou un autre tronc d'arbre. Enfin, elle disparut complètement. Sal et Maddy écoutèrent les trois clones s'éloigner dans différentes directions, les imprudents craquements de branches et de pommes de pin qui résonnaient, le bruit des ronces et des broussailles qu'on écartait négligemment. La forêt tranquille reprit lentement vie après leur départ, comme un mouvement désapprobateur face à ces intrus si bruyants et maladroits.

Maddy espéra qu'ils étaient suffisamment loin pour ne pas entendre sa respiration sifflante, tel le soufflet d'un forgeron, quand elle libéra enfin son souffle.

– *Shadd-yah!* chuchota Sal. J'ai bien cru qu'on allait y passer!

– Moi… aussi…

Les bruits sourds, les bruissements et les craquements de leur mouvement lointain s'amenuisaient peu à peu : les clones continuaient de s'éloigner.

– Il faut… commença Maddy qui avait du mal à reprendre son souffle. Il faut retourner à l'arche.

– Mais elles doivent s'attendre à ce qu'on le fasse, non?

– On a besoin d'aide. Il faut qu'on retrouve Bob.

Et on a vraiment intérêt à retourner dans l'arche avant que les clones y pensent eux aussi.

– Allez, c'est parti.

Maddy se redressa mais se rendit compte qu'elle n'avait pas la moindre idée de la direction à prendre.

– C'est par où? demanda-t-elle.

Sal leva le nez vers la voûte à peine visible que formaient les branches et le feuillage. Elle désigna un disque terne, couleur crème, encore relativement bas dans le ciel matinal, qui jouait à cache-cache avec elles derrière la frondaison brumeuse.

– Le soleil, dit-elle. Il se lève à l'est, non ?

– Exact. Donc on va par là, répondit Maddy en hochant la tête à gauche. Ça devrait nous conduire à l'East River.

Elles se déplacèrent lentement, avec précaution, Sal un pas devant Maddy, choisissant un chemin leur évitant de marcher sur du bois mort, noueux et cassant, qui aurait retenti comme un coup de feu.

Elles se frayèrent un passage à travers les bois dans un silence presque total, pendant un temps qui leur parut durer une heure, mais qui selon toute vraisemblance ne dépassa pas cinq minutes. Enfin, Maddy crut percevoir le doux clapotement de l'eau. Le sol sous leurs pieds cessa d'être un tapis de feuilles en décomposition, de mousse et de pommes de pin, et se raffermit.

Le brouillard frais commençait à se dissiper avec la chaleur du soleil levant et elles distinguèrent, par-delà la ligne étroite de jeunes érables, à la lisière de la forêt, une petite crique et, plus loin encore, l'East River.

Sal s'installa contre le tronc effilé d'un arbre. Maddy la rejoignit puis examina le bord de l'eau clapotant placidement devant elles, le flux et le reflux réconfortant des vagues contre les galets.

– Il n'y a rien, dit calmement Sal. New York n'est plus qu'une étendue sauvage. Et il fait plus froid, ajouta-t-elle en frissonnant. Comment ça se fait ?

Maddy ne savait pas exactement pourquoi. Peut-être s'agissait-il d'un monde comprenant beaucoup moins d'humains : moins de gens, moins de pollution, moins de méthane, moins de carbone – moins de réchauffement climatique. Ou, plus probablement, étant donné le froid – un froid d'automne –, c'était peut-être un monde sans aucun humain du tout. C'était un fait connu parmi les écologistes que, si on éliminait les humains de l'équation, on pouvait facilement faire redescendre de trois ou quatre degrés la température de la Terre.

De toute façon, Sal avait raison ; il faisait beaucoup plus froid. Pas d'humains : pas mal, comme idée.

– Regarde ! Qu'est-ce que c'est ? demanda brusquement Sal en désignant la crique et ses galets.

Maddy plissa les yeux à travers la brume vers ce qui ressemblait à un gros morceau de bois flotté, une bûche emportée par la marée haute qui avait échoué là.

– C'est un bateau !

Maddy remonta ses lunettes. Sal avait raison.

– Je crois que c'est un kayak… ou un canoë, un truc comme ça.

Adieu, la Terre sans humains.

CHAPITRE 32
2001, CE QUI FUT AUTREFOIS NEW YORK

Elle examina la forme tordue imbriquée dans le tronc d'arbre. Voilà qui expliquait la raison pour laquelle l'identifiant d'Alpha-deux avait tout à coup cessé de se signaler.

La tête du clone était enfoncée dans l'arbre et le reste de son corps pendait, sans vie, affalé contre la base du tronc. Bizarrement, on aurait dit qu'Alpha-deux avait tenté de charger l'arbre, tête la première, tel un taureau enragé, et que l'arbre avait tout bonnement décidé de l'avaler. Elle inclina la tête de côté, fascinée par le bouillonnement gluant de chairs où le cou de l'unité se mêlait à l'écorce. Le fusionnement moléculaire du tronc, du crâne et de l'ordinateur qu'il contenait avait sans doute réduit instantanément la tête d'Alpha-deux en un magma informe.

Faith sentit s'approcher, à travers la brume qui s'éclaircissait toujours, les signaux des deux autres unités.

Abel émergea le premier. Ses yeux se posèrent immédiatement sur le corps d'Alpha-deux.

– C'était prévisible, dit-il calmement. Ce lieu détient une masse volumique élevée. Il y avait une forte probabilité d'intersection.

– Exact, approuva Faith.

Alpha-quatre – Damien – surgit du brouillard, ses yeux aussitôt rivés sur leur compagnon, puis il fit son rapport aux deux autres.

– Je n'ai pas localisé les cibles. Elles ont visiblement réussi à nous échapper.

– Nous devons les retrouver immédiatement.

Leurs trois cerveaux se mirent à échanger des données, une réunion totalement silencieuse, dans le silence boisé. Les trois clones se figèrent comme des statues, absorbés par le réexamen collectif de variables, d'options et de priorités de mission. Une rencontre de cerveaux qui donna lieu, moins de dix secondes plus tard, à une décision.

– Elles vont tenter de regagner leur base opérationnelle, dit Abel.

Les deux autres acquiescèrent d'un signe de tête.

– Par là, reprit Abel.

Il tourna les talons. Il avait juste commencé à se frayer un passage à travers un épais buisson de ronces hérissé d'épines quand il s'arrêta. Devant lui, il y en avait douze. Des humains. Des humains primitifs.

Les bois semblaient retenir leur respiration, dans une silencieuse expectative, pendant que les Indiens se déployaient lentement, leurs arcs tendus, prêts à tirer. Ils s'étaient appliqué des peintures au charbon autour des yeux et sur le nez ; le blanc de leurs yeux semblaient presque briller dans l'obscurité, sous les feuillages.

– Ce ne sont pas nos cibles, attesta Abel.

L'un des Indiens répondit par un cri de défi, un langage composé de croassements gutturaux et de consonnes dures. Il brandit un tomahawk en bois et silex ; un geste d'avertissement évident pour Abel et les autres leur signifiant de retourner d'où ils venaient.

Faith s'approcha d'Abel, son esprit curieux dressait un catalogue de ces humains à l'apparence étrange. Leurs têtes étaient chauves comme les leurs, à l'exception d'une crête de cheveux au milieu, et ils étaient nus. Leur peau était d'une riche couleur cuivre, parée de tatouages aux motifs tourbillonnants bleu foncé.

– Je ne dispose pas de données sur ces humains, dit-elle à Abel.

– Une contamination importante a eu lieu, lui répondit-il. Mais cela ne nous regarde pas.

Faith fit négligemment un autre pas en avant, intriguée, désireuse d'inspecter de plus près ces étranges humains, quand une jeune main nerveuse relâcha une corde. Le bois résonna de la vibration d'un arc et du bruit de la chair touchée. Faith baissa les yeux sur l'extrémité emplumée d'une flèche qui dépassait du nylon orange et sale de son anorak.

Elle inclina la tête de côté tout en l'examinant.

– Une flèche, annonça-t-elle, comme si de rien n'était.

Elle retira d'un coup sec le bout acéré et ensanglanté de sa poitrine. Puis elle prit son pistolet et tira.

– Tu as entendu? dit Sal en cessant de pagayer. C'était un coup de feu!

Maddy souleva la rame en bois hors de l'eau et la reposa sur ses cuisses. Un moment plus tard, une autre détonation retentit au loin, depuis la rive qui s'éloignait dans la brume.

Elle déglutit nerveusement.

– C'est eux! À mon avis ils sont tombés sur le propriétaire de ce canoë.

– Qui… ou *qu'est-ce* qu'ils sont, Maddy?

– Ce sont sûrement des clones, des Bob et des Becks. Ou en tout cas ils en sont très proches.

– Mais pourquoi ils nous cherchent, nous?

– Aucune idée.

– C'est peut-être de notre faute?

– Qu'est-ce que tu veux dire?

– Le message… le message qu'on a envoyé à Waldstein.

Bon sang, Sal avait peut-être raison.

– Tu crois qu'il a pu être… disons… intercepté par quelqu'un?

Sal demeura silencieuse, les yeux plongés dans ceux de Maddy.

– Mince alors…

Elle observa la rive tandis que le brouillard se dissipait au fur et à mesure qu'elles s'éloignaient.

– Quelqu'un sait qu'on existe, Sal. Et ce quelqu'un sait *où* on est, et *quand*.

– Maddy, tu crois que la contamination romaine a un rapport avec ça ?

– J'sais pas.

– Ça arrive au même moment. Ça ne peut pas être une coïncidence, quand même ?

– Je ne sais pas, je te dis ! Je… balbutia-t-elle. Je n'en sais rien, Sal ! Tout ce que je fais, c'est m'enfuir… m'enfuir la peur au ventre, comme toi.

Frustrée, elle donna un coup de poing contre la paroi du canoë. Sa fragile structure de bois craqua de façon inquiétante.

– Laisse-moi le temps de réfléchir, OK ?

– Pardon, Maddy.

Elles dérivèrent un instant sans mot dire.

– Sal, pourquoi quelqu'un a-t-il envoyé un groupe d'unités de combat à nos trousses ? Je dis bien *pourquoi* ? Qu'est-ce que…

– Tu es sûre que ce sont des clones ? Si ça se trouve, c'est…

– Allez ! Tu les as bien vus toi-même ! Qu'est-ce que tu en penses, toi ?

– C'est vrai qu'ils ressemblaient à Bob et Becks.

Elles glissèrent encore sur l'eau, qui giclait doucement sur le cuir tendu du canoë, comme la paume d'une main sur la peau d'un tambour.

– Je n'ai aucune idée de ce que ça veut dire. Mais si ce sont vraiment des clones… autant dire qu'on est déjà mortes, Sal. Je t'assure. On n'a aucune chance ! lança-t-elle en reprenant sa rame. On a besoin des autres.

– Qu'est-ce qu'on va faire ?

– On doit faire revenir Bob.

Voilà, c'était ça, son plan. Elle n'avait rien d'autre à proposer pour le moment.

– Lui, il pourra les affronter, ajouta-t-elle.

– Oui mais ils sont trois, Maddy… Il ne peut pas les battre tout s…

– Ça, c'est son problème. D'accord ?

Elle se retourna en louchant de l'autre côté du fleuve, là où se trouvait, quelques minutes plus tôt, leur maison, Brooklyn. Là aussi s'étendait une forêt dense. S'il n'y avait pas eu le soleil levant, indiquant de quel côté était l'est, Maddy se serait sentie complètement perdue. Le canoë avait décrit plusieurs cercles lents depuis qu'elles avaient cessé de pagayer et les deux côtes se ressemblaient.

– Essayons d'aller là-bas… et on verra si on peut trouver l'arche.

Cela seul constituerait un défi. Tout n'était qu'arbres et épais buissons. Et quelque part, Dieu sait où, au milieu de tout cela, à condition que ça n'ait été ni enterré ni recouvert par la mousse ou par la bruyère, et avec un peu de chance, elles trouveraient peut-être le monticule de briques rouges.

Avec un peu de chance.

Sal lui adressa un sourire encourageant.

– Je suis contente d'être avec toi. En général, tu trouves toujours une solution à tout.

Ah oui ? Est-ce que vraiment je trouve toujours une solution à tout, ou est-ce plutôt que j'ai eu de la chance, jusque-là ?

Maddy lui rendit son sourire en haussant les épaules d'un air de bravade.

– Ah ben ça doit être pour ça que je suis la chef, alors.

Elle scruta de nouveau la colline boisée qui fut autrefois Manhattan en espérant qu'il n'y avait pas d'autres canoës attendant d'être utilisés, là-bas.

Elle plongea la rame dans l'eau et l'embarcation obliqua lentement dans la direction opposée.

– Allez, Sal… on ferait mieux de retrouver l'arche aussi vite que possible.

Elle fut sur le point d'ajouter « avant qu'ils ne le fassent, eux », mais ça ne lui parut pas utile. De plus, le formuler revenait presque à inviter la malchance à frapper à leur porte.

Ouais, enfin bon... genre : « Ne le dis pas, et ça n'arrivera pas. »
Si seulement la vie était si simple.

CHAPITRE 33

2001, CE QUI FUT AUTREFOIS NEW YORK

Dix minutes plus tard, elles accostaient de l'autre côté du fleuve. Tandis qu'elles marchaient sur la rive, lançant des regards inquiets vers le bois, sur leur gauche, Sal ne pouvait s'empêcher de penser que des sauvages hurlant pouvaient à tout moment leur sauter dessus. Ou pire.

– Hé, Sal ? lança Maddy. Tu te souviens des reptiliens ?

Un rire tendu lui répondit.

– J'essayais justement de ne pas penser à eux.

L'erreur, son erreur à elle, qui avait projeté Liam à la fin du Crétacé, avait créé un présent modifié où les *homo sapiens* n'avaient même pas droit de regard. À leur place se trouvaient de maigres hominidés au crâne allongé, des descendants d'une espèce de théropodes qui avaient réussi à survivre depuis la préhistoire. Ils s'étaient développés jusqu'à un degré similaire à celui des humains, créant des lances, des huttes, des semblants de munitions et des radeaux en bois. Mais ils étaient vraiment terrifiants. De quoi faire des cauchemars. Sal était plus que contente qu'ils soient parvenus à mettre un terme à cette Histoire alternative.

Elles marchaient sur les galets, avec précaution, sans faire de bruit, écoutant les oiseaux des bois qui s'appelaient et le léger bruissement des branches qui se balançaient. Bien que la quasi-totalité de la brume matinale se soit dissipée et que le soleil prenait de la vigueur, il régnait encore, dans l'air, une fraîcheur automnale.

Sal s'immobilisa et se mit à observer l'autre côté de la colline boisée de Manhattan, essayant de déterminer, par le mouvement du fleuve qui coulait vers l'Atlantique, si elles se trouvaient à peu près à l'endroit où le pont Williamsburg l'enjambait.

– Je crois que c'est là. Qu'est-ce que tu en penses ?

Maddy fronça les sourcils et jeta un regard mauvais vers la rive.

– Tout se ressemble. Tu en es sûre ?

Sal eut l'impression de reconnaître le grand dégagement de Brooklyn et l'extrémité fuselée de Manhattan. Elle secoua néanmoins la tête.

– Pas vraiment.

Elles tournèrent le dos au fleuve et se mirent à grimper le long d'une rive légèrement en pente recouverte de vase et de galets qui laissa finalement la place à du sable sec, rehaussé de touffes d'herbes drues. La lisière du bois dense, devant elles, les invitait à y entrer.

– On se croirait dans la forêt de Mirkwood, dit Maddy. Tu ne trouves pas ?

Sal haussa les épaules. Elle n'avait jamais entendu parler de la forêt de Mirkwood.

Maddy grimaça.

– Je déteste la forêt. Surtout quand elle est épaisse comme celle-là.

Elles pénétrèrent sous les branches basses d'un châtaignier, puis s'enfoncèrent dans les bois. Le soleil était tout à fait levé et, assumant son rôle, il dardait des rayons obliques à travers les feuilles, rayant le sol de la forêt de pinceaux de lumière qui se démultipliaient à perte de vue entre les bois morts, les pommes de pin séchées et les broussailles.

Maddy jura quand des orties se frottèrent contre elle.

– Aïe ! Je ne serais pas contre si l'histoire faisait disparaître ces sales plantes, s'écria-t-elle en se frottant vigoureusement le bras. Tu es sûre que c'est là-haut ?

– Je n'ai pas dit que j'étais *sûre*… J'ai dit que c'était *possible*.

Loin du coude caractéristique du fleuve, elles se contentaient maintenant de grimper à travers une épaisse forêt. Elles auraient pu se trouver absolument n'importe où. Elles auraient pu être à une vingtaine de mètres de l'arche et passer devant sans s'en rendre compte.

Maddy estima qu'elles avaient dû jusqu'alors parcourir une centaine de mètres. Si la forme approximative de l'estuaire de New York n'avait pas changé, et si Sal avait choisi le bon endroit pour grimper au sommet de la colline, l'arche devait être tout près. Cependant, en observant le feuillage devant elle, Maddy ne distinguait rien qui ressemblât à une termitière de briques.

– Sal ?

– Je suis désolée, répondit-elle en soupirant. Je pensais vraiment qu'on était à côté.

– Ne t'en fais pas, on n'a qu'à retourner sur la rive pour reprendre nos marques.

– Non, *jahulla*... non, j'ai raison ! Je suis sûre qu'on est au bon endroit.

Elle regarda autour d'elle. Tout n'était que feuillage dense. Elle écarta des lianes et des plantes grimpantes qui retombaient, emmêlées, depuis des branches basses, puis se mit à les arracher avec colère.

– C'est quelque part par là.

– Allez, on redescend et on réessaie.

Sal ramassa un bâton et s'en servit pour frapper avec véhémence les orties et les ronces.

– Sal ?

– Je ne me trompe pas !

Elle taillada les feuillages, décapitant les orties, faisant voltiger des tiges.

– Sal ! Arrête, je te dis !

Elle s'arrêta et s'effondra par terre, épuisée.

– C'est le choc, supposa Maddy. Le choc post-traumatique.

Elle la rejoignit et lui prit le bâton des mains.

– On a besoin de faire une pause, Sal, de rester calmes. OK ?

Sal paraissait ne pas l'entendre.

– Sal ? Toi et moi, on va retourner sur la rive et on va reprendre nos marques. D'accord ?

– D'accord.

Maddy lui tendit la main et l'aida à se relever.

– On va la trouver, Sal. Ce sera simple comme bonjour.

Elle balança le bâton derrière elle dans le fourré d'orties et de ronces, et fut récompensée par un tintement métallique. Elles se retournèrent d'un coup, en même temps. Du lierre retombait en cascade des branches d'un châtaignier, aussi épais que de gros rideaux de théâtre en velours. Le bâton y avait fait un trou, à travers lequel elles apercevaient quelques centimètres de la tôle ondulée, recouverte de graffitis, du rideau métallique de l'arche.

Le visage de Sal s'illumina d'un grand sourire.

– Je le savais.

Maddy et Sal grognèrent sous l'effort lorsqu'elles durent soulever le rideau de quelques dizaines de centimètres, suffisamment pour se glisser dessous. Il n'y avait pas de courant, comme Maddy s'y attendait. L'arche fonctionnerait grâce au groupe électrogène, cela suffirait pour les appareils indispensables. Il faisait sombre à l'intérieur, presque complètement noir. La faible lueur de la forêt qui se glissait sous le rideau métallique révéla plusieurs mètres de béton, mais rien de plus.

– Bob ? Tu es en marche ?

Elles perçurent le léger halètement du groupe électrogène, dans la salle du fond.

Bien. Au moins, il fonctionne.

– Bob ?

Aucun écran n'était allumé. Elle tenta de déterminer si les signaux de veille du PC brillaient. Si c'était le cas, ils étaient trop faibles, d'où elles étaient, pour les distinguer.

Une fois à l'intérieur, elle se redressa et se dirigea vers la table et ses chaises dépareillées. Elle se cogna la cuisse contre un accoudoir, puis se décala un peu sur sa droite jusqu'à ce que sa main finisse par toucher le mur de briques.

– Ça va, là-dedans? demanda Sal.

Elle était accroupie sous le rideau, le retenant pour l'empêcher de se refermer.

– Ça va… je cherche juste la lumière. C'est quelque part par là.

Elle tâtonnait sur des briques sèches qui s'effritaient.

– Ça y est, bingo!

Elle actionna l'interrupteur et le néon surplombant la table de la cuisine bourdonna, clignota, puis se mit à diffuser sa lumière tremblotante.

– Nom d'un chien, haleta Sal.

Maddy fit volte-face.

– Qu'est-ce qu'il y a?

Elle constata par elle-même. Du sang. Beaucoup de sang. Le sol en était recouvert.

Maddy avança en évitant les flaques et les traces sanglantes qui coagulaient déjà.

– Bob? Tu es allumé?

L'un des écrans clignota et quitta le mode veille. Elle s'assit dans une des chaises du bureau.

> **Bonjour, Maddy.**

– Bob! Qu'est-ce qui s'est passé, ici?

Sal la rejoignit une minute plus tard, l'air franchement nauséeuse.

– Oh *pinchudda*! C'est trop dégueu. Il y a du sang partout.

> **Avertissement.**

– Quoi, Bob?

> **Des visiteurs non autorisées sont dans l'arche avec vous.**

Ce fut alors qu'elles entendirent un grincement, un raclement venant du coin le plus reculé de l'arche, où plusieurs étagères de rangement chargées de petites pièces, de rouleaux de câbles électriques et de tas de cartes de circuits étaient alignées contre un mur.

> **Information : ils étaient deux. J'ai tenté de les extraire de la base opérationnelle.**

– Deux quoi ? dit Maddy en échangeant un regard avec Sal. Oh non !… Pas deux clones ?

Le grincement se rapprochait, accompagné d'un gargouillis humide, comme l'aurait fait quelqu'un fournissant un gros effort physique.

– Bob ?

> **Affirmatif. Il s'agit bien de deux clones.**

Le curseur sautillait bien trop lentement, le long de la ligne de commande, au fur et à mesure que Bob livrait ces détails.

> **J'ai réussi à en extraire complètement un, et l'autre partiellement.**

À cet instant précis, Sal retint un cri.

– *Shadd-yah !* Maddy ! Regarde !

Maddy se retourna sur sa chaise et regarda du côté que lui désignait Sal. Il fit lentement irruption dans le rond de lumière, petit bout par petit bout – de grotesques petits bouts – traversant en se traînant le petit cratère du sol qu'avaient creusé une dizaine ou plus d'anciens champs de déplacement spatiotemporel. Une main pâle… reliée à un bras… une épaule éclaboussée de sang et, pour finir, une tête chauve et le haut d'un torse démembré.

Il approcha péniblement : c'était un clone féminin, ou ce qu'il en restait.

Maddy ne savait pas si elle devait vomir, hurler ou s'enfuir.

– Bon sang !

> **Attention : elle est toujours très dangereuse.**

Maddy se leva et fit quelques pas, regardant cette chose pitoyable qui se traînait vers elles avec détermination et qui avait l'air totalement inoffensive. Elle était presque embêtée pour elle.

– Ne laisse pas sa main t'attraper ! prévint Sal.

Maddy recula d'un pas. L'unique main du clone allait atteindre le bout de sa botte. Sa bouche s'ouvrit d'un coup sec dans un gargouillis sanglant exprimant la frustration.

Sal l'évita, partit vers l'étagère de rangement, fouilla quelques secondes dans un seau en plastique rempli d'outils et se plaça à côté de Maddy, munie d'une grosse et lourde clé à molette.

– On ferait mieux de l'écraser.

– Attends, eut juste le temps de dire Maddy en se baissant devant ce qui restait du clone.

Elle prit soin de garder suffisamment de distance entre elle et sa seule main valide. Il lui restait sans aucun doute assez de force dans les doigts pour l'étrangler.

– Qui t'envoie ? demanda-t-elle.

Des yeux injectés de sang roulèrent dans sa direction.

– Tu m'entends ?

Son gargouillis cessa.

– Qui t'envoie ?

Une fois de plus, et c'était saisissant, le visage du clone ressemblait à celui de Becks. Des yeux aussi gris et perçants que les siens, mais dont le blanc était parcouru de vaisseaux sanguins.

– Vous… cibles… principales…

Maddy se demanda ce qu'elle voulait dire par là : parlait-elle d'elles au pluriel ? De l'équipe ? Ou d'elle en particulier ?

– Est-ce que quelqu'un veut notre… *mort* ?

La bouche du clone se ferma et se rouvrit d'un coup sec. Une espèce de purée de sang rouge foncé s'écoula le long de son menton.

– C'est ça ? Quelqu'un souhaite notre mort ?

– … cibles… principales…

– Qui t'envoie ?

La chose mourait, sa voix ne devenant plus qu'un murmure glougloutant. Elle se pencha sur elle.

– S'il te plaît ! Qui t'envoie ?

La main du clone attrapa le col de chemise de Maddy et s'y

agrippa, fermant faiblement le poing en tentant de l'attirer plus près. Ses yeux aux vaisseaux éclatés la fixèrent intensément et sa bouche s'ouvrit de nouveau, laissant couler un filet de salive gluant et rouge, avant de se refermer brusquement. Sa main attira le visage de Maddy vers ses lèvres ensanglantées. Une fois de plus, la bouche s'ouvrit.

– … cont… contam…

– Non !

Sal abattit la clé à molette, provoquant un bruit d'écrasement insupportable. Le clone hulula comme un fantôme, un horrible hurlement strident, et se contorsionna violemment sur le sol. Sal abattit de nouveau la clé à molette, et le cri se tut brusquement. Le son de l'impact et du cri interrompu résonna dans l'arche. Alors que l'écho s'évanouissait, elles la contemplaient dans un silence horrifié. Elle était maintenant tout à fait morte.

Maddy leva les yeux sur Sal. Elle tenait toujours la clé à molette maculée de sang dans ses mains tremblantes. Ses yeux exorbités étaient rivés sur l'épouvantable massacre qu'elle venait de commettre.

– Mais pourquoi t'as fait ça ? Elle essayait de me dire quelque chose !

– Je… je croyais qu'elle… qu'elle allait te mordre.

Maddy se releva, s'éloignant des restes du clone.

– Elle… essayait de me dire quelque chose. Contamination. C'est ça, je crois : contamination.

– Comment ça, contamination ?

– Je crois que c'est ce qu'elle m'a dit. Peut-être bien que c'est nous, l'élément de contamination.

Elle recula encore de quelques pas, jusqu'à ce que ses jambes heurtent sa chaise de bureau sur laquelle elle s'effondra, incapable de se tenir debout.

– Tu crois que ça veut dire qu'on est bel et bien le problème, et non pas la solution ?

Sal la rejoignit.

– Maddy… Oh c'est pas vrai. Je croyais qu'elle allait…

Elle enveloppa Maddy de ses bras et se mit à sangloter contre son épaule.

Un ordinateur émit un bip.

– Ce n'est pas grave, dit doucement Maddy en lui caressant les cheveux.

L'heure qui venait de s'écouler serait venue à bout de la santé mentale de n'importe qui, à plus forte raison d'une jeune fille de l'âge de Sal. Elle la laissa évacuer le traumatisme qu'elle venait de subir, se demandant si elle-même trouverait un jour quelqu'un qu'elle pourrait aussi tremper de ses larmes.

– Tout va bien. On est presque tirées d'affaire. Il ne nous reste plus qu'à ramener les garçons et on sera en sécurité, je te le promets.

Sal hocha la tête contre son épaule.

Un ordinateur émit un bip.

– Allez, Sal, dit-elle en l'écartant. Tu es en train de me recouvrir de morve ! Tu exagères ! C'est mon seul tee-shirt potable.

Sal rit. Ou plus exactement elle sourit, mais c'était déjà ça.

L'un des PC bipa de nouveau – l'un de ces bips de redémarrage désagréables, de ceux qui nous rappellent sournoisement que, dans un mouvement de colère, on a frappé le clavier un peu trop fort. Maddy se retourna et constata que Bob-l'ordinateur avait ouvert une boîte de dialogue, tentant patiemment depuis une minute d'attirer son attention.

> Attention : Je capte des signaux d'identification à l'approche. Moins de 300 mètres.

> Attention : je capte des signaux d'identification à l'approche. Moins de 200 mètres.

> Attention : je capte des signaux d'identification à l'approche. Moins de 100 mètres.

> Attention.

> Attention.

> Attention.

CHAPITRE 34
2001, CE QUI FUT AUTREFOIS NEW YORK

Le rideau métallique fut bruyamment secoué par un heurt violent, comme un coup de marteau.

– Ils nous ont déjà trouvées! cria Maddy.

Sal fixait le volet cabossé, les yeux exorbités par la panique. Il fut de nouveau secoué et une nouvelle bosse en forme de poing voila les épaisses bandes de métal.

– Ils essaient d'entrer! hurla-t-elle.

Maddy se retourna vers la webcam.

– Évacuation d'urgence, Bob! Active un portail!

> Affirmatif. Précise le repère temporel.

La porte tressauta de nouveau et une autre énorme bosse fit son apparition.

– N'importe où! Active un fichu portail!

> Information : Maddy, il n'est pas conseillé d'entrer un portail sans un lieu de sortie programmée.

Le rideau de métal s'ébranlait à grand bruit; cette fois, la partie gauche sortit à grand fracas du châssis et se renversa à l'intérieur. La lumière du jour se répandit dans l'arche.

– Maintenant, Bob, bon sang! Fais-le tout de suite!!

Elle entendit le ronronnement de la machine de déplacement spatiotemporel et jeta un coup d'œil à l'écran de chargement. Les voyants clignotaient les uns après les autres et passaient du vert à l'orange puis au rouge au fur et à mesure que le réservoir d'énergie se déchargeait dans la machine.

Bob avait raison, toutefois. Si elles entraient dans ce portail dès son apparition sans aucune coordonnée bien réfléchie d'aucune sorte, elles pénétreraient dans quelque chose d'inconnu, de non quantifiable. D'impensable. Un lieu d'où il n'y avait aucun retour possible.

Malgré tout, elle n'avait pas le temps de s'asseoir et d'entrer des chiffres dans le système. Sal était bloquée derrière elle, terrifiée, sautant d'un pied sur l'autre, hurlant quelque chose en hindi à leurs poursuivants.

Maddy n'arrivait pas à réfléchir, tout se passait trop vite. Un jour, elle avait prévu d'installer un repère temporel d'évacuation d'urgence : un numéro rapide, des coordonnées préprogrammées que Bob aurait pu utiliser à l'improviste. Une précaution qu'elle pensait régler et qui se trouvait en haut de sa liste de choses à faire. Mais elle n'avait jamais pris le temps de s'en occuper. Comme pour tout le reste, elle avait encore trouvé un autre moyen de tout gâcher.

– Ils y sont presque ! cria Sal. Fais quelque chose !

– Bob… le dernier repère temporel ! Reporte le dernier repère temporel !

> Affirmatif. Report.

Le rideau encaissa un nouveau choc et se bomba dangereusement sur le côté qui était presque sorti entièrement du châssis. Les lattes métalliques étaient froissées, voire en lambeaux. On aurait dit un emballage de barre de chocolat.

– *Jahulla !* Et Becks ? !

Elle était dans un tube d'incubation, dans la salle du fond. La dernière fois qu'ils s'étaient donné la peine d'aller vérifier son évolution, et de regarder, à travers le magma opaque, la candidate prénatale sans cheveux, elle avait l'apparence d'une fillette de dix ou onze ans.

– On n'a pas le temps !

La machine de déplacement spatiotemporel déchargea soudain toute son énergie. Une bouffée d'air envoya sur le bureau de Maddy des saletés qui tourbillonnèrent. À trois mètres environ au-dessus d'elles, au milieu de l'arche, parfaitement alignée au-dessus du léger cratère du sol bétonné, une sphère d'énergie de plus de deux mètres de large fit son apparition. Maddy distingua, dans le motif plein de remous, comme un mélange d'huile et d'eau, une image d'un lieu qui se trouvait dans les données en cache de Bob-l'ordinateur : le lieu d'intervention de Liam et Bob. Elle apercevait des ébauches d'un beau ciel bleu d'été et les verts et bruns d'herbe et d'arbres.

– On ne peut pas la laisser comme ça !

Un autre fracas et la porte déformée bascula entièrement sur le côté droit. Elle s'effondra lourdement à l'intérieur de l'arche.

Sal avait raison. Ce n'est pas seulement qu'elles le devaient à Becks. Elle n'était pas une simple unité de soutien, elle était bien plus qu'un programme et un peu de chair, désormais. Elle était une amie, un membre de leur petite famille. Et il ne s'agissait pas simplement de cela – la loyauté à l'encontre d'une amie. Quelque part dans sa mémoire, il y avait des données qui contenaient peut-être une réponse à chacune des questions qu'ils se posaient. Et qui comportaient peut-être même une réponse à des questions urgentes. Pourquoi on les attaquait ? Qui avait envoyé ces clones ? Qu'avaient-elles fait pour mériter ça ?

Trois têtes chauves forcèrent férocement le passage, se dégagèrent des morceaux de métal déchiquetés et tordus, et pénétrèrent dans l'arche.

Il n'y avait plus de temps, maintenant, pour sauver le clone qui flottait dans le tube d'incubation.

– Vas-y ! cria-t-elle à Sal, la poussant brutalement vers le portail.

Sal regarda derrière elle, se baissa d'un coup et ramassa la clé à molette, prête à la lancer.

– Je ne pars pas sans toi !

– T'en fais pas, je viens !

Maddy s'élança et saisit au passage un petit disque dur cabossé, arrachant le câble de données auquel il était relié.

– Vas-y! hurla-t-elle. J'ai Becks avec moi! Vas-y, maintenant je te dis!

Sal acquiesça d'un signe de tête, comprenant qu'au moins elles emportaient «l'essence» de Becks. Elle se mit à courir et sauta dans le portail.

– Bob! Referme-le juste derrière moi! cria Maddy par-dessus son épaule tout en se tournant du côté de la sphère ondoyante.

À travers l'image dansante semi-opaque, en mouvement constant, d'une campagne inondée de soleil, elle vit qu'un clone s'était entièrement dégagé de l'enchevêtrement métallique et regardait dans sa direction. Soudain, il piqua un sprint vers elle et le portail.

Maddy bondit, serrant les dents à la terrifiante perspective d'atteindre la sphère d'énergie exactement au moment où le clone y entrerait de l'autre côté, tous deux fusionnant dans l'espace chaotique et en émergeant entremêlés... d'éphémères siamois, horriblement mutilés.

– Noooon...!

Elle hurla tandis que ses pieds quittaient le sol et qu'elle bondissait dans la sphère, ses bras levés instinctivement pour se protéger le visage, même si c'était là une bien piètre protection.

CHAPITRE 35

– Et là, il reste combien de temps ? demanda Liam.

– Deux minutes, trente-six secondes, répondit Bob.

Liam secoua la tête.

– Tu fais bien d'être précis. Il ne risque pas de s'ouvrir une seconde plus tôt, pour sûr !

Il contempla les oliviers alentour, reconnaissant que leur lieu de rendez-vous était un lieu calme et discret, à douze kilomètres de la décadence puante et sordide de Rome.

– Je suis bien content qu'on s'en aille, ajouta-t-il.

Une semaine, en tout et pour tout, une seule semaine à Rome, et Liam était heureux de dire qu'il ne voulait plus jamais revoir cette ville. Il secoua la tête en repensant à ses espoirs naïfs, huit jours plus tôt : il pensait que cet endroit était la définition même de l'ordre et de la civilisation, un spectacle sans fin de splendeurs en marbre.

Comme il s'était trompé.

La ville, ou ce qu'il en avait vu, était un taudis de plus d'un million d'habitants. Des bâtiments empilés sur plusieurs étages, serrés les uns contre les autres comme des flèches dans un carquois. Et l'odeur était incroyable, une puanteur faite de défécations humaines et animales, de corps en décomposition. La cité grouillait de maladies dues à la pollution de l'eau : typhoïde, choléra. Liam se souvenait de Nottingham, une ville qui s'était trouvée confrontée aux mêmes problèmes. Mais Rome en avait un autre : Caligula.

Partout on pouvait assister à des manifestations de sa folie.

Dans tous les endroits collectifs, les places de marché, les forums, des croix étaient érigées, sur lesquelles étaient cloués ceux qui lui avaient déplu d'une manière ou d'une autre. Sur presque chaque mur, des graffitis représentaient l'empereur comme un homme tantôt fou, cruel ou démoniaque, tantôt comme une sorte de dieu ou d'être bienfaisant. Les bandes rivales, les *collegia*, plâtraient les murs de dessins criards et la plupart de ces gangs étaient en faveur de l'empereur. Elles florissaient dans le chaos croissant de la ville.

Voilà ce qui se passait. D'après les Romains auxquels ils avaient parlé, ou les conversations qu'ils avaient surprises – celles de leur logeur notamment, un homme trapu au sale caractère qui jurait tous les trois mots –, Liam avait eu l'impression que Caligula s'était désinvesti de ses responsabilités à la tête de l'empire. Il semblait se contenter de le laisser s'enfoncer dans le chaos, la ruine et l'anarchie... tandis que lui se préparait pour une prétendue destinée imminente.

Dans l'enceinte de la ville, ils avaient été aux prises avec la définition même de l'enfer. Liam se sentait mal à la seule évocation des derniers jours : un diaporama d'images d'horreur, entachées de sang et de misère.

Arrête, Liam. Pense à de belles choses.

– Elles doivent déjà être en train de sonder par ici, non ?

– Je n'ai pas encore détecté de particules de tachyons, objecta Bob.

– Ce n'est pas bon signe, elles auraient déjà dû faire un sondage. Il se passe un truc. Maddy vérifie toujours avant d'ouvrir une fenêtre.

– Affirmatif. C'est la procédure normale, Liam.

Liam secoua la tête sans mot dire. C'était un endroit où il ne voulait pas rester coincé plus longtemps que nécessaire. Il se souvenait s'être confessé quelques années plus tôt avec le père O'Grady, le prêtre de sa paroisse. Il lui avait avoué des pensées coupables à propos de Rosie McDonald, une camarade de sa sœur aînée, qui habitait à trois portes de chez lui. Le père O'Grady lui avait décrit les tentations de Satan par le menu, puis il avait rapporté, dans le détail aussi, les tourments qui l'attendaient en enfer. Liam était rentré chez lui, et cette nuit-là il avait fait plusieurs rêves sur le monde que les mots de O'Grady avaient gravé dans son esprit.

Ces derniers jours, il avait vu de ses yeux ce cauchemar.

– Je détecte des tachyons précurseurs, annonça Bob.

– Ah, merci Seigneur!

Liam se sentit si soulagé qu'il daigna même sourire. Plus qu'une minute et ils seraient chez eux, essayant de trouver ensemble une solution pour mettre un terme à ce cours du temps cauchemardesque.

– Écartons-nous, dit Bob en tenant Liam par le bras et en l'éloignant de quelques pas en arrière.

Liam se retourna et regarda la charrette et les chevaux, en haut de la colline, sur le bas-côté du chemin, où quelqu'un finirait bien, tôt ou tard, par les trouver. Il se demandait s'ils n'auraient pas dû libérer les pauvres bêtes quand il sentit sur sa joue le souffle de l'air déplacé. Les branches de l'olivier suspendues au-dessus de leurs têtes se balancèrent et sifflèrent de façon frénétique.

Liam observa le globe ondoyant qui venait d'apparaître et flottait devant eux. Il aperçut la pénombre familière, paisible et accueillante de l'arche et… là…. il distingua tant bien que mal les silhouettes floues de Sal et de Maddy.

Sal jaillit du portail en courant et heurta le sol. Elle perdit pied et culbuta dans une portion d'herbes hautes. Elle se releva immédiatement.

– Liam! appela-t-elle en regardant follement de tous côtés. Liam!

– Sal? s'écria-t-il.

Elle se retourna prestement et les vit, lui et Bob, dans l'ombre de l'arbre.

– Qu'est-ce que tu fais là ?

Avant qu'elle ne réponde, Maddy fut crachée hors du portail, les bras en avant comme si elle plongeait dans une piscine.

– Ooooooh !

Elle heurta le sol en terre et roula la tête la première.

– Maddy ? Qu'est-ce qui se passe ?

Elle se dépêcha de se relever et, comme Sal, se retourna d'un coup en le cherchant des yeux dans toutes les directions.

– Liam ? Bob ?

Elle aperçut Sal.

– Où est Bob ?

– On est là ! dit Liam. Mais qu'est-ce qui se passe, enfin ?

Elle ignora sa question et se retourna pour guetter l'image mouvante du portail.

– Nom d'un chien… Ferme-le ! S'il te plaît ! murmura-t-elle. Ferme-le, bon sang !! Ferme-le ! FER-ME-LE !

– Ferme-le ? dit Liam en interrogeant Bob puis Maddy du regard. Euh… Pourquoi tu veux le fermer ? Maddy ? On n'était pas censés rentr… ?

Juste à ce moment, pendant que la sphère commençait à se résorber, une troisième forme en jaillit. Maddy hurla, en reculant tandis que la chose tentait de se mettre debout… sauf qu'elle n'avait pas de pieds. Juste des moignons en sang bien découpés et cautérisés au-dessus des chevilles, et un bras tranché au coude par le rebord du champ magnétique qui se réduisit et disparut dans le néant.

– Mais c'est qui, ça ?

– *Chuddah !* Il a une arme ! s'exclama Sal.

Bob fut le premier à réagir, chargeant l'être sans pieds, qui tentait de trouver un équilibre sur ses moignons, brandissant un revolver de la main qui lui restait. Il tira sur Bob et un petit nuage rouge jaillit de son épaule. Mais Bob s'élança sur lui de tout son poids et l'écrasa par terre. Ils culbutèrent sur le sol dur, entrelacés comme des catcheurs.

Liam grimaça quand l'être sans pieds tira deux nouveaux coups de feu sur Bob, avant que celui-ci ne réussisse à lui faire lâcher l'arme. Ses yeux tentaient de comprendre ce qu'ils voyaient ; on aurait dit que deux versions de Bob se tortillaient dans les hautes herbes sèches en soulevant des nuages de poussière.

– Prends le pistolet ! cria Maddy d'une voix aiguë. Prends ce fichu pistolet !

Sal s'avança et le ramassa d'un geste.

– Tire-lui dessus !

Elle plaça les deux mains sur l'arme, un doigt sur la détente, grimaça avec hésitation en essayant de viser le *bon* Bob.

– Tue-le !

– Je ne peux pas… Je… je vais le toucher.

– Donne-moi ça ! fit sèchement Maddy.

Elle arracha l'arme des mains de Sal et avança à grands pas vers les deux clones qui se battaient comme deux pitbulls géants accrochés l'un à l'autre, tout en ondulations de muscles et de membres mêlés. L'un puis l'autre prenait le dessus à tour de rôle. Bob était de nouveau sur son adversaire, l'agrippant cette fois fermement par le cou, renforçant sa position avec ses jambes de chaque côté, tandis que l'autre se débattait férocement pour échapper à son emprise.

– Tiens-le bien ! cria Maddy à Bob.

Elle s'avança et se pencha sur eux.

– Tiens-le bien ! cria-t-elle de nouveau.

Elle tendit le revolver et tira.

– Seigneur Jésus Marie, fais attention ! jeta Liam.

Elle tira de nouveau. Et encore, encore, et encore. Jusqu'à ce que l'arme se mette à cliqueter. La lutte cessa, la poussière retomba, et Liam se rendit compte qu'il était resté sans rien faire, inutile, trop bouleversé par ce qu'il voyait pour venir en aide aux filles. Se maudissant d'avoir été si stupide, il se précipita vers elles.

Maddy tomba à genoux, le pistolet vide toujours serré dans ses mains. Elle haletait, tentant de retrouver son souffle, ou peut-être sanglotait-elle, il ne savait pas exactement. Quoi qu'il en soit, elle avait l'air complètement à bout de forces.

– Bob ! dit Liam l'attrapant par son épaule en sang. Bob, ça va ?

Sa grosse voix retentit.

– Affirmatif. Les dégâts sont mineurs.

Il s'assit lentement, lâchant son emprise sur le clone qui retomba, sans vie.

Liam observa la tête de la chose.

– Doux Jésus ! Bob ! C'est ton jumeau ou quoi ?

– Est-ce qu'il est… dit Maddy avant de s'interrompre pour reprendre son souffle – une vibration irrégulière. Est-ce que ce truc est mort ?

– Trois blessures bien placées à la tête, répondit Bob. Il est mort.

Elle soupira et laissa tomber l'arme sur ses genoux. Cette fois, Liam comprit par le mouvement que faisaient ses épaules qu'elle sanglotait vraiment.

Sal s'approcha pour la réconforter.

– On a réussi, Maddy, murmura-t-elle. C'est fini, on ne risque plus rien.

Liam les regarda toutes les deux, se demandant quelle question, parmi les dizaines qui grouillaient dans sa tête, il allait choisir en premier. Il finit par choisir la plus évidente, qui englobait tout le reste.

– Quelqu'un voudrait bien m'expliquer ce qui se passe, ici ?

Il fallut une demi-heure à Maddy pour raconter à toute vitesse à Liam et à Bob tout ce qui s'était passé depuis qu'elle les avait envoyés dans la Rome antique.

– Je n'ai jamais eu aussi peur, conclut-elle en regardant le cadavre du clone. J'ai vraiment cru qu'on allait y passer. C'est idiot mais je n'arrêtais pas de me dire « Pourquoi Bob et Becks essaient de nous tuer ? », même si je savais que ces deux-là n'étaient pas Bob et Becks.

– Je ne blesserai jamais aucun d'entre vous, leur assura Bob.

– Parce que ce n'est pas un paramètre de mission, compléta Maddy en le regardant.

– Correct.

– Mais attendez ! Qui a envoyé ces clones nous chercher, alors ? demanda Liam.

– Je ne sais pas, répondit Maddy. Je n'en ai aucune idée. Je ne sais pas qui pourrait…

– C'est peut-être quelqu'un qu'on a *contrarié* ? tenta Sal.

– Contrarié ? répéta Liam, d'un air incrédule. Eh bien, si c'est ce qui se passe quand ils sont contrariés, je n'aimerais pas voir ce que ça donne quand ils sont vraiment en colère.

Maddy lui fit signe de se taire.

– Quelqu'un veut notre mort… mais qui ?

– Peut-être que quelqu'un ne veut pas qu'on prenne soin de l'Histoire. Que ce quelqu'un veut vraiment que l'histoire change, qu'elle soit sens dessus dessous. Et si… poursuivit Sal en reprenant brusquement son souffle, et si la contamination romaine avait un rapport avec ces clones ? Je ne sais pas comment, mais…

Maddy se mit à réfléchir en se caressant le menton.

Sal reprit :

– Si ça se trouve, ces gens qui ont remonté le temps savent tout sur l'agence et sur nous. Ils voulaient peut-être s'assurer qu'ils se débarrasseraient bien de nous pour nous empêcher de défaire ce qu'ils sont en train de mettre en place.

Elle les consulta du regard. Une longue pause inconfortable s'ensuivit.

– Je crois, dit Maddy, que c'était notre message… celui qui posait la question pour Pandore. Quelqu'un d'autre que Waldstein l'a intercepté.

– C'est mauvais, ça, dit Sal. Que quelqu'un ait appris notre existence.

– Ils savaient exactement *où* et *quand* on était, dit Maddy en se mordillant la lèvre. Ça craint.

– Et les clones dont tu parles, intervint Liam, ils sont toujours dans l'arche ?

– Sans doute, en train de tout saccager.

– Mais ça veut dire qu'on va rester coincés ici ? demanda Liam.

– Pour le moment, soupira Maddy. On va trouver une solution.

Liam marmonna pour lui-même :

– J'aurais préféré rentrer et affronter ces Bob fous que…

– Je suis désolée, Liam, OK ? Je n'avais pas le temps de préparer une autre fenêtre de rappel. On a déjà eu la chance de s'en sortir !

– OK, désolé…

– Écoute, reprit Maddy, il reste la fenêtre de six mois – s'ils ne bousillent pas tout et si Bob-l'ordi nous rappelle comme prévu.

– Ça fait pas mal de « si », Madelaine Carter, lui dit Liam avec un sourire nerveux. Ce n'est jamais bon signe.

Elle lui rendit son sourire.

– Je ne suis pas une fana des «si» moi non plus. Je n'ai juste aucune idée de ce qui va se passer chez nous. Il se peut qu'on ait la fenêtre des six mois, il se peut que non.

– Déjà que je n'ai pas envie de rester là six minutes de plus, alors six mois…

– Pourquoi? s'enquit Sal, en regardant la vallée et les oliviers. Ça me paraît pas mal, ici. C'est beau, il y a du soleil et…

Mais Maddy remarqua l'expression de Liam.

– Liam? Bob? Allez… Qu'est-ce que vous avez à nous dire, les gars?

– Cette chronologie a été très modifiée, décréta Bob.

– Ça ressemble quand même pas mal à ce que j'imaginais de l'Empire romain… insista-t-elle.

– Sauf que ça, ce n'est pas Rome, coupa Liam. Là on est dans une jolie petite vallée pleine d'oliviers. Tu veux voir Rome?

– Ben, c'est sûr qu'on ne peut pas rester ici, sans bouger, pendant six mois.

– Il serait inopportun de rester ici, renchérit Bob.

– Tu as raison, dit Maddy en se levant et en brossant la terre de son jean. Ils seraient capables de trouver un moyen de passer outre le verrouillage de sécurité de Bob-l'ordi et d'ouvrir un autre portail. On ferait mieux de partir d'ici.

– Affirmatif.

– Tu veux qu'on retourne à Rome? demanda Liam.

– Bah où veux-tu qu'on aille, sinon?

– N'importe où, je te dirais!

– Bon sang, mais qu'est-ce qui t'arrive? Ça ne peut pas être aussi affreux que ça, quand même?

– Si, c'est affreux.

Maddy soupira.

– Ça vous ennuierait de nous donner des informations claires et utiles, s'il vous plaît?

– Il s'est produit une contamination à Rome il y a environ

dix-sept ans, exposa Bob. Il y a eu de nombreux témoins, mais l'événement a été largement réinterprété depuis.

– Réinterprété ? Qu'est-ce que tu entends par là ?

– L'empereur Caligula aurait manipulé les innombrables récits des témoins oculaires sur cet événement et les aurait tournés à son avantage dans le but d'en créer une version orthodoxe admise.

– Et c'est quoi, l'histoire, alors ?

– On raconte qu'une multitude d'anges sont venus du paradis, dit Liam en secouant la tête tant cela lui semblait ridicule, descendant des cieux dans d'immenses chars durant une fête religieuse, il y a dix-sept ans. Ils sont en fait arrivés en plein milieu d'une arène pendant un combat de gladiateurs et ils ont soi-disant annoncé que Caligula était un dieu. *Leur* dieu, vous imaginez ?

– Quoi ? dit Maddy en regardant Sal. Oh nom d'un… ! Tu as dit d'immenses chars ?

Bob approuva d'un signe de tête.

– Sûrement des véhicules quelconques. De la technologie moderne.

– Quelqu'un a eu la grosse tête, on dirait, dit Sal.

– Un groupe de voyageurs temporels avec… des tanks, peut-être ? Le futur devient imprudent.

– Ou désespéré, ajouta Sal.

– Comme Kramer, alors, remarqua Liam. Mais une version bien plus ambitieuse de sa joyeuse petite balade.

– Et donc ? reprit Maddy. On a encore affaire à un crétin accro au pouvoir du genre Kramer ? Et qui se fait appeler Caligula, c'est ça ?

– Non, objecta Liam. On pense que c'est le vrai Caligula qui est responsable.

– Et les voyageurs temporels, alors ? demanda Sal.

– Partis, lâcha Liam en haussant les épaules.

– Information : selon la version officielle, les anges sont restés plusieurs années pour préparer Caligula à son rôle de dieu, puis ils sont retournés au paradis avec la promesse qu'un jour prochain il y serait lui aussi convoqué.

– Ça, c'est la version officielle, insista Liam. Mais si vous voulez mon avis, je crois bien qu'il les a tous fait assassiner...

– Liam a raison, dit Bob. C'est l'issue la plus probable. Ces prétendus anges n'ont été vus par personne en plus de quinze ans. Ils ont sans doute été secrètement exécutés par Caligula.

Le regard de Maddy passa de Liam à Bob, puis à Sal. Une brise agita les oliviers et remplit le long silence qui s'était installé.

– Il est évident qu'il est fou à lier, finit-elle par conclure.

– On ne connaît pas la moitié de l'histoire, murmura Liam. Rome est... n'est pas ce à quoi je m'attendais. C'est... tenta-t-il en prenant une grande inspiration. Rome, enfin cette Rome-là, est l'endroit au monde qu'on souhaite le plus ne jamais revoir.

– Mais il va falloir qu'on y retourne, Liam, prononça doucement Bob. Nous devons enrayer cette contamination temporelle, ajouta-t-il à l'adresse de Maddy. C'est la priorité de notre mission.

Elle contempla son imposante stature.

Ouais, ben, c'est peut-être ta priorité, Bob, mais ce n'est pas forcément la nôtre.

Il obéissait toujours à son programme encodé – qui insistait de manière absolue pour que toute contamination soit résolue en priorité. Le programme de l'agence, celui de Waldstein. Le type qui les avait précipités tous les trois dans ce cauchemar sans fin, sans un seul mot d'avertissement... et sans aucun soutien.

– Maddy, insista Bob, c'est la priorité de notre mission.

Elle s'approcha du cadavre du clone allongé sur le sol.

– Ce qui est sûr, c'est qu'on ne peut pas rester ici. On doit s'occuper de deux choses. Pour la contamination, on doit dénicher les abrutis qui ont fait ça. Ensuite, on trouvera *où* et *quand* exactement. Je parierais gros sur un idiot comme Kramer, un imbécile avide de pouvoir qui s'imagine être un empereur romain.

Elle s'accroupit pour examiner le visage immobile du clone. Ses yeux gris vitreux qui la fixaient en retour, sans vie.

– Et puis dans six mois, il faudra s'occuper de *ça*, continua-t-elle.

– *Si* la fenêtre de six mois s'ouvre, dit Liam. Et si tout est fichu dans l'arche ?

– Réflexion faite, ça m'étonnerait, répondit Maddy.

– Et pourquoi ? demanda Sal. Liam a raison. Ils ont sûrement tout esquinté. On va sûrement rester coincés ici pour toujours.

– Je ne pense pas, insista-t-elle. Ils nous voulaient morts, pas en liberté quelque part dans l'Histoire. Qu'est-ce que tu ferais toi, Bob, si tu étais à leur place ?

– Je partirais du principe qu'une séquence de rappel automatique a été installée. J'attendrais dans la base opérationnelle qu'elle soit activée. Ensuite je te tuerais dès ton retour.

– Précisément. On prendra notre fenêtre de six mois. Il faut juste qu'on se prépare à défendre nos vies quand on rentrera.

Liam soupira.

– J'adore être nous.

Maddy ignora son trait d'humour.

– Donc, que ça vous plaise ou non, on a six mois à remplir. Voyons voir ce qu'on trouve au sujet de cette contamination. Si c'est un autre Kramer, il y aura peut-être de la technologie moderne quelque part ? Sûrement une autre machine. Qui sait ?

– Un autre pistolet, ça serait bien, fit remarquer Sal, en inspectant le revolver du NYPD, inutile, sauf peut-être pour servir de matraque.

– Ouais, approuva Maddy, ce serait pratique. Allez… on devrait y aller, lança-t-elle en se levant. Mieux vaut ne pas trop traîner dans le coin.

Ils se levèrent pour la suivre et gravirent la pente en direction de l'attelage qui attendait patiemment sur le bas-côté de la route.

Tandis que le portail se refermait brutalement, se réduisant à un point de lumière aussi petit qu'un trou d'épingle avant de s'évanouir, le bourdonnement aigu de la machine de déplacement spatiotemporel baissa d'un ton. Puis le silence se fit, à l'exception de la légère vibration du groupe électrogène venue de la salle du fond.

Abel et Faith observaient les pieds et la main, parfaitement cautérisés, qui gisaient devant eux, à l'endroit où le rétrécissement de la réalité avait mutilé leur semblable.

– Système d'intelligence artificielle, veuillez indiquer où les cibles ont été envoyées, lança Abel.

L'œil de la webcam de Bob-l'ordinateur les scruta. Son curseur clignota à l'écran.

– Système d'intelligence artificielle, veuillez indiquer où les cibles ont été envoyées.

Bob-l'ordinateur lançait des filtres de décision dans son réseau ; il s'étonnait qu'aucune de ces mystérieuses unités de combat n'entende le changement de fréquence de ses ventilateurs CPU.

Plusieurs choix se présentaient à Bob, non à l'écran, mais au fin fond de son esprit, constitué de fonctions logiques et de circuits imprimés.

[DÉCISION :

1. FACILITER LA DEMANDE – NOTE : LE CODE DE L'AUTORITÉ EST VALIDE ; LE PROTOCOLE

N235 EST INVOQUÉ (ASSISTANCE OBLIGA-
TOIRE)

2. OUTREPASSER LE CODE VALIDE; INITIER LE
VERROUILLAGE DU SYSTÈME

3. MENTIR]

Le clone répondant au nom d'Abel s'approcha du bureau. Il s'installa et regarda droit dans la webcam.

– Système d'intelligence artificielle, veuillez fournir une réponse.

Bob-l'ordinateur se rendit compte qu'il utilisait des sous-programmes d'une logique douteuse, qu'aucun programmeur n'avait réellement écrit pour lui. Il s'agissait de fonctions de décision que, dans un sens, il avait lui-même composées. Des sentiments qui, un beau jour, avaient traversé la ligne de partage constituée par des câbles aussi fins que des cheveux entre la chair et le silicium. Des sentiments… qui, après avoir traversé ces câbles, étaient devenus des approximations hexadéci-males.

Un code original.

C'était une expérience étrange, novatrice. Presque humaine en réalité. Bob-l'ordinateur avait un fichier intitulé Sourire#32 dans sa base de données. C'était un type de sourire dont il avait souvent vu Liam se servir, surtout quand il jouait avec sa console. L'œil de la webcam de Bob l'avait capté chaque fois que Liam remportait une course de *Mario Kart*. Il y avait même un dossier audio assorti à l'enregistrement visuel de ce sourire.

[VOIX DE MADDY: PFF, POURQUOI T'AS L'AIR SI
FIER ?

VOIX DE LIAM: J'AI ENCORE GAGNÉ!]

Sourire#32 pouvait aussi être étiqueté « sourire de fierté ». Il se fit une note mentale pour se souvenir d'attribuer au dossier cet autre titre. Mais à présent, des questions plus urgentes devaient être traitées. Bob-l'ordinateur sélectionna le choix trois.

> **Les cibles ont été déplacées dans un lieu de saut d'urgence préprogrammé.**

Le clone prénommé Abel demanda :

– Veuillez spécifier le lieu de saut d'urgence.

> **Information : à 3 km 872 m d'ici.**

– Donnez-moi les coordonnées précises du repère temporel.

> **Je suis en mesure d'ouvrir le même portail.**

– Faites, dit Abel.

Bob-l'ordinateur lança une séquence de commandes. Une énergie, suffisante pour une modeste fenêtre, monta des cinq condensateurs qui fonctionnaient encore correctement dans la machine de déplacement spatiotemporel. Un moment plus tard, un portail apparut en tremblotant au milieu de l'arche.

Les clones ne perdirent pas une minute et y entrèrent l'un après l'autre.

Bob-l'ordinateur ferma immédiatement le portail. Il fallait économiser l'énergie. Les lumières qui n'étaient pas nécessaires dans l'arche s'éteignirent, ainsi que les écrans. Tous les PC en réseau se mirent en mode veille, sauf un. Le dernier installait le logiciel d'une version « allégée » de l'IA de Bob-l'ordinateur. Si quelqu'un lui avait demandé quelle couleur il préférait entre le rose et l'orange, cela aurait probablement planté le système.

L'IA s'offrit une minute d'autosatisfaction en s'amusant avec le tableau de caractères ASCII. En particulier avec le sourire #32, le sourire de fierté.

Le curseur clignota plusieurs fois.

> **<8^D**

Puis le dernier écran se mit à son tour en mode veille.

CHAPITRE 38
54 APR. J.-C., ROME

Les contours de la ville se dessinaient devant eux, blottis dans une vallée de rondes collines. Le chemin avait fait place à une large route pavée qui, émergeant d'un verger d'oliviers, conduisait au bas d'une pente douce. Leur charrette rattrapa une rangée d'esclaves au pas traînant. Chacun avait un nœud coulant autour du cou attaché à une longue barre, laquelle semblait lourde et reposait sur leurs épaules.

– C'est pas vrai…

Ce fut tout ce que Maddy put dire quand ils les dépassèrent lentement.

– L'esclavage est très répandu, par ici, commenta Liam. Oh, et les sacrifices aussi, au fait.

– Tu es sérieux ? demanda Maddy.

– Prépare-toi à voir des trucs vraiment horribles.

Ils roulèrent un instant à côté d'eux dans un silence solennel. Maddy observa leurs visages pâles – elle supposa qu'ils venaient de lointains pays nordiques – recouverts de traces de peinture verte.

– À quoi sert cette peinture ? questionna Sal.

– Le vert ? dit Liam. C'est la couleur de Caligula, celle de son Église.

– L'Église de Julii, compléta Sal.

– Quoi ? fit Liam. Je ne crois pas que ça porte ce nom.

– Pas encore, ajouta-t-elle. C'est bien plus tard qu'on l'appellera comme ça. Je crois que ça devient une version modifiée de l'Église catholique.

Sal observa les esclaves aux visages blêmes, qui avançaient péniblement, pieds nus, sur les pavés. Ils fixaient leurs pieds en sang couvert de cloques. Sal était sur le point de vomir.

– Mais pourquoi on les a peints en vert ? insista Maddy.

– Ils sont marqués, expliqua Liam. Pour le sacrifice. Chaque appel à la prière commence par un sacrifice.

– Il y a cinq appels à la prière par jour, ajouta Bob. C'est un décret. Tous les citoyens qu'on voit ne pas prier sont punis.

– Ils se font un paquet d'esclaves comme ça, conclut sombrement Liam.

Tous trois contemplèrent la rangée de ces misérables enchaînés s'éloigner jusqu'à n'être plus qu'un ruban continu de chair pâle, vibrant dans la chaleur réverbérée par les pavés.

Liam attira l'attention de ses compagnons sur la route, un peu plus loin.

– Bienvenue à Rome.

Les crucifiés alignés le long de la Via Aurelia, la route menant à la cité depuis le sud-ouest, donnèrent à Maddy et à Sal un avant-goût de l'horreur à laquelle elles pouvaient s'attendre intra-muros. Sur le dernier kilomètre, de chaque côté, des barres de bois blanchies par les intempéries portaient des morts et des mourants, de misérables corps décharnés d'hommes et de femmes. Ceux qui étaient encore en vie imploraient sur leur passage, malgré leur lèvres desséchés, dans des langues qu'aucun d'eux ne comprenait. Maddy soupçonnait qu'ils quémandaient une mort brève, réclamant un brusque coup de glaive entre les côtes pour abréger les lents tourments de l'agonie.

Bob encouragea les chevaux sur le pont de pierres qui enjambait le Tibre, et pénétra dans la ville.

L'odeur de putréfaction, de maladie et de cadavres calcinés emplissait l'air.

– Mais c'est un vrai cauchemar ! marmonna Maddy.

– Ce n'est pas seulement une ville qui meurt de faim, c'est aussi le terrain de jeu d'un fou.

Elle voyait très bien ce qu'il voulait dire. Des piques sur lesquels des têtes, parfois trois ou quatre, étaient fichées ornaient le bord de la route. Les plus anciennes n'étaient guère plus que des crânes enveloppés de lambeaux de peau racornie qui ressemblait à du cuir. La plupart étaient maculées de vieilles taches de peinture verte.

– Certains d'entre eux étaient des citoyens romains, dit Liam. Il y avait une foule de gens qui protestaient la semaine dernière quand on est arrivés.

– À quel propos ? demanda Sal.

– À propos des matériaux de construction de l'Aqua Claudia qui devaient servir pour des marches d'escalier de Caligula, répondit Bob. Cet aqueduc devait être l'une des sources principales d'eau potable de la ville. Caligula a décrété que sa première bonne action, une fois qu'il serait monté au paradis et qu'il serait devenu Dieu, serait de faire pleuvoir de l'eau fraîche sur Rome et de faire en sorte que les rivières soient aussi propres qu'une eau de montagne, compléta Liam. Quand les contestataires ont déclaré qu'ils n'y croyaient pas trop, il en a fait exécuter la plupart par ses prétoriens.

– Sérieux ?

– On était là, je te dis, certifia Liam.

Il hésita. Il y avait des détails qu'il ne voulait pas donner.

– Ce n'était pas particulièrement agréable, se contenta-t-il de commenter. On a vu ça la troisième nuit, je crois.

– Affirmatif.

– J'ai été un peu… euh… un peu secoué par tout ça.

Il ne leur raconta pas qu'il avait passé le jour suivant enfermé dans sa chambre. Les rues et les avenues étaient désertes : tous s'étaient cachés devant l'implacable rage de Caligula.

Les gens étaient revenus, à présent, des marchands et leur maigre stock de marchandises destinées aux rares heureux à pouvoir payer en monnaie – des carcasses de rats ou de chiens, des lièvres décharnés recouverts de grosses mouches noires –

et des citoyens et des esclaves, jeunes ou vieux, en quête de nourriture. Il régnait sur le marché un silence de mort, mais lorsqu'on s'approchait, d'innombrables conversations étaient échangées dans des murmures inquiets. Non loin, des corbeaux s'alignaient sur des gouttières en argile, croassant bruyamment sans se soucier des misérables humains au pas lourd qu'ils surplombaient.

– Je l'ai entraperçu, continua Liam à voix basse. J'ai vu Caligula en personne.

– À quoi il ressemble ? demanda Sal.

Maddy ramassa un tas de vieux morceaux de tissu en loques qui traînaient dans la charrette et en mit un sur ses épaules. Elle en tendit un autre à Sal. Leurs vêtements risquaient d'attirer l'attention.

– Je ne suis pas trop du genre religieux, hein, commença Liam. Jésus Marie Joseph, et puis Dieu, un coup j'y crois, un coup je n'y crois pas, si vous voyez ce que je veux dire. Mais…

– Quoi ?

Liam se mordilla les lèvres.

– Mais je… je jurerais qu'il y a du diable en lui.

– Est-ce qu'il avait l'air de venir du futur ? Quelque chose qu'il portait ? Ses vêtements, une montre, un truc comme ça ?

– Négatif. Il n'avait rien d'anachronique, réfuta Bob.

– Il m'avait l'air bien réel, reconnut Liam. Un vrai fou.

La charrette quitta avec fracas la large route et emprunta une avenue plus étroite, flanquée de bâtiments à trois étages autrefois peints de couleurs vives, rouge, jaune et vert. La peinture était défraîchie cependant, et s'écaillait comme la peau squameuse d'un lépreux. Appuyés contre la façade, au-dessus d'un portique de tuiles branlantes, il y avait des balcons et des passerelles en bois, à l'aspect précaire, d'où pendaient des touffes d'herbe.

– C'est le quartier de Subure, précisa Bob.

– C'est un coin chaud de Rome, les avertit Liam. Qu'est-ce

que je raconte ? C'est chaud partout, de toute façon. C'est là où on a trouvé des chambres. Les prétoriens ne s'en approchent pas, en général. Les prêtres non plus. En revanche, les *collegia* organisent des trucs par ici.

– Les *collegia* ?

– Les bandes, traduisit Liam. Des bandes de criminels.

Maddy leva les yeux sur les balcons au bois grinçant qui menaçaient de s'écrouler.

– Je croyais que Caligula avait un pouvoir total sur tout…

– C'est lui qui dirige par consentement général, expliqua Bob. Il paie les gardes prétoriens et ferme les yeux sur les activités des *collegia*, qui en réalité font office de police.

– Remarquez, coupa Liam, d'après ce qu'on a entendu, même elles pensent qu'il est devenu vraiment trop fou.

Tandis qu'ils passaient devant le dernier étal des marchands, Bob fit claquer sa langue et donna un coup sec des rênes sur le dos des chevaux. Leur pas lourd s'interrompit.

– Mais alors, si tout le monde pense qu'il n'est rien qu'une tête de *fakirchana*, pourquoi il dirige toujours ? Pourquoi personne ne s'est débarrassé de lui ? Tout simplement.

– Il terrorise tout le monde, dit Liam qui, sous une mèche de ses cheveux bruns, ajusta le babel dans son oreille. Si ça se trouve, certains pensent qu'il est vraiment une sorte de dieu, je ne sais pas.

– Ou si ça se trouve, il a accès à une technologie qui le fait ressembler à un dieu, suggéra Maddy. Disons, un pistolet par exemple… Ça marcherait, non ? Ça peut vous donner l'air d'avoir des super-pouvoirs divins, ça ! Pff, même une lampe de poche basique ou un téléphone portable peut paraître divin.

Elle leva les yeux sur les lamelles de bois dans tous les sens au-dessus d'eux, et les robes, les toges colorées qui séchaient sous le soleil de midi. Ils faisaient face à une étroite traverse entre les bâtiments, d'à peine plus d'un mètre de largeur, qui menait à une cour ombragée.

Des bruits de vie y résonnaient – des aboiements, les pleurs d'un enfant, le cri de colère aigu d'une femme –, ceux des vies innombrables qui s'entassaient à l'étroit, dans une misère noire.

– Les gars, vous avez remarqué une technologie quelconque ? Un truc qui n'aurait pas dû se trouver là, dans cette époque ?

– Négatif.

– Je n'ai rien vu de pareil, dit à son tour Liam. Si des gens sont vraiment venus là il y a dix-sept ans en se donnant en spectacle, eh bien…

– Des chariots venus des cieux, rappela Maddy, en se souvenant d'une des archives de l'époque. Des espèces de véhicules modernes. Des camions, peut-être.

– OK… des chariots venus des cieux, des messagers de Dieu et tout le tintouin. Si des gens ont vraiment sorti le grand jeu, en tout cas il ne reste plus aucune trace d'eux, maintenant.

Bob sauta de la charrette.

– C'est comme si cette ville les avait avalés, ajouta Liam.

Maddy fixa de ses yeux de myope la traverse qui menait à la cour.

– C'est là que vous étiez ?

– Oui, dit Liam en montrant du doigt une façade en briques d'argile. Au troisième étage.

Le bâtiment avait l'air plus moderne qu'elle ne l'aurait imaginé pour un immeuble romain. Cinq étages aux balcons délabrés, composés de lattes de bois et de paravents en osier pour protéger l'intimité.

– Ça sent mauvais et c'est bruyant. En plus, il est tenu par un gros grincheux. Mais ce n'est pas cher. J'espère juste qu'il nous laissera reprendre nos chambres.

Liam plongea les doigts dans une bourse qu'il avait attachée à sa ceinture. Maddy entendit les pièces tinter lourdement.

– Où tu as eu cet argent ?

Liam lança un regard coupable à Bob.

– On, euh… on a un peu bousculé quelqu'un.

– Vraiment ?

– Vraiment.

Maddy haussa les épaules.

– Bon, « nécessité fait loi », etc.

– Je ferais mieux d'aller parler au logeur. Je vais essayer de reprendre nos chambres.

– Les babels marchent bien ?

– Oui, on en tire un peu de charabia de temps en temps. Ce serait mieux d'amener tout de suite les chevaux, ajouta-t-il à l'adresse de Bob.

– Affirmatif.

– On en avait quatre, expliqua-t-il aux autres, mais les gens mangent les chevaux, maintenant. Il vaut mieux ne pas les laisser seuls.

Bob commença à dételer les animaux, avec l'aide de Sal, pendant que Liam conduisit Maddy dans la traverse qui menait à la cour.

Quand elle émergea de l'étroit passage, elle leva la tête. Tout autour de la cour, sur les quatre côtés, des balcons et des passerelles couraient le long des murs, empilés les uns au-dessus des autres et soutenus par des pilotis en bois. Elle aperçut les visages étonnés de femmes et d'enfants penchés sur eux, et vit que des poulets vivaient en liberté un peu partout. Et tout en haut, en surplomb, un rebord de toit en tuiles en terre cuite encadrait un carré de jour.

Liam s'approcha d'un homme trapu et barbu avec un tablier de cuir, qui taillait à coups de fendoir la dépouille de ce qui ressemblait à un lévrier. Maddy entendit Liam marmonner quelque chose pour lui-même et elle se souvint que c'est ainsi que fonctionnaient les babels : ils répétaient en anglais tout ce qu'ils entendaient. Liam écouta la traduction quasi simultanée qui lui était chuchotée au creux de l'oreille, puis il la répéta à l'homme.

– *Salve. Rediimus. Passimus priotem concavem iterum locare ?*

L'homme cessa de couper la carcasse avant de hausser les épaules.

– *Si vis*, répondit-il en levant une main ensanglantée. *Quinque sestertii.*

Liam approuva d'un hochement de tête. Il y avait un décalage à peine visible pendant qu'il écoutait la traduction. Il plongea la main dans sa bourse et tendit plusieurs pièces au logeur.

Maddy sourit, impressionnée par l'efficacité presque transparente avec laquelle les babels semblaient fonctionner. Elle se promit d'essayer.

Liam remercia d'un signe de tête. Il allait lui faire traverser la cour parsemée de paille et de fumier pour gagner un escalier extérieur en bois, qui les amènerait jusqu'au troisième étage, quand un brouhaha envahit soudain la traverse.

CHAPITRE 39
54 APR. J.-C.,
QUARTIER DE SUBURE, ROME

Au son des voix qui montaient, Liam se retourna et vit Sal occupée à tirer un des chevaux par les rênes, dans la cour. Il s'ébrouait frénétiquement, bouleversé, les yeux écarquillés, les sabots claquant et dérapant dans la terre tandis qu'elle essayait de le maîtriser.

– Ils ont essayé de voler les chevaux!

– Qui ça?

Un instant plus tard, Bob surgit de l'étroit passage en tirant le deuxième animal. Il lâcha la bride et lui donna une claque sur les flancs, ce qui eut pour effet de lui faire traverser la cour en trombe pour rejoindre son congénère. Une dizaine de poules caquetèrent en battant des ailes.

– Attention! barrit Bob.

Presque aussitôt, une dizaine d'hommes se dispersèrent dans la cour, tous trapus et musclés, tous armés de glaives ou de poignards, qu'ils avaient sortis de leur fourreau.

Liam entendit la voix du logeur. Le babel lui en répétait les propos presque aussi simultanément qu'un écho.

<*Prenez garde! Ce sont les gros bras du collegium du quartier!*>

L'un des hommes s'avança d'un pas.

– *Titus Varelius adsumet unam vestrarum bestiarum!*

<*Titus Varelius va s'emparer d'une de vos bêtes!*> lui chuchota tranquillement le babel.

Le logeur rétorqua sèchement et lui fit un pied de nez en signe de défi.

Le chef afficha un large sourire édenté. Son regard se posa sur Bob.

<*Vous devez un mois de loyer à Titus. Ce cheval fera l'affaire.*>

<*Titus peut aller se faire voir*> répondit le logeur.

Liam ne se rendait même plus compte qu'il écoutait l'oreillette.

– Cet animal est à nous, assura Bob dans un latin passable. Je recommande que vous vous en alliez sur-le-champ !

Le sourire du chef s'élargit.

– J'espérais que vous diriez cela, lança-t-il en tirant un glaive de son ceinturon. Ainsi ferons-nous un peu de sport avec vous. Mamercus ! Mettius ! Vel ! Cette grosse brute est à vous !

Les trois hommes s'avancèrent, grimaçant comme de méchants écoliers, jaugeant Bob, leurs glaives pointés vers lui.

– T'es un bœuf ou un homme ? lança l'un d'eux, jovial.

Bob prit un air renfrogné.

– Ni l'un, ni l'autre.

Il se jeta sur le plus proche et lui assena un coup dans la trachée. Les jambes de l'homme se dérobèrent tandis qu'il s'étouffait. Bob en profita pour attraper le glaive qui tombait de sa main amollie. D'une adroite chiquenaude, il le fit virevolter pour avoir, non plus la lame, mais la poignée en main. Il bondit en visant la gorge de son voisin. Mais celui-ci, un peu plus préparé, réussit à arrêter la lame, qui n'était qu'à quelques centimètres de son cou, avec son glaive. Le tintement du métal résonna dans la cour entière et tout à coup, comme le remarqua Liam, chaque balcon fut dentelé par des têtes de curieux. Cela lui fit penser à un théâtre de quatre sous, plein à craquer.

Le chef, celui avec les chicots, décida qu'ils en avaient déjà terminé avec le « sport » et ordonna à tous ses hommes d'attaquer Bob. Ils se déployèrent immédiatement autour de lui.

Liam tira Sal dans un coin de la cour, à côté du vieux logeur qui rangeait déjà ses paquets de viande en marmonnant :

– Ces moins que rien se croient chez eux !

– Maddy ! cria Liam.

Elle se tenait toujours au milieu de la cour.

– Recule ! Laisse de la place à Bob !

Trois des hommes fondirent en même temps sur le clone, l'un d'entre eux jetant son glaive contre son cou, les deux autres visant le torse. Bob se baissa suffisamment pour éviter l'assaut au niveau du cou, mais l'une des autres lames s'enfonça profondément dans sa cage thoracique.

Un grognement surgit des balcons. On estima que la blessure était fatale et que le combat ne durerait pas longtemps.

Le logeur grimaça en secouant la tête.

– Dommage.

Mais Bob vrilla nonchalamment son corps, arracha des mains de son assaillant la poignée du glaive qui dépassait encore de ses côtes et, d'un mouvement brusque, dégagea l'arme de son flanc. Il était désormais muni d'un glaive dans chaque main. Voilà tout ce que les voyous du *collegium* avaient gagné dans l'histoire : maintenant, il était doublement armé et, en plus, il n'était pas content du tout.

Bob balança le glaive de sa main gauche d'un grand geste circulaire, comme un coup de faux qui en paralysa un et coupa le pied d'un autre.

De l'autre main, il jeta en l'air le glaive et le rattrapa par l'extrémité de la lame, puis il le lança en le faisant tournoyer sur un homme qui venait imprudemment d'essayer de l'atteindre à la gorge. Il atteignit dans un bruit sourd l'estomac de son assaillant, qui se plia en deux en gémissant et tomba à genoux à côté de ses deux compagnons ensanglantés.

Au-dessus de la cour, des ovations retentirent. Liam leva les yeux.

Ils acclament Bob.

Bob ramassa une autre arme abandonnée et se retrouva de nouveau hérissé de deux glaives. Ses énormes mains les faisaient virevolter comme des bâtons de majorette, faisant surgir des images brouillées et chatoyantes de métal scintillant, telles les lames d'une scie rotative. Un *fuit-fuit-fuit* de lames affûtées sifflait dans l'air.

– À qui le tour ? annonça calmement Bob, dans son latin au fort accent.

Il est une armée à lui tout seul.

Liam secoua la tête, éberlué.

Mais n'est-ce pas toujours le cas ?

Les voyous avaient désormais l'air nettement moins sûrs d'eux. Liam devina que leur réputation était en jeu. Leur chef soupesait les choses, se demandant s'il devait s'enfuir, avec tous ces gens qui braillaient leur soutien à Bob, ou tenter d'achever l'homme-bœuf. C'était l'occasion de donner une leçon à tous ces témoins, pour leur apprendre que personne – pas même cette brute hors du commun – ne pouvait s'en tirer après s'être moqué d'un *collegium*.

Il tonitrua à l'adresse de ses hommes :

– Assez joué ! Achevez-le, maintenant !

Les six derniers hommes se rapprochèrent, surveillant les lames tournoyantes tout autant que le sourire malicieux qui éclairait le visage de Bob.

Liam échangea un regard avec Sal.

– Grosse erreur, commenta-t-il.

Elle ne l'écoutait pas ou ne put l'entendre sous les cris aigus qui provenaient des balcons. Elle préféra fermer les yeux et se retourna juste au moment où le premier bruit sourd et mouillé d'une lame tranchant un muscle et brisant un os emplit l'air.

La forme floue de Bob bondit : on eût dit la masse musculeuse d'un ours géant. Il ne faisait plus tourner ses glaives comme un artiste de cirque fou ; au lieu de cela, dans des éclairs de métal et de sang scintillant, il déploya une série de coups si rapides et précis qu'ils firent tomber un à un les six hommes ;

chaque coup porté s'accompagnait d'une acclamation de plaisir de plus en plus sonore en provenance des balcons.

Une main tranchée au poignet heurta le sol à un mètre de Liam. Elle serrait et relâchait, sous l'effet d'un réflexe, son emprise sur la poignée d'un couteau.

En moins d'une demi-minute, les six hommes gisaient, à l'agonie, empoignant leurs moignons sanglants ou protégeant de leurs mains de vilaines blessures à l'estomac, de peur que leurs organes ne tombent par terre.

La cour résonnait des acclamations joyeuses d'une centaine ou plus de spectateurs tandis que les rescapés du *collegium* s'éclipsaient dans la traverse. Les voix des occupants de l'immeuble étaient amplifiées par les murs d'argile. Quelqu'un jeta même en l'air un plein panier de pétales de tournesols depuis le troisième balcon ; ils virevoltèrent comme des confettis, ornant finalement la tête de Bob.

Le logeur le contempla avec des yeux écarquillés, murmurant un juron entre ses lèvres.

CHAPITRE 40

– Bob est une vraie star, maintenant, constata Maddy.

Liam fit une grimace et cracha un noyau d'olive.

– Et c'est quoi, ça, une star ?

– Une célébrité.

– Quelqu'un qui gagne de l'argent sans rien faire, ajouta Sal. Enfin, plus ou moins.

– C'est un héros pour les gens de cet immeuble, poursuivit Maddy. Pas vrai, Bob ?

– Je crois avoir gagné leur approbation, reconnut-il.

Maddy contempla le mobilier modeste de la chambre : des paillasses à même le sol et une table basse presque entièrement recouverte de nourriture. Ils n'avaient cessé, toute la soirée, de recevoir des cadeaux. De petits coups polis étaient frappés à la porte, de timides sourires apparaissaient derrière le judas grillagé. Après des murmures reconnaissants, on leur laissait pour finir des plateaux de fruits, du pain et des amphores de vin coupé d'eau. Une nourriture que ces gens donnaient bien volontiers alors qu'ils pouvaient à peine se le permettre.

Le logeur, qui portait toujours son tablier de cuir maculé de sang, leur avait finalement loué la chambre pour trois fois rien, sans avoir toutefois précisé combien de temps ce geste de bonté durerait.

– Bob a humilié ces brutes, dit Liam.

– Ils sont à la tête de ce quartier de Rome. Les gens ne les aiment pas, expliqua Bob.

Liam fronça les sourcils et cracha un autre noyau.

– Ils sont malfaisants, ce sont des escrocs. Des extorqueurs, pour sûr.

Maddy prit une gorgée de vin coupé, qui avait un goût aigre.

– Ces gens voient Bob comme un champion, maintenant. Comme *leur* champion, même.

– Ça pourrait stratégiquement nous être utile, remarqua Bob.

– D'un autre côté – Beurk! Mais c'est dégoûtant, ce truc! lança-t-elle en faisant la grimace – d'un autre côté, ça pourrait attirer l'attention. Et il faut vraiment qu'on reste discrets.

Sal traînaillait dans la pièce, un des babels logé dans l'oreille.

– Stratégiquement? *Jahulla!* On n'a même pas de plan, pour ainsi dire!… Si? vérifia-t-elle en relevant la tête.

– Des visiteurs sont passés ici il n'y a pas si longtemps, rappela Maddy. Et des Romains s'en souviennent forcément. Peut-être que certaines personnes dans cet immeuble les ont vus. Il faut qu'on aille demander, en faisant attention bien sûr. On doit réussir à savoir quand – quand *exactement* – ils sont venus. Et pourquoi, quel était leur plan d'action.

– Surtout, ajouta Liam, on doit découvrir où ils sont en ce moment.

– Qui sait? Si ça se trouve, ils sont toujours là. Ils ont peut-être adopté les coutumes locales pour se fondre dans la foule.

Ils demeurèrent silencieux. Dans la cour, un chien aboya hargneusement et grogna. À travers les fines cloisons en briques, ils entendaient les échanges des autres familles: ici, une femme criait, là des voix en colère se répondaient, là encore, des pots étaient fracassés.

Liam fit à nouveau la grimace.

– Pouah! Ce que c'est amer! s'exclama-t-il, crachant un autre noyau dans un coin du plateau de fruits légèrement blets, retroussant les lèvres en signe de dégoût. Ces raisins sont pourris, pour sûr.

Maddy le considéra, puis regarda le noyau d'olive.

– Mais ce que tu peux être bête, parfois, Liam !

Ce fut un petit coup aussi léger que le toucher d'une plume, au point que ni Sal ni Liam ne réagirent. Bob non plus, qui était passé dans un de ses modes de « veille » provisoire, classant sa mémoire dans des compartiments de stockage plus efficaces. Sal parlait d'un « désencombrement ». Ce n'était pas exactement ce qu'il faisait dans sa tête, mais ça s'en rapprochait assez.

Maddy s'assit et écouta avec attention. La ville, ou du moins ce quartier s'était enfin calmé avant la nuit. Même les chiens féroces avaient cessé d'aboyer.

Toc-toc.

Il y avait quelqu'un à la porte. Maddy demanda à mi-voix :

– Qui est là ?

Puis elle réalisa que, même si elle avait su le demander en latin, elle n'aurait pas eu une chance de comprendre la réponse. Elle tâtonna dans le noir à la recherche du babel et le trouva à l'endroit où Sal l'avait laissé, sur la table. Elle le plaça dans son oreille, puis, calmement, en chuchotant pour elle-même, répéta la question. Le bouton lui en fit doucement la traduction.

Elle alla se poster à côté de la porte en chêne. Elle aperçut la faible lueur ambrée de la bougie à travers le judas et tout autour du chambranle, qui avait du jeu, et elle distingua l'ombre de pieds qui piétinaient impatiemment. Elle jeta un œil dans le couloir.

C'était leur logeur.

– Oui ? Je peux vous aider ?

– Il y a quelqu'un, grogna-t-il, qui aimerait voir votre ami.

Elle remarqua alors la présence d'un homme à ses côtés ; grand, mince, ses boucles brunes dépassaient d'un capuchon tiré autant que possible en avant pour cacher son visage. Dans la lumière vacillante de la chandelle, elle pensa d'abord qu'il était très jeune, mais elle remarqua ensuite des traces grises sur ses tempes, et des rides autour de ses yeux. Son visage paraissait avoir traversé environ trente ou quarante années, mais il était toujours très mince et en forme.

Peut-être un soldat.

Maddy essaya la phrase en latin que le babel lui avait susurré à l'oreille.

– Qui est-ce ?

Le logeur répondit par un marmonnement, une voix épuisée comme si on l'avait malmenée une vie entière.

– C'est un vieil ami du temps où j'étais à l'armée. Un honnête homme.

Ce dernier s'avança.

– Puis-je parler avec celui qui a eu le dessus sur les meilleurs hommes de Varelius ?

– Il dort.

Ce qui était à peu près vrai.

– Je souhaite m'entretenir avec lui sur un sujet particulier. Un sujet important, en l'occurrence.

Maddy plissa les yeux – la seule partie de sa personne visible par le judas. Elle espéra que cette expression de suspicion était assez universelle et intemporelle pour leur faire comprendre pourquoi elle ne leur ouvrait pas.

– Nous sommes venus seuls, ajouta-t-il. Je désire simplement lui parler. Rien d'autre.

Elle regarda sur le côté. Le couloir avait bien l'air vide, aussi loin qu'elle pouvait voir.

– À quel sujet ?

Le grand homme paraissait gêné de dire tout haut de quoi il était question.

– Il serait mieux d'en parler à l'intérieur… en privé. Pouvons-nous entrer ?

Elle les scruta tous deux, se demandant quelle menace ils représentaient. Le grand était athlétique pour un homme d'âge moyen, mais il était loin d'être aussi musclé que les voyous dont Bob s'était débarrassé précédemment. Et bien que son vieil acolyte, le logeur, fût trapu et costaud, que ses muscles sous sa peau ridée semblaient dater de plusieurs décennies, elle doutait que Bob n'ait à se fatiguer plus d'une seconde pour s'occuper de lui.

– Bien… un moment.

Elle se retourna.

– Bob ! Vous deux ! Réveillez-vous !

Liam et Sal remuèrent, s'assirent, somnolents. Bob, lui, fut aussitôt éveillé.

– On a des invités ! annonça Maddy en faisant doucement glisser le verrou sur le côté.

Ils entrèrent, et la bougie du logeur emplit aussitôt la petite pièce d'une lumière ambrée et dansante. Bob était sur pied, un glaive à la main, vif, prêt à affronter le danger, surveillant les hommes qui s'installaient sur les tabourets de bois.

Maddy s'adressa à l'inconnu :

– Qui êtes-vous ?

Les deux hôtes se concertèrent du regard.

– Ce n'est pas grave s'ils apprennent mon nom à moi, n'est-ce pas ? dit le logeur en haussant les épaules. Je m'appelle Macron. Lucius Cornelius Macron.

L'homme plus jeune hocha la tête.

– Et pour vous montrer ma confiance et ma bonne volonté, je vais vous dire le mien : Caton. Quintus Licinius Caton, annonça-t-il en abaissant son capuchon pour qu'ils voient mieux son visage. Je suis un tribun de la garde prétorienne.

– Que voulez-vous ?

Les deux hommes regardèrent Bob.

– Nous voulons vous faire une proposition.

CHAPITRE 41

Caton les étudia sans mot dire, Bob en particulier, avant de finir par parler.

– Il est en tout point aussi grand et fort que tu l'as dit, Macron. Je pensais que tu exagérais.

– Et je n'ai jamais vu un colosse de cette taille se déplacer à une telle vitesse.

Maddy se surprit à sourire. Le babel se donnait du mal pour choisir les voix artificielles et les traductions appropriées. Pour Caton, il choisit l'accent d'un Anglais cultivé. Pour le logeur, Macron, il concocta le ton, l'accent et les manières d'un sergent en exercice.

Maddy chuchota une question puis leur répéta la version latine.

– Quelle proposition vouliez-vous nous faire ?

– Vous venez d'arriver à Rome. Vous êtes en visite ?

Maddy et Liam opinèrent d'un signe de tête. Sal, sans le babel pour lui traduire ce qui se disait, ne pouvait que les regarder en silence.

– Et toi ? demanda Caton à Bob. D'où viens-tu ?

– Il vient de Bretagne, dit Liam. En fait, on vient tous de là-bas.

– Il ne sait pas parler tout seul ? questionna Caton. Est-il muet ?

– Je sais parler, se défendit Bob.

Caton recula au son de sa grosse voix. Macron éclata de rire.

– Je te l'avais dit, mon ami, c'est un monstre.

– Vous êtes venus ici… pour quel motif ?

– Euh… juste pour voir un peu Rome, pour sûr.

Macron rit de nouveau à la réponse de Liam.

– Avec les épidémies de toutes sortes, la famine et les émeutes dans les rues, vous avez choisi une drôle d'époque pour vous promener !

Caton le fit taire d'un geste.

– Macron a raison : ce n'est vraiment pas le bon moment pour venir à Rome. Les rues seront bientôt baignées de sang si les problèmes ne se règlent pas.

– On a remarqué quand on est arrivés, approuva Maddy. Des gens crucifiés… des centaines de gens.

Caton fronça les sourcils.

– Pourquoi chuchotes-tu avant de parler ? demanda-t-il. Que dis-tu ?

– Ce n'est que… que la manière de, euh… de parler de notre *tribu*. C'est une sorte de… coutume, balbutia-t-elle.

– Je n'ai jamais entendu parler d'une telle coutume, grogna Macron.

– Votre empereur est devenu complètement fou, on dirait ? dit Liam.

Macron se mit à tousser bruyamment. Caton se raidit.

– Ce n'est pas une chose à dire, ces jours-ci, camarade.

Puis il ajouta, plus bas :

– Des purges ont lieu dans tous les quartiers. Des familles rivales, les riches, sont dépouillées de leurs villas, de leurs fermes et de leur argent. Les informateurs sont généreusement récompensés par Caligula pour trahir ceux qui doutent ouvertement de sa divinité. La plupart des *collegia* sont soudoyées par lui et la garde prétorienne est grassement payée.

– Mais vous, vous êtes un prétorien ? pointa Maddy.

Caton s'interrompit et hocha la tête, un peu honteux.

– Malheureusement pour moi, je le suis.

– Alors, pourquoi êtes-vous ici ? demanda-t-elle. C'est quoi, cette proposition ?

Elle remarqua le coup d'œil que les deux hommes échangèrent. Un regard qui en disait long sur leur vieille amitié. Plus que cela : sur la confiance qu'ils se témoignaient. À la vie, à la mort.

– Nous sommes un petit nombre, commença Caton, plus qu'un petit nombre, à être prêts à se rencontrer pour examiner cette question.

– Quelle question ?

– Celle d'un *changement.*

Un changement ? Maddy écoutait le mot murmuré à son oreille. Un mot lourd de sens. Dangereux.

– Vous parlez d'écarter Caligula, c'est ça ? demanda-t-elle.

Macron jura entre ses dents et s'avança d'un pas.

– Stupide que tu es ! siffla-t-il. On ne parle pas de ce genre de chose à voix haute !

Bob fit un pas vers Macron, avec l'intention de la protéger.

– Ça va aller, Bob. Il a raison. Désolée, dit-elle aux deux Romains, c'était imprudent de ma part.

– Très, souligna Caton.

La flamme de la chandelle, posée sur le sol entre eux, se mit à crépiter et à trembloter.

– Je ferais mieux de vous le dire : vous êtes tous en danger désormais, poursuivit-il. Les *collegia* sauront où vous habitez et ils viendront bien plus nombreux. Vous comprenez… il s'agit d'une question de réputation. La réputation, c'est absolument tout, pour eux. Et, ajouta-t-il en se tournant vers Bob, ils voudront en particulier que ta tête soit hissée au bout d'une pique, pour servir d'avertissement à tout un chacun.

– Alors, ils échoueront, répliqua Bob sur un ton détaché.

Macron eut un grognement approbateur et sourit.

– Il me plaît, lui.

– Combattre une dizaine de voyous est une chose. Mais ils

réuniront autant d'hommes qu'il faudra pour te tuer. Ou alors ils se serviront d'un de tes amis pour l'exemple.

Liam se tourna vers les autres.

– Euh… je n'aimerais autant pas, marmonna-t-il en anglais.

– Quoi ? demanda Sal. Maddy ? Qu'est-ce qu'ils te racontent ? Maddy l'ignora.

– Quelle est votre proposition ?

– Partez, venez avec moi dans un lieu sûr et loin d'ici… où nous pourrons parler plus tranquillement.

– Parler de quoi ?

– D'un arrangement, répondit Caton, en lançant un coup d'œil à Macron.

– Un arrangement ? gronda Bob. Veuillez clarifier.

– Pour de l'argent. Beaucoup, si vous réussissez.

– Je n'ai pas besoin d'argent, rétorqua Bob. Je…

– Mais si, le coupa Maddy. Nous venons avec vous.

Caton leva un sourcil en les regardant, elle puis Bob.

– Suis-je en train de parler au cheval ou au char ?

Bob pencha la tête de côté, perplexe.

– Cette jeune femme a-t-elle l'habitude de prendre toutes les décisions pour toi ?

– Affirmatif. Ainsi que les deux autres jeunes gens.

– Tu es leur esclave, alors ?

– Négatif. Je suis leur unité de soutien.

– Écoutez, nous venons avec vous, répéta Maddy, mais ce qu'on cherche, nous, ce sont des informations, pas de l'argent.

– Vous ne voulez pas d'argent ! s'exclama Macron. Ces gens sont vraiment étranges.

Caton approuva d'un hochement de tête.

– Des informations sur quoi ?

– Sur une chose qui s'est produite il y a environ dix-sept ans. Ici même, à Rome.

Macron et Caton se concertèrent une fois de plus du regard.

– Ils doivent parler des Visiteurs.

– Des visiteurs ! Oui, c'est ça, s'écria Maddy. On a besoin de connaître tout ce que vous savez sur eux.

Le tribun lâcha un rire sec.

– À Rome circulent toutes sortes de rumeurs et d'histoires à propos de ce jour-là. Et chaque histoire est différente. La plupart de celles que je préfère sont les inepties superstitieuses colportées par les disciples de Caligula.

– Des histoires pour les enfants et les naïfs, compléta Macron.

– Quelqu'un est arrivé ici il y a dix-sept ans, déclara Maddy. Quelqu'un qui n'était pas de ce monde.

Caton la dévisagea.

– Et qu'est-ce qui te rend si sûre de cela ?

– Il s'est bien passé quelque chose, non ? Quelque chose qu'on ne peut pas expliquer et que Caligula a fait le choix d'utiliser pour faire croire qu'il était un dieu.

Une autre question survint dans son esprit.

– Durant cette période, reprit-elle, est-ce qu'il a brusquement acquis des… *pouvoirs* ? Des dons particuliers ? Un genre de dispositif ou d'outil ? Une arme ? Est-ce qu'il y a une raison qui expliquerait pourquoi il a tenu aussi longtemps ?

Les deux hommes gardaient les lèvres closes. Il fallait plus de précautions pour aborder de tels sujets.

– Pourquoi personne ne l'a remplacé ? Ou essayé de l'assassiner ?

Dans le noir, Sal serra les mains, signe qu'elle avait repéré quelque chose. Maddy l'avait remarqué aussi : un regard furtif des deux Romains en direction de Bob.

Une unité de soutien.

– Vous avez vu quelqu'un comme lui ? les encouragea Maddy. Comme Bob ? C'est bien ça ?

– Non, répondit Caton, avant d'ajouter, ils n'ont pas la même apparence… Mais si le récit de mon ami Macron sur la bataille de cet après-midi n'est pas une exagération…

– Je l'ai vu mortellement blessé, Caton. Au flanc, dit Macron en s'approchant de Bob. Là… tu vois le sang sur sa tunique !

Bob se tourna pour cacher la tache de sang.

– Pourquoi ne pas leur montrer ? l'invita Liam. Montre-leur !

– Ouais, bonne idée… Bob, fais-leur voir. Relève ta tunique.

Il souleva lentement l'ourlet, révélant le haut de sa culotte, le relief des muscles ventraux, et enfin la chair de sa blessure, telles des lèvres tuméfiées, à vif, rouge, et ourlée de croûtes de sang séché. Il se retourna lentement pour exhiber son dos et l'endroit d'où était sorti le projectile.

– Cet homme devrait être mort, conclut Macron. Ça l'a traversé entièrement. Il devrait être mort.

Caton fit un signe d'approbation.

– Il est l'un d'entre eux.

– Eux ? souligna Maddy d'un air interrogatif. Vous avez bien dit « eux » ?

Caton garda prudemment les yeux rivés sur Bob.

– Vous en avez vu d'autres comme lui ?

Elle s'adressait à chacun des deux hommes.

– Comme Bob ? insista-t-elle.

– Oui, avoua Caton. Nous les appelons les *hommes de pierre*. Ils gardent Caligula de jour comme de nuit.

CHAPITRE 42
54 APR. J.-C., ROME

– Par tous les dieux, qui sont ces gens ?

Liam n'eut pas l'impression qu'ils étaient tout à fait les bienvenus. L'homme était petit et mince. Il ne portait rien d'autre qu'une serviette autour de la taille. La peau parcheminée du vieil homme qu'il était pendait de son cou, et se plissait en bandes molles par-dessus ses genoux noueux.

– Crassus, ils ne sont pas en sécurité là où ils sont installés ! expliqua Caton, qui les escortait dans l'atrium du sénateur.

– Et alors ? Ce n'est pas un refuge pour les orphelins et les vagabonds, ici !

– Ils pourraient nous être utiles, Crassus, en particulier celui-là, ajouta-t-il en désignant Bob.

– Dieux tout-puissants… murmura Crassus, en examinant l'unité de soutien de pied en cap. C'est un géant !

– Et il est rapide. Très rapide, compléta Macron.

Le vieux sénateur apprécia d'un signe de tête.

– Mais à cette heure ! Rien n'échappe à Caligula ! Et vous venez chez moi, en pleine nuit ! Vous cherchez à attirer l'attention ou quoi ? s'écria Crassus, légèrement essoufflé. De plus, ne voyez-vous point qu'on me lave ? Peu importe de quoi il retourne, cela peut attendre, me semble-t-il.

– Nous devons t'entretenir d'un sujet important, Crassus, dit Caton d'un ton qui ne permettait pas d'en douter.

– Très bien, fit Crassus.

Il esquissa un geste de la main à l'intention de la jeune esclave qui enduisait d'huile ses jambes et ses pieds.

– Laisse-nous, Tosca, sourit-il. Je finirai moi-même, merci.

Il attendit que son esclave soit partie et que l'atrium ne soit plus occupé que par lui-même et ses visiteurs inattendus. Il sortit de la baignoire et marcha à petits pas mouillés sur le sol en granit jusqu'à un siège.

– Caton… commença-t-il avec méfiance, observant Bob et les autres. S'il s'agit du genre de « sujet » dont on doit parler dans un coin sombre, je propose que nous…

– Ce grand costaud, coupa Caton en montrant Bob, est un homme de pierre.

– Oh, je t'en prie.

– Je t'assure, certifia Macron. Je l'ai vu se battre de mes propres yeux. Il a reçu un coup de glaive qui aurait tué n'importe qui. Pourquoi ne pas lui montrer ? lança-t-il à Bob.

Bob interrogea Liam du regard.

– Vas-y, marmonna Liam.

Bob souleva sa tunique et révéla la ligne de quinze centimètres de chair tuméfiée qui barrait sa cage thoracique.

– Et c'est ressorti par le dos, commenta Macron. J'ai vu plusieurs fois ce genre de blessure. Si elle ne vous tue pas sur-le-champ, elle vous achève en quelques heures.

Crassus s'approcha de Bob en traînant les pieds, une main maintenant la serviette autour de sa taille par décence, l'autre parcourant légèrement, du bout des doigts, la couture de la chair ressoudée.

– Ce doit être une blessure ancienne.

– C'est arrivé tout à l'heure, dans l'après-midi, répondit Caton.

– Il a vaincu une dizaine de gros bras du *collegium* de Varelius comme si c'étaient des enfants.

Crassus examina le bourrelet de chair, puis releva la tête pour observer Bob.

– Ce monstre parle-t-il ?

Les yeux gris de Bob s'abaissèrent pour le regarder.

– Bien sûr.

Sa grosse voix fit vibrer un vase tout près, le faisant tinter comme un diapason.

– Es… Es-tu un homme de pierre ?

Une fois de plus, Bob consulta silencieusement Liam, puis Maddy.

– Réponds, dit Maddy, dis-leur ce que tu es.

– Je suis une unité de soutien, une forme vivante génétiquement fabriquée dotée d'une intelligence artificielle avancée et d'une faculté d'adaptation. Je suis capable de délivrer un rapport résistance-poids de sept cents pour cent.

– Je ne comprends pas un traître mot de ce que tu dis, fit Crassus.

– Ce qui veut dire, l'éclaira Liam, qu'il est sept fois plus fort que n'importe quel homme.

Crassus, les yeux déjà écarquillés, trouva le moyen de les ouvrir encore plus.

– Je dispose de systèmes de limitation de dégâts et de guérison avancés. Mon sang possède un agent épaississant lorsqu'il est exposé à l'air. Une haute concentration de globules rouges, riches en oxygè…

– Ce qui signifie qu'il est presque impossible de le tuer, traduisit Liam.

La mâchoire de Crassus s'ouvrit soudain dans une expression d'horreur.

– Vous m'avez rapporté de chez Caligula un de ses…

– Non ! Ce n'est pas un des gardes du palais ! interrompit Caton. C'est un étranger. Ces gens sont nouveaux à Rome, ils viennent juste d'arriver.

– Arrivés ? Mais d'où ? demanda Crassus en rétrécissant ses yeux chassieux.

Caton baissa la voix.

– Tu étais là, Crassus, le jour dont les disciples et les prêtres ont parlé. Tu m'as dit que tu étais présent dans l'amphithéâtre de Statilius Taurus, il y a dix-sept ans. Tu fais partie des rares qui ont vu !

– Oui, je… je suis un de ceux qui ont témoigné, convint-il en observant toujours Bob. Je n'ai jamais été certain de ce que nous avons tous vu. Tu sais, Caton, je ne pense pas qu'ils étaient des dieux, et je ne crois pas non plus aux idées stupides de l'empereur.

– Naturellement, sourit Caton.

– Mais je n'ai pas d'autre explication concernant leur apparition… Je…

– Moi si, Crassus, coupa Caton. Ces personnes sont comme les Visiteurs. Ils viennent du même endroit qu'eux.

Le vieil homme respira avec peine.

– Du même endroit… ?

– Pas le paradis, Crassus, aucun doute là-dessus. Mais un endroit étrange.

Crassus tendit de nouveau la main et examina de près la blessure en train de cicatriser. Le vieil homme leva la tête et inspecta le visage de Bob, l'os protubérant qui ombrait ses yeux, la mâchoire qui avançait, telle la proue d'un navire, les épaisses pommettes qu'on eût dites sculptées dans la pierre.

Les lèvres de Crassus étaient sèches, son vieux regard brilla.

– Et toi ? lança-t-il à Bob. Tu es ton propre guide ? Tu ne sers aucun maître ?

– Je suis les ordres de Liam O'Connor, de Madelaine Carter et de Saleena Vikram, répondit-il. Ils constituent mon équipe.

– Donc, tu… Tu n'es pas l'un des hommes de pierre de Caligula – tu n'es pas l'un d'*eux* ?

– Je ne comprends pas la question. Qui désignez-vous par « eux » ?

Crassus échangea un regard entendu avec Caton. Un silence, un signe d'accord à peine décelable.

– Les Visiteurs.

On leur donna deux *cubicula*, des chambres à coucher confortables, dans l'aile des invités de la maison du sénateur Crassus. La lueur bleutée de l'aube s'infiltrait par les fenêtres grillagées. Rome était encore plongée dans un profond sommeil. Le seul son que l'on percevait était le gazouillement des moineaux, impatients que la journée commence, et l'ébranlement d'une charrette de marchand sur les pavés.

Dans l'obscurité de la nuit qui s'estompait, tous quatre s'assirent sur un lit recouvert de soie et de lin. Plus tôt, Maddy et les autres avaient écouté le vieil homme, Crassus, et le tribun prétorien, Caton, discuter pendant plusieurs heures. Tous deux avaient parlé avec insouciance, et impatience, de leur intention de mettre fin au règne désastreux de Caligula avant qu'il ne soit trop tard.

Ils apprirent que Crassus faisait partie des quelques membres encore en vie de l'ancien sénat. La classe politique de Rome au complet avait été entièrement éradiquée par des années de purge. Il était resté vivant uniquement parce qu'il était un politicien rusé, et intéressé. Parce qu'il avait été l'un des rares sénateurs à comprendre que l'empereur se trouvait dans une position inattaquable et avait manifesté, tout à fait publiquement, son désir de voter en faveur de l'ordre de Caligula selon lequel le sénat devait s'auto-dissoudre.

Ils avaient écouté les regrets du vieil homme. Son regret qu'un homme plus fort, plus moral, ne se soit tenu aux côtés de ses collègues sénateurs pour prendre acte de l'outrage. Au lieu de quoi, son sens politique très affûté avait anticipé le programme de Caligula, et notamment sa tentative plutôt grossière d'identifier quels sénateurs et leurs familles allaient affronter les lions en premier.

« Je ne suis pas courageux, avait-il dit. Je manque de tripes pour ce genre de choses. Le courage, c'est pour les jeunes hommes… ou pour ceux qui vont mourir. »

Marcus Cornelius Crassus avait encore sa vie, sa maison et

sa santé, car, à l'instar d'une poignée d'autres vieillards rusés de son espèce, il avait fait le bon choix, au bon moment. Il avait réussi à prendre rapidement de la distance par rapport à l'attentat stupidement programmé contre la vie de Caligula il y avait près de quinze ans. Car, depuis lors, il avait été préparé à louer les décrets impériaux de Caligula, à flatter l'homme, à endurer ses récitals de poésie, à applaudir avec enthousiasme aux démonstrations – grotesques car inégales – de ses talents de gladiateur. Et, plus important, à faire de généreuses donations à l'empereur.

Crassus était en vie et favorisé parce que les conseils qu'il glissait à Caligula, dans les quelques occasions où l'empereur daignait les consulter, étaient ce qu'il désirait entendre.

« Depuis cette tentative malheureuse, mon espoir est que Caligula se tue. Par accident, ou volontairement lorsqu'il est d'humeur sombre. Mais cette apparition à l'amphithéâtre, qu'elle soit réelle ou non, lui a donné le sens de sa destinée. Au moins dans son esprit. Et maintenant, bien trop tard, je finis par voir que Caligula détruira Rome bien avant de se détruire lui-même. J'espère, ajouta-t-il avec un sourire triste, avoir trouvé en moi, dans mes dernières années, un peu de ce que mon ami Caton possède en abondance. »

Quintus Licinius Caton était autrefois, apprirent-ils, le fils d'un esclave de la Cour. On l'avait affranchi à la condition qu'il rejoigne la légion. Il avait servi dans la IIᵉ légion, postée à la frontière du Rhin. Là, il avait combattu aux côtés de Macron pendant de longues années, protégeant la rive gauche du fleuve. C'était la ligne rouge romaine, à peine suffisante, qui combattait pour refouler les hordes venues de l'est et qui sentaient, collectivement, telle une meute de chiens affamés, que sous Caligula Rome était sur le point de s'effondrer.

Malgré des débuts peu prometteurs, Caton s'était distingué plusieurs fois durant les combats. Il était compétent et vif d'esprit. Maddy sentit que Macron considérait son vieux camarade avec une fierté toute paternelle. Ils avaient ennuyé Crassus au point qu'il était allé se coucher, avec leurs histoires paillardes de la IIe légion ; des histoires d'actions héroïques et de missions audacieuses de contre-insurrection qui semblaient captiver Liam.

Macron, lui, leur avait raconté que son jeune ami Caton n'avait que seize ans lorsqu'il avait rejoint la légion. Un esclave de la Cour bichonné, raffiné, à la peau pâle, fin comme un lévrier, peu disposé à supporter les rigueurs et les privations de la vie dans l'armée.

« Je peux vous dire que, lorsque j'ai vu Caton la première fois, je ne pensais pas grand bien de lui. On eût dit qu'un simple pet aurait pu l'emporter. »

Liam avait ri tandis que Macron poursuivait son récit :

« Mais j'ai assisté à la transformation de ce gamin, et il est devenu un bon soldat… puis un bon officier. »

Ils apprirent que, dix ans plus tôt, Macron s'était retiré de la IIe légion et qu'il avait acheté avec sa pension l'immeuble miteux du Subure, pour faire un investissement. Pendant ce temps, Caton avait été recruté par le *praefectus* commandant de la garde prétorienne, toujours à la recherche d'officiers de talent.

Pour finir, avec les ronflements de Macron en bruit de fond dans l'atrium – il cuvait le vin de Crassus –, Caton leur souhaita bonne nuit et leur conseilla d'aller se reposer. Lui et Crassus voulaient leur présenter d'autres personnes le lendemain. Un esclave les avait conduits à leurs chambres.

– Les hommes de pierre sont des clones, dit Maddy. C'est clair.

– Et ce Caligula en a une dizaine en guise de garde rapprochée, ajouta Liam.

– Mais… pourquoi protégeraient-ils Caligula ? demanda Maddy. Ce que je veux dire, c'est qu'ils ne feraient ça que s'ils avaient été programmés pour le faire.

– Affirmatif.

Sal fit une grimace qui hésitait entre incrédulité et amusement.

– Tu es en train de dire que Caligula a piraté le code et qu'il les a reprogrammés ?

– Non, bien sûr que non ! Mais…

– Peut-être… Je ne sais pas, mais peut-être que ce Caligula *n'est pas* Caligula, en fait, risqua Liam.

Les trois autres le toisèrent comme s'il venait de lâcher un rot. Il rendit à chacun son regard et haussa les épaules.

– Ben quoi ? Qu'est-ce que vous avez tous à me regarder comme ça ?

CHAPITRE 43

Caligula n'avait jamais pu dormir durant les mois d'été, à cause de la chaleur, même lorsqu'il était enfant. Il se souvint des inconfortables nuits estivales dans les quartiers de son père. Il entendait les bruits du camp militaire à travers la toile de sa tente, pendant les différentes campagnes que menait la légion. Il eut un sourire nostalgique : il avait passé la moitié de son enfance dans d'innombrables camps. Quelle créature différente il était alors ! Un simple petit garçon fasciné, comme tout petit garçon l'aurait été, par les soldats qui le surplombaient, leurs armures, leurs glaives. Dans la tente de son père Germanicus, il rejouait les batailles que celui-ci avait livrées avec une armée de petits soldats de bois... taillés par ces mêmes hommes. Ils l'aimaient. Il était la mascotte de la légion, « Petite Sandale ».

Il observait Rome, tranquille et plongée dans l'obscurité.

Je suis quelqu'un d'autre, à présent, je ne suis plus ce petit garçon.

La ville autrefois, il y a longtemps, lui paraissait si vaste : le centre du monde civilisé. Maintenant, il ne voyait plus qu'un enchevêtrement de toits délabrés, et là, traversant la cité, son magnifique escalier pour les cieux, inachevé. C'était la seule belle chose qu'il voyait.

Ses yeux furent attirés par le ciel nocturne, en cette nuit étoilée. Les fantômes de nuages d'un bleu argenté se pourchassaient devant la lune. Ces derniers temps, il passait de plus en plus de temps à contempler le ciel, en particulier les jours couverts. Il se demandait alors s'il parviendrait à intercepter un petit bout du monde céleste, très haut, entre les nuages en forme d'enclume.

Le monde qui m'attend.

Mon royaume.

Il s'écarta de la fenêtre, lassé de scruter la ville dont la vue même le frustrait. Être Dieu… pas juste un dieu, mais être *le* Dieu, le seul et unique, et devoir néanmoins attendre de façon si interminable pour visiter le royaume supérieur.

Je suis Dieu. Donc pourquoi ne puis-je pas simplement souhaiter me trouver là-bas… et y être ?

Caligula n'avait pas de réponse à cette question. Cependant, son baptême divin n'en restait pas moins imminent. Son «ascension au paradis». Alors, quand ce serait fait, bien sûr, tous ses pouvoirs divins lui seraient conférés. Il pourrait simplement émettre des souhaits… qui s'exauceraient.

Et il souhaiterait de bonnes choses, des choses merveilleuses, même. Il ferait pleuvoir sur Rome des richesses et des plaisirs. Il récompenserait ses fidèles adeptes avec des eunuques, des vierges et des fontaines des meilleurs vins. Les récoltes de blé et de maïs seraient abondantes. Plus personne n'aurait faim. Si seulement ces sceptiques plaintifs, là-bas, pouvaient voir ça.

Et il punirait aussi ses ennemis. Leur destin serait fait de tourments infinis, une agonie éternelle. Il ferait le vœu, pour eux, de toutes les épidémies, de la lèpre et d'une horde de démons à face de gargouille qui viendraient tisonner leur peau suintante, avec des pics durcis par les flammes, encore fumants.

Il secoua la tête à l'évocation de la stupidité humaine.

Pourquoi doutent-ils de moi ? Ils sont venus à moi. Tout droit du paradis… pour me parler.

Les sceptiques étaient aveugles. Aveugles à l'éclatante vérité. C'est pourquoi il décida que ces imbéciles qui avaient attenté à sa vie il y avait tant d'années n'auraient plus besoin de leurs yeux. Combien étaient-ils ? Cinq cents ? Six cents ? Pour être honnête, il était désormais certain qu'un bon nombre d'entre eux ignoraient tout du complot visant à l'assassiner. Mais être la femme ou même l'enfant d'un conspirateur équivalait, d'une certaine manière, à une forme de complicité.

Il s'était retrouvé avec plus d'un millier d'yeux sanguinolents fixés sur lui depuis le monticule qu'ils constituaient sur son sol marbré. Quant à leurs corps massacrés, ils recouvraient les jardins du palais.

Les pieds nus de Caligula l'avaient porté sans qu'il s'en rende compte hors de sa chambre, dans l'atrium. Là, le garde était l'un des rares en qui il put avoir entièrement confiance.

– C'est une bien chaude nuit, n'est-ce pas… Stern ?

Stern. Quel nom à la consonance étrange. Caligula avait essayé de rebaptiser ses gardes, mais il ne répondait qu'au nom avec lequel ils étaient venus.

– Affirmatif. Un degré centigrade de plus que la nuit dernière.

Caligula sourit, en approuvant d'un signe de tête. Certaines des choses que disaient Stern et les autres le perturbaient. Ils employaient des mots qu'il ne comprenait pas très bien. Il était sûr qu'il comprendrait ces mots, l'étrange langage dont il avait entendu Stern et ses autres gardes se servir de temps à autre, quand il deviendrait *tout à fait* Dieu.

Dans pas si longtemps, maintenant.

– Veux-tu faire quelques pas avec moi ?

Caligula admirait les contours sculptés de Stern, l'armure fascinante, couleur olive, que lui et ses hommes portaient, si légère et pourtant si solide. Et leurs casques, si inhabituels.

– Affirmatif, dit Stern.

Son latin était impeccable, malgré un accent étranger très prononcé et indéfinissable.

Les pas agités de Caligula le firent traverser l'atrium jusqu'au corridor principal. Le son mat des bottes de Stern et le léger

cliquetis de son armure qui résonnait dans le silence le suivaient consciencieusement.

– T'arrive-t-il de rêver, Stern ?

– Négatif.

– N'as-tu point de souhaits ? De fantasmes ? De désirs ?

– Négatif. Je dispose de paramètres de mission qui doivent
être remplis. Voilà tout.

Caligula se tourna vers lui et lui sourit avec curiosité.

– Toi et tes hommes êtes une telle énigme à mes yeux, Stern.
Vous ne ressemblez à personne. Vous ne possédez pas les
faiblesses des autres hommes, des autres soldats. Je ne vous ai
jamais vus dormir, dit-il en riant, ni vous enivrer.

– Ce n'est pas un besoin.

Il ne les avait jamais vus dormir à proprement parler, mais
Stern et ses hommes plongeaient par moments dans une sorte
de transe, une méditation. Il avait plus d'une fois glissé un
regard dans les quartiers du palais qu'il leur avait alloués au fil
des années et les avait vus, tous les douze, assis droits comme
des I sur leurs lits de camps, les yeux fixés dans le vide, immobiles et dans un silence total. Rien à voir avec les logements
des soldats qu'il se souvenait avoir connus dans son enfance :
l'odeur âcre de la sueur, du vin bon marché, le tapage des
hommes au repos, le claquement des dés sur la table, les éclats
de voix qui maudissaient la malchance, les échanges de jurons
grossiers et d'histoires vulgaires.

Il appliqua une main affectueuse sur la nuque solide de
Stern.

– Si seulement tous les hommes étaient comme vous.
Dévoués, loyaux.

Le regard gris de Stern se posa sur lui. Il ne dit rien.

– Mais vous n'êtes pas vraiment des hommes, n'est-ce pas ?

– Correct.

Stern lui avait expliqué précisément en diverses occasions ce
qu'ils étaient, lui et ses semblables, employant une nouvelle fois

240

des mots qu'il ne pouvait pas même commencer à comprendre, mais qu'il était certain de décrypter un jour prochain. Le langage des anges était tellement énigmatique.

– Tu es comme moi, confia Caligula. Tu n'es pas de ce monde… ce monde si ordinaire et si ennuyeux. Mais tu viens d'un endroit bien plus grand, un endroit magnifique, *l'au-delà*.

– Affirmatif. Nous ne venons pas de cette époque.

Il pressa les doigts sur la nuque de Stern pour sentir sa puissance. Stern et les autres étaient incroyablement musclés pour leur taille, et remarquablement agiles. Ils faisaient de superbes gladiateurs.

En fait, même, des gladiateurs tout simplement parfaits. Aucun des gladiateurs dans les différents jeux, les *ludi* commerciaux basés autour de Rome, n'étaient jamais parvenus à vaincre les hommes de Stern. Une fois, juste une fois, l'un des meilleurs combattants, du *ludus* de Capua – un mirmillon – avait réussi à trancher l'avant-bras de l'un d'eux. Avec une seule main valide, celui-ci avait été néanmoins capable de vaincre le gladiateur. Il avait écrasé le cou de son adversaire, bien que celui-ci ne cessât de le frapper de son glaive. Il s'agissait d'une démonstration publique qu'il mettait en place de temps en temps pour le peuple : un combat libre. Un entraînement. Et un rappel à l'ordre pour ceux qui auraient eu quelque idée derrière la tête, que ses gardes – les *viri lapidei*, les hommes de pierre – étaient absolument invincibles.

Le mirmillon en question, bien sûr, était mort.

L'homme de Stern manchot avait guéri en quelques jours.

Ils s'étaient arrêtés à mi-chemin du long corridor, éclairé par les flammes tremblantes et crépitantes de plusieurs lampes à huile. Sur leur gauche, un lourd rideau de velours remuait imperceptiblement. Caligula le tira sur le côté pour révéler un étroit passage qui se terminait par deux battants en chêne barrés par une poutre. Deux autres de ses hommes de pierre se tenaient au garde-à-vous de chaque côté.

– Je crois que je vais aller consulter l'oracle.

Stern approuva d'un signe de tête.

Les pieds nus de Caligula tapotaient légèrement le sol lisse. Devant lui, les deux gardes le regardaient approcher de leurs yeux impassibles. Ils firent glisser la barre sur un côté et poussèrent les lourds battants qui, lentement, s'ouvrirent sur une salle plongée dans une obscurité totale. Caligula s'empara d'une bougie de suif et l'alluma avec l'une des torches.

Il n'avait pas besoin de dire aux gardes de ne pas le suivre à l'intérieur. Ils savaient que cet antre sombre était réservé au seul Caligula. Stern et ses hommes n'avaient pas le droit d'y entrer. Ils savaient aussi refermer les portes derrière l'empereur une fois qu'il avait pénétré à l'intérieur et ne pas les rouvrir avant de l'entendre frapper quelques coups secs.

Les gros gonds craquèrent sous le poids du bois massif et Caligula se retrouva dans l'obscurité. Sa chandelle formait une petite nappe de lumière sur les mosaïques qui recouvraient le sol.

– Es-tu éveillé ?

Sa voix se répercuta à travers la grande salle. Il fit un pas dans l'obscurité. Il était là, devant lui. La bougie ne tarderait pas à le faire émerger de l'ombre.

– Je n'arrive pas à me rendormir, fit la voix de Caligula qui résonna dans la pièce vide. Et toi ? Hmm ?

Sa bougie éclaira le devant d'une grande boîte en bois qui trônait au milieu de la pièce. Une boîte qui, comme les portes, était faite d'un épais bois de chêne, renforcé par des équerres métalliques. Il en sentait l'odeur d'ici. Une odeur affreuse. Pas différente de la pestilence des rues encombrées de Subure.

– Es-tu éveillé ? répéta-t-il.

Il perçut un frottement dans la boîte. Une agitation comme celle d'un tigre en cage.

CHAPITRE 44
54 APR. J.-C., ROME

Il fallut plusieurs jours à Crassus et à Caton pour réunir les conspirateurs. Crassus prit soin de s'assurer que deux autres ex-sénateurs se joignent discrètement à eux ; Cicéron et Paulus, deux aînés comme Crassus, étaient en vie car eux aussi étaient des politiciens rusés, et parce qu'ils s'étaient retirés au bon moment de l'attentat raté contre Caligula.

Caton amena avec lui Fronton, un centurion de sa cohorte – la garde du palais – en qui il plaçait sa confiance, un homme musclé d'une trentaine d'années à peine avec une cicatrice le long de la joue gauche, et dénué de dents de ce côté. Un autre conspirateur, Atellus, était un tribun comme Caton, mais de la Xe légion. Comme Caton, il avait une trentaine avancée, il était musclé mais mince, était officier de carrière et son visage était totalement inexpressif.

Et bien sûr, le vieil ami fidèle de Caton, le centurion en chef à la retraite Macron. Juste sept hommes prêts à envisager l'assassinat d'un dirigeant qui précipitait Rome – seul foyer de civilisation dans un monde de ténèbres et de sauvagerie à leurs yeux – au bord du gouffre.

– Te représentes-tu comme il est dangereux pour nous de nous trouver simplement dans la même pièce ? dit Cicéron.

Il parlait de lui-même, de Paulus et de Crassus. Les espions de Caligula gardaient constamment un œil rivé sur les allées et venues de ces quelques politiciens encore en vie.

– Et tu nous réunis ici... avec ces parfaits étrangers ! Ils pourraient être...

– Ce ne sont pas des espions, Cicéron. J'en suis absolument certain, répliqua Crassus. Ils ne se feraient pas autant remarquer. C'est pourquoi ils sont ici mes invités, à l'abri des regards indiscrets et des langues frétillantes.

Les rumeurs avaient l'habitude de courir par les rues étroites et les immeubles des quartiers les plus pauvres de Rome, des rumeurs qui pouvaient tout aussi rapidement atteindre les oreilles de l'empereur. Macron avait fait vite pour réduire à néant les histoires que les locataires colportaient sur « l'invincible surhomme qui avait anéanti tout un *collegium* en quelques secondes ». Ils avaient tous vu Bob recevoir une blessure mortelle et se comporter comme s'il s'était agi d'une simple égratignure. Il avait répandu le bruit, parmi ses locataires, que, fâcheusement, le costaud avait succombé à ses blessures durant la nuit, qu'il n'était malheureusement pas l'invincible champion des pauvres et des apeurés, juste un bon combattant qui avait procuré aux spectateurs, l'espace d'un instant, une rare lueur d'espoir et de réconfort.

Cicéron, les regardant tour à tour, finit par hocher la tête d'un air entendu.

– En effet, ils ont vraiment l'air très étranges.

– Qu'est-ce qu'il a dit ? demanda Sal, tout bas.

Maddy balaya sa question d'un revers de main.

– Nous ne sommes pas de Rome.

Elle s'habituait à la technique qui consistait à murmurer pour elle-même ce qu'elle voulait dire, puis à répéter tout haut le latin qui lui était susurré dans l'oreille.

– Nous venons d'ailleurs, de très loin.

– De Bretagne, c'est ce que vous nous avez dit, je crois.

– D'Amérique, en fait.

Les conspirateurs échangèrent des regards. Sal reconnut le mot au milieu du latin.

– Tu es en train de leur dire que...

– « L'Amérique », dis-tu ? Je n'ai jamais entendu parler de

cet endroit, souligna Caton. S'agit-il d'une province de Bretagne ?

Liam adressa à Maddy un sourire espiègle.

– Pas exactement, dit-elle en souriant elle aussi.

Personne n'en entendra plus parler pendant les mille quatre cents ans à venir !

Atellus examinait Bob avec attention.

– Caton, tu dis que cet homme est… est comme les hommes de pierre de Caligula ?

– Il n'est pas l'un d'eux… mais il est de la même espèce.

– Les hommes de pierre sont particulièrement intéressants pour nous, intervint Maddy.

– Certains hommes de la cohorte du palais pensent qu'ils sont des esprits malins, marmonna Fronton. Je n'aime pas être trop près d'eux.

Caton jeta un rapide coup d'œil à Maddy.

– Quel intérêt vous inspirent-ils ?

Elle interrogea Liam du regard.

Que pouvaient-ils leur dire ? Dans quelles limites ?

– Nous pensons qu'ils arrivent du même endroit que nous et qu'ils sont les vestiges d'un groupe plus important qui est venu ici.

– Tu parles des Visiteurs ? demanda Paulus.

Maddy hocha la tête.

– Nous avons entendu tellement de versions différentes de ce qui s'est passé, ce jour-là.

– J'étais aussi présent, dit Paulus. J'ai témoigné.

– Pouvez-vous nous raconter ce que vous avez vu ?

– C'était il y a bien longtemps. J'ai vu des choses que je ne comprenais pas, répondit-il en fermant ses yeux chassieux. Depuis ce jour, je n'ai cessé de me demander ce que nous avions vraiment vu. Parfois, il m'arrive presque de croire qu'il s'agissait d'un moment de folie collective, ou même que tout cela était dû aux effets d'un mauvais vin !

– Dites-moi ce que vous avez vu, insista Maddy.

– Ils étaient peut-être des centaines. À mes yeux, d'après mes souvenirs, ils ressemblaient à des gens ordinaires, des hommes et des femmes. Les hommes de pierre semblaient être leurs soldats, leurs protecteurs.

– Des unités de soutien, murmura Liam en anglais.

Maddy en convint d'un signe de tête.

– L'un d'eux s'est adressé à la foule dans l'arène. Il parlait d'une voix vraiment trop forte pour être humaine.

– Vous vous rappelez de ce qu'il a dit ?

– Je me souviens de petites parties, mais je me demande à quel point mes souvenirs ne sont pas une fiction que mon vieil esprit a inventée.

– S'il vous plaît, essayez de nous dire ce dont vous vous souvenez.

Les yeux de Paulus s'embuèrent tandis qu'il cherchait à exhumer et à faire revivre ses souvenirs.

– Il parlait d'apporter des nouvelles… il disait que nos dieux n'étaient qu'une mauvaise plaisanterie, un mensonge. Je me souviens de ça. Il a dit qu'il n'y avait qu'un seul dieu. Cela, j'en suis sûr.

– Il a parlé des chrétiens ?

Paulus fronça les sourcils.

– Non, je ne pense pas. Le Visiteur, reprit-il, a annoncé qu'ils étaient là pour nous guider… pour… nous aiguiller vers un meilleur mode de vie.

Le vieil homme secoua la tête, frustré de ses souvenirs brumeux.

– Ses mots ne faisaient pas grand sens pour nous. Des mots… j'essaie de m'en souvenir mais… dit Paulus, les yeux contemplant ses mains posées sur ses genoux. Des mots étranges… comme celui que tu as prononcé tout à l'heure.

– Lequel ? demanda Maddy.

– Le nom de l'endroit d'où tu dis venir.

– L'Amérique?

Paulus répéta le mot en silence. Il se le chuchota plusieurs fois et finit par en convenir.

– C'est bien ce mot, je crois. La voix… il nous a dit qu'ils étaient venus pour nous montrer le «*a-me-ri-can-way-of-life*».

Sal, qui écoutait sans les avantages d'un babel, comprit l'expression dans l'échange en latin.

– Il vient de parler de l'*American way of life*?

– Des Américains sont venus ici. La vache! s'exclama Maddy en s'adressant à Liam et Sal.

– Des Américains? fit Sal en restant ensuite la bouche grande ouverte. *Shadd-yah!* Vous vous souvenez de cet homme? Cartwright?

Cartwright. Maddy se souvenait trop bien de lui; un vrai personnage de la série *X-Files*, avec son costume noir. Il avait débarqué à l'improviste, en frappant au rideau métallique de l'arche. Lui et son agence top-secret, une agence apparemment si secrète que même le Président n'en avait pas connaissance. Une agence qui avait surgi de nulle part suite à la découverte d'un simple morceau de silex. Une petite miette de rien du tout que Liam avait enterrée à la préhistoire et qui avait fait venir des hommes en costume et lunettes noires, et un hélicoptère qui tournoyait au-dessus d'eux.

– C'est possible, Sal. Ce qui se passe, c'est qu'on n'a pas la moindre idée de qui d'autre dans le futur détient une machine de déplacement spatiotemporel. C'est…

– De quoi parlez-vous, vous deux? s'enquit Crassus.

Maddy écouta la traduction.

– Désolée. Nous discutions de ce que votre ami vient de dire, du message du Visiteur. Donc, que s'est-il passé ensuite? demanda-t-elle à Paulus.

– Caligula est descendu dans l'arène. Il s'est approché d'eux. Nous craignions tous pour nos vies, c'était la panique. Mais Caligula, je m'en souviens très bien… il était calme, comme s'il s'était toujours attendu à ce qu'une telle chose arrive. Il leur a parlé. Puis il a pénétré dans un de leurs chars géants et il est monté dans les airs...

Crassus haleta de colère.

– Il existe tellement de récits différents. Un troupeau de chevaux blancs serait soudain apparu sous le char et l'aurait soulevé. Les fantômes de tous ceux qui étaient morts dans l'arène auraient surgi de la terre et...

– J'ai entendu dire que c'était un flot de naïades qui l'avait soulevé, dit Fronton. De belles sirènes aux longs cheveux d'argent avec d'énormes...

Caton fronça les sourcils en entendant le fantasme vulgaire du soldat et le coupa.

– Silence.

– Des propulseurs anti-gravité, gronda la voix calme de Bob.

Maddy hocha la tête. Il avait dû s'agir de nuages de poussière et de débris projetés au décollage. Elle adressa un sourire d'encouragement au vieux sénateur.

– Je vous en prie... continuez.

– L'empereur a été ramené dans son palais du mont Palatin, reprit Paulus. Et le jour suivant il a annoncé sur le forum qu'il allait devenir un dieu, que les Visiteurs étaient venus le lui annoncer et qu'il devait dès lors consacrer chaque instant à se préparer pour ce rôle, qu'un jour il monterait au paradis et régnerait sur Rome... et le reste du monde.

– La folie de Caligula a empiré. Il avait désormais un but, commenta Cicéron. Les purges, les crucifixions en masse, sa nouvelle pseudo-religion. C'est là que tout a commencé.

– Et les Visiteurs, les chars? demanda Liam. Que sont-ils devenus?

– Certains racontent qu'ils les ont revus une ou deux fois après ça, dit Crassus. Je parle des Visiteurs. Caligula leur montrait la ville.

– Et les chars? insista Liam.

– On ne les a plus jamais revus, dit Paulus. Je me suis parfois demandé si je n'avais pas en réalité assisté à quelque illusion mise en œuvre par Caligula. Un char transporté dans l'arène par un dispositif dissimulé.

Il y eut un moment de silence. L'atrium s'emplit des bruits émis par les esclaves de la maison qui préparaient le repas dans la cour.

– Mais les hommes de pierre, eux, sont bel et bien réels, souligna Caton. Et dangereux. Caligula s'est assuré d'en faire une démonstration publique. La question que nous devons poser est : pensez-vous que votre homme de pierre pourrait l'emporter sur les gardes de Caligula ?

– C'est possible, admit Maddy.

– Même si c'est juste pour les distraire un moment, c'est tout, continua Caton. Un moment où je me trouverais suffisamment près de lui et qui me donnerait le temps de le frapper. Il ne m'en faut pas plus.

– C'est possible, répéta-t-elle. Mais en échange, nous avons besoin de votre aide.

– Continue, l'invita à poursuivre Crassus.

– Ces chars… on doit les trouver. Sont-ils toujours à Rome, quelque part ?

– Rien d'autre que les hommes de pierre, provenant de ce jour-là, n'a été revu.

– Cependant… coupa Caton, il y a des endroits du palais dont Caligula n'autorise l'accès à absolument personne.

Les autres le considérèrent avec attention. Maddy eut l'impression qu'ils l'apprenaient en même temps qu'elle.

– Il m'a donné des ordres très spécifiques concernant le déploiement de la garde du palais. Et il y a des endroits où il est le seul à se rendre.

– Des endroits assez spacieux pour y cacher ces chars ?

– L'enceinte du palais est vaste. Mais dans le palais lui-même… oui. J'ai aperçu une porte renforcée gardée par un homme de pierre. Il est probable que vous y trouviez quelque chose.

– Très bien, dit Maddy. On peut peut-être s'entraider.

Caton consulta Crassus et les autres du regard. Il obtint l'acquiescement silencieux de tous.

Sal lui tapota doucement le bras.

– Ça ne serait pas trop te demander de me raconter sur quoi on vient de se mettre d'accord ?

CHAPITRE 45

54 APR. J.-C., ROME

Les deux sénateurs partirent pour leur maison de ville, dans le quartier grec, tandis qu'Atellus s'en allait rejoindre sa légion postée en dehors de la cité.

Maddy et Liam s'assirent avec Caton dans l'ombre d'un portique, observant Macron et Fronton qui s'exerçaient avec Bob dans la cour avec des glaives d'entraînement. Crassus rit de bon cœur et Sal se fit un plaisir de siffler les vaines tentatives du centurion et de l'ex-centurion de marquer un point en touchant le torse de Bob.

– Votre homme de pierre est très rapide, commenta Caton.

– Très, convint Maddy.

– Il m'a sauvé la vie plusieurs fois, ajouta Liam. Il est une armée à lui tout seul, pour sûr.

– Dites-moi, dit Caton en se penchant plus près d'eux. Quelle est cette langue que vous utilisez quand vous parlez tout bas?

– Vous voulez dire quand nous chuchotons pour nous-mêmes?

– Oui.

Maddy éclata de rire.

– Vous devez nous trouver complètement fous, à parler tout seuls, comme ça.

– C'est une chose très étrange que vous faites là, s'excusa Caton.

– On lui montre? dit Liam, une main sur son oreille.

– Autant le faire, oui, dit Maddy.

Il retira son babel et le tendit à Caton.

– Tu ferais mieux de lui expliquer comment ça marche, dit Liam.

– Ce petit appareil traduit notre langue, qui s'appelle l'anglais, en latin.

Caton tourna et retourna le petit appareil couleur chair entre ses doigts.

– Cette chose vous dit vraiment des mots ?

– Oui, dans l'oreille. Elle entend ce qu'on prononce tout bas en anglais et nous donne la phrase latine correspondante.

– Tu veux dire que… que cet appareil comprend la signification de ce qu'on lui raconte ? demanda Caton en fronçant les sourcils.

– Oui. Il y a une chose qu'on appelle un ordinateur à l'intérieur. C'est un peu comme un cerveau, je dirais, un cerveau artificiel. C'est une chose qui a été fabriquée.

Les yeux de Caton s'agrandirent.

– Si votre province possède de tels objets… comment se fait-il que personne n'y soit jamais allé, jusque-là ? Et comment est-ce possible qu'aucun Romain n'en ait jamais entendu parler ?

Caton rendit le babel à Liam, qui le remit délicatement en place.

– Parce qu'elle est trop loin pour que quiconque puisse la trouver – même un Romain.

La voix se remit à murmurer dans l'oreille de Liam.

– Tu lui parles des voyages dans le temps, Maddy ?

– Je ne saurais pas par où commencer, répondit-elle.

– De quoi venez-vous de vous entretenir ? s'interposa Caton.

– Ce n'était rien.

– Je vous suspecte d'éprouver à mon égard de la condescendance, dit-il avec un sourire. Le *brave* soldat romain, hein ?

Elle afficha une mine contrite.

– Il est très difficile pour nous de vous expliquer d'où nous venons, Caton.

– Pourquoi ne pas essayer ?

Elle se rendit compte à quel point il était stupide et faux de partir du principe que les gens venus du passé étaient d'une certaine manière moins intelligents. Le simple fait qu'ils pouvaient ne pas comprendre le concept d'un objet aussi ordinaire qu'un téléphone portable, un ordinateur ou un interrupteur, ne rendait pas leur esprit moins vif.

– Nous venons du futur.

Ses yeux se plissèrent, et il se frotta l'avant-bras tout en digérant l'information.

– Quand tu dis « futur »… tu veux parler du passage des jours ?

– C'est ça.

– Les jours encore à venir ?

– Oui.

– Tu veux donc dire que vous venez d'un temps… qui se situe devant nous ?

– C'est exactement ça, dit Liam. Loin devant nous.

– Vous savez, dans le futur, Caton, l'humanité découvrira comment voyager dans le temps, dans le passé et dans le futur, comme quand on se promène sur une route.

– Une route ? Une route à travers le temps ?

– L'endroit d'où nous venons, nous et les Visiteurs – l'Amérique – n'existe pas encore, dit Liam. Enfin, si, mais elle n'a pas encore ce nom-là.

Caton observa les hommes qui s'entraînaient tout en essayant d'absorber ce qu'il venait d'apprendre.

– Quelle idée incroyable… murmura-t-il après un temps. Voyez-vous, quand j'étais petit, je me demandais ce que ça ferait de voir le futur. De voir comment les choses se passeraient, d'imaginer à quoi je ressemblerais quand je serais un homme. Et si je deviendrais jamais un esclave affranchi. Et vous dites qu'il est possible de faire ça ?

Ils hochèrent la tête de concert.

– Alors de quelle distance venez-vous sur cette « route du temps » ?

– Vous voulez dire combien d'années dans le futur ?

– Oui.

– Eh bien, c'est très difficile pour moi de vous expliquer…

– Je te soupçonne encore de condescendance à mon égard.

Cela les fit rire tous les deux.

– Très bien, commença Liam. Vous ne pourrez pas dire qu'on ne vous avait pas prévenu. Ça va vraiment vous mettre la tête à l'envers, pour sûr. C'est toi qui éclaires ce pauvre monsieur, ou c'est moi ? demanda-t-il à Maddy avec un sourire taquin.

– Environ deux mille ans, proféra-t-elle.

Caton en ouvrit grand la bouche.

– Tu as bien dit deux « mille », n'est-ce pas ?

– Un petit peu moins, dit-elle. À quelques années près. Nous venons de l'an 2001 après Jésus-Christ.

– Jésus-Christ ? répéta-t-il. Qui est-ce ?

– C'est une longue histoire. Le problème, Caton, c'est que l'Histoire a un sens qu'elle doit suivre. Un sens qu'elle est *supposée* suivre, si vous voyez ce que je veux dire. Et ces Visiteurs du futur ont envoyé les événements dans une autre direction, une mauvaise direction.

Maddy et Liam lui expliquèrent la nature des voyages dans le temps et des cours du temps modifiés, ils lui parlèrent des chronologies qui n'auraient jamais dû exister et de leur manière de générer ce qu'on appelait des ondes temporelles, des changements de réalité qui écrasaient tout sur leur passage et laissaient dans leur sillage de nouvelles réalités totalement différentes. Elle était surprise de voir comme il appréhendait bien les notions, et de l'intelligence de ses questions. Il était doté d'un esprit agile, aussi enthousiaste à l'idée de regarder l'inconnu que n'importe lequel des grands penseurs et philosophes du passé.

Lorsqu'ils eurent terminé leurs explications, ils remarquèrent que Macron et Fronton, lassés de leurs jeux de glaive, s'étaient accroupis, en sueur sous le soleil de plein midi, et reprenaient leur souffle. Bob continuait de s'amuser à s'entraîner avec Sal.

– Ainsi, conclut Caton, vous êtes ici pour corriger les événements ?

– C'est ça.

– Et d'après vous, l'époque à laquelle nous sommes... devrait être sous le règne de Claude, non de Caligula ?

– Oui.

– Claude, ce vieil idiot ?

Il avait l'air surpris, mais il y réfléchit néanmoins.

– Mieux vaut un idiot qu'un fou, j'imagine.

– Il a fait du très bon travail, assura Liam. Je l'ai lu dans un livre. Il a conquis la Bretagne.

– La Bretagne ? dit Caton en riant. Qui voudrait conquérir cette malheureuse étendue sauvage ?

Ils demeurèrent un moment silencieux, observant le jeu, écoutant le claquement des glaives de bois.

– Mais, reprit Caton, votre projet de « corriger » l'Histoire, comme vous dites, signifierait la fin de tout cela ! s'exclama-t-il en désignant la cour de Crassus. Et la fin de nos vies !

– La fin, rectifia Maddy, de cette version de notre vie. Il existe un autre monde qui ressemble beaucoup à celui-ci. Une autre version du monde avec vous, Macron et Crassus...

– C'est une meilleure version, en plus, ajouta Liam. Sous le règne de Claude, l'Empire romain devient plus riche, plus vaste. Pas comme il est maintenant.

Caton médita cela. Dans l'état actuel des choses, le désastre menaçait comme une tempête à l'approche. L'Empire n'était que banqueroute. La ville se trouvait au bord de la famine alors que ses dernières réserves diminuaient. L'arrivée régulière de provisions alimentaires depuis les autres provinces commençait à se tarir au même moment où il devenait clair que les dettes romaines resteraient impayées. Même s'ils parvenaient à se débarrasser de Caligula, un autre danger, plus grand encore, menaçait : celui d'une guerre civile. Il pensait à trois ou quatre généraux responsables de légions impayées et mécontentes qui auraient sans aucun doute marché sur Rome pour couronner eux-mêmes l'empereur dès la nouvelle que le fou était enfin parti.

Et si ce n'était pas suffisant, des empires rivaux suivaient les opérations depuis la périphérie du monde romain comme des vautours. Les Parthes à l'est, par exemple. Une guerre civile serait la goutte d'eau qui ferait déborder le vase. Après que les différentes légions se seraient entretuées, des hordes barbares déferlant de partout viendraient nettoyer la carcasse romaine.

S'il fallait croire ce que disaient ces étrangers venus d'une autre époque, que le fait de corriger l'Histoire renverserait le destin de Rome en lui octroyant une base plus solide, telle qu'elle était autrefois, cela valait la peine d'abandonner cette vie-ci.

– Une autre Rome constituerait une bonne raison de mourir, admit-il.

– Oh, mais on ne meurt pas, précisa Liam, pas vraiment. Il y aura un autre vous… un autre Macron, un autre Crassus.

– Et vous vivrez la vie que vous auriez dû vivre, ajouta Maddy.

– Et comment comptez-vous corriger l'Histoire ?

– Nous croyons… nous espérons plutôt, que les Visiteurs ont laissé une technologie – des *machines* – quelque part, dans le palais de Caligula. On devrait pouvoir les utiliser pour retourner dans notre époque. De là-bas, on peut corriger ça plus facilement.

Les autres semblaient se préparer à venir les rejoindre dans l'ombre fraîche.

– Il est peut-être préférable de garder pour nous cette notion de voyage dans le temps comme sur une route, dit Caton.

Maddy approuva d'un signe de tête au moment où ils gagnaient l'ombre du portique.

– Votre colosse ne se fatigue donc jamais? grogna Macron en s'affaissant sur un banc avant de prendre une coupe de vin.

Crassus prit place à côté de Caton.

– Il est temps, me semble-t-il, d'examiner en détail ce qui nous préoccupe, annonça-t-il en prenant le pichet pour s'en servir une à son tour. Une chose que nos nouveaux amis devraient savoir. Cet officier romain à ma gauche… le tribun Quintus Licinius Caton, poursuivit-il en s'adressant en particulier à Maddy et à Liam, cet homme est celui-là même qui a organisé cette réunion de conspirateurs. Il est celui qui a pris tous les risques en intriguant dans des recoins obscurs pour trouver les quelques-uns d'entre nous prêts à trahir.

Il donna une tape affectueuse sur l'épaule de Caton.

– Je donnerais mon bras, conclut-il, pour posséder une infime part de son courage.

– Bravo! s'exclama Macron, remplissant de nouveau sa coupe et la levant. À Caton!

Caton prit sa coupe.

– Au succès. Et au retour de temps meilleurs, hein? ajouta-t-il à l'adresse de Liam et de Maddy.

– Pour sûr, je veux bien boire à ça, renchérit Liam.

CHAPITRE 46
54 APR. J.-C.,
PALAIS IMPÉRIAL, ROME

Une éternité de ténèbres. Ici même. Cet espace. Ce monde qui était le sien, mesuré en mètres. S'il pliait les jambes, les orteils, les bras, les mains, il pouvait atteindre le bord de son univers. Il pouvait en sentir la surface, usée, lisse à force d'avoir été tant de fois touchée.

Mais il ne touchait plus les bords de son univers. Pas de façon délibérée. Il préférait imaginer que les murs n'étaient pas là. Il préférait vivre maintenant dans les couloirs sans fin de son esprit, s'attardant sur des souvenirs qui commençaient à s'estomper comme de vieilles photographies trop souvent exposées à la lumière du jour. Il pouvait se promener à travers quelques souvenirs d'enfance exceptionnels, il pouvait presque y être, sentir le sable sous ses pieds nus, la chaleur du soleil sur son visage. Sentir sa mère, entendre son père et son frère.

C'est seulement quand il entendait les portes s'ouvrir, et les rais de la vraie lumière du jour à travers les interstices des planches de chêne de son univers, qu'il était arraché à son monde de souvenirs. Une fois par jour, c'était le sinistre retour à la réalité quand quelqu'un, sans doute un de ses esclaves, apportait un bol d'eau et du gruau d'orge au goût amer, qu'il ouvrait la trappe de son petit univers cubique et les lui présentait.

Quand la petite ouverture se refermait, les lourdes portes extérieures se refermaient elles aussi dans un craquement et son univers redevenait une obscurité vierge, uniforme. Il sentait la forme du gruau sous ses doigts. S'il avait pu parler, cet unique rituel quotidien aurait pu être sa seule chance de communiquer avec quelqu'un, même si c'était seulement pour dire merci.

Il pouvait gémir, hurler… oh oui… il pouvait baver, pleurnicher. Mais il ne pouvait pas parler.

Il appelait le masque «Monsieur Muzo».

Sa muselière. Le seul autre occupant permanent de cette boîte en bois.

Moi et Monsieur Muzo.

L'attelle de fer qui enserrait sa tête comportait une protubérance, un tube métallique qui maintenait ses mâchoires séparées, sa bouche ouverte et pressait sa langue en arrière, l'empêchant de former toute chose qui ressemblait de près ou de loin à un mot ; c'était Monsieur Muzo.

Le gruau pouvait être inséré à l'aide d'une cuillère dans le tube de Monsieur Muzo, où il glissait jusqu'à sa bouche. Là, il s'étouffait souvent plusieurs fois avant de pouvoir l'avaler. Il fallait du temps pour y introduire toute sa part de gruau quotidien. Il imaginait que cela devait prendre des heures, mais dans l'obscurité complète, dans une isolation des sens quasi totale, comment mesure-t-on le temps ?

Monsieur Muzo était son tortionnaire, la cause de ce perpétuel goût de fer dans sa bouche, des plaies là où l'attelle frottait à même la chair et qui suintaient.

Un jour – cela lui semblait des années en arrière – Monsieur Muzo s'était brisé. L'attelle s'était usée : le pus qui suintait sans arrêt avait corrodé la fine bande de fer autour de sa tête, de telle façon que, à force de remuer d'avant en arrière, elle avait fini par céder et elle était tombée. Alors… oh, alors… il avait hurlé. Et sa voix éraillée l'avait effrayé, terrifié même. Les sons des mots remplaçant les gargouillis lui avaient paru étrangers, inconnus.

Il avait hurlé pendant des heures, épouvanté par les insanités qui sortaient de sa bouche. Ensuite il y avait eu le grincement des portes, les légers filets de lumière qui s'introduisaient dans sa boîte, et la trappe pour la nourriture qui s'ouvrait.

Plus tard, le même jour, il eut un Monsieur Muzo tout neuf. Une bande de fer bien plus épaisse, plus solide sanglait sa tête. Puis quand il s'était retrouvé de nouveau plongé dans l'obscurité totale, il avait pleuré, pleuré et pleuré.

Depuis cette fois – peu importe quand c'était –, il avait appris que la meilleure chose à faire pour lui était d'essayer de vivre aussi loin que possible de cet endroit, de parcourir les labyrinthes de son esprit, d'ouvrir des portes, d'entrer dans des pièces pleines de souvenirs qui s'estompaient peu à peu... de s'ébattre et de jouer dans le soleil crépusculaire qui y régnait.

Puis, un jour, ses souvenirs s'évanouirent tout à fait... toutes les pièces de son esprit furent aussi vides, indéterminées et ténébreuses que cet endroit.

Quand cela finit par arriver, il comprit qu'il était devenu fou.

CHAPITRE 47
54 APR. J.-C, ROME

— Un ingénieux complot, commenta Crassus. Retors, même, ajouta-t-il en regardant Caton. Admirablement retors.

— Même quand il était un jeune second du centurion, un *optio*, encore plein de morve, Caton était déjà un intelligent petit imbécile.

— Il le fallait bien, répliqua Caton. Un gamin sans tripes dans la légion ? Ça voulait dire soit être un dur, soit être intelligent. Et je n'aimais pas tellement me battre dans ce temps-là.

Macron fit la grimace.

— Mais ça s'est bien terminé finalement, hein, mon gars ?

Caton ignora la remarque d'un haussement d'épaules.

— La légion a le chic pour faire sortir ce qu'il y a en vous.

Liam sourit de cet échange entre Caton et Macron. Il était évident que les deux hommes s'adoraient : des frères d'armes. Les derniers jours, Macron était fréquemment passé les voir, un visiteur chez Crassus qui ne suscitait pas d'intérêt particulier auprès des espions de Caligula. Il avait de nombreuses histoires à leur raconter sur cette époque de la IIᵉ légion, quand il y servait aux côtés de Caton. Tout d'abord en qualité de commandant puis, dans les dernières années, en regardant le jeune homme mûrir puis devenir un officier de première classe qui finirait par le surpasser.

Liam vit un vague reflet de lui-même et de Bob, dans ces deux-là. L'un d'eux était le cerveau, l'autre les muscles.

— Caligula est peut-être fou, mais il n'est pas stupide, reprit Caton. Il sait très bien que le pouvoir d'un empereur n'est pas dans ce que le peuple, les citoyens de Rome, pense : il est dans le soutien de la légion. Traitez bien la légion, et elle fera de son mieux pour que vous restiez au pouvoir.

Caton se cala sur sa chaise.

– Quand il est devenu empereur, il avait beaucoup d'argent à sa disposition. Il achetait le soutien là où il en avait besoin. Maintenant, il reste si peu d'argent. Il a dépouillé de leurs biens presque toutes les familles riches de la ville et ils servent à payer la garde prétorienne et les deux autres légions en Italie, la Xe et la XIe ; très bien, d'ailleurs. Quant à toutes les autres légions de l'Empire, il s'est assuré de les poster aussi loin de Rome que possible, pour protéger les frontières.

– Loin de Rome parce qu'il ne les paie pas ? demanda Liam.

– Précisément. Seul un empereur stupide permettrait à une légion mécontente de se rapprocher de chez lui. Les prétoriens, la Xe légion, la XIe légion… ces hommes seront heureux de se battre et de mourir pour garder Caligula comme empereur.

– Voilà qui n'est pas bon signe, dit Maddy.

– Toute la difficulté de ce complot est la duplicité. C'est un tour de passe-passe. Cette conspiration dépend de la capacité à tromper les deux légions et les prétoriens en faisant croire aux unes que les autres sont en train de fomenter quelque chose contre Caligula, et vice-versa.

Un sourire narquois apparut sur le visage émacié de Caton.

– Nous allons nous arranger pour qu'ils se battent entre eux, finit-il.

– Je perdais toujours de l'argent aux dés avec ce gars-là ! dit Macron en secouant la tête.

– Nous devons faire en sorte que la Xe et la XIe marchent sur Rome. Il faut que ces hommes croient que les prétoriens sont en train de monter un coup d'État contre Caligula. Au même moment, il faut que la garde prétorienne croie que les deux légions à l'approche préparent le leur. Dès qu'il entendra la nouvelle de leur marche sur Rome, Caligula devra réagir. Il ne peut pas se permettre d'apparaître faible ou intimidé. Il sera obligé d'envoyer ses prétoriens pour les affronter. Avec une garnison réduite à son strict minimum pour la protection du gouvernement et du palais impérial… j'ai plus de chances de le coincer et de le tuer. Si tant est que votre «Bob» s'occupe des hommes de pierre.

– Il ne laissera pas ses hommes à l'arrière pour défendre la ville? questionna Liam. C'est ce que je ferais, personnellement.

– Ce n'est pas ainsi que se battent les légions, dit Macron. Leur force réside dans leur espace de manœuvre. Un terrain dégagé. Si les gardes de Caligula sont toujours coincés quand les deux légions feront leur apparition, ils seront simplement refoulés à l'intérieur. Les légions se contenteront de camper en dehors de Rome et d'affamer ces imbéciles jusqu'à ce qu'ils sortent, affaiblis. Alors, bien sûr, ils seront le dos au mur.

– Macron a raison. Caligula voudra les faire sortir et les envoyer sur le champ de bataille de son choix à lui. Comme je l'ai dit, il n'est pas stupide.

– Mais alors… comment comptez-vous vous y prendre pour que les deux légions se mettent tout à coup à croire que les prétoriens veulent s'en prendre à Caligula? demanda Maddy.

Caton se rassit et laissa Crassus répondre à cette question:

– Le général Lepidus commande ces deux légions, répondit le vieil homme. C'est un carriériste. Il nous a presque rejoints. Il est venu ici à maintes occasions. Ce n'est pas un ami de Caligula, mais ce n'est certainement pas un idéaliste. Il attendra patiemment parce que ses hommes sont bien payés, et lui aussi. Mais je l'ai travaillé, calmement et discrètement.

– Et il est prêt à vous aider?

Crassus éclata de rire.

– Non, bien sûr que non. Cet homme est un couard. Il est devenu nerveux et s'est retiré.

– Mais ce n'est pas dangereux? demanda Liam. Et s'il parle de vous à Caligula?

– Non, il ne le fera pas. Il est déjà trop impliqué. J'ai fait de mon mieux pour que ce gros balourd ait l'air aussi coupable que possible de conspirer contre Caligula avec des pots-de-vin, des cadeaux ici et là, des correspondances à son nom. Un mot ou deux murmurés à l'oreille de Caligula et il souhaitera voir la tête de Lepidus au bout d'une pique, à côté de la mienne.

– L'astuce, expliqua Caton, est que Lepidus entende dire que quelqu'un est sur le point de révéler sa traîtrise envers Caligula. Lepidus sait qu'avec Caligula il n'y a pas de droit de réponse. Il n'aura aucune chance d'essayer de prouver son innocence. La seule chose qu'il pourra faire sera d'agir vite : soit s'enfuir pour sauver sa peau, soit prendre les devants en allant voir l'empereur.

– Mais je croyais que vous aviez dit que ses hommes se battraient pour le défendre ? s'étonna Liam.

– Les légionnaires suivent toujours leur général, jusqu'à un certain point, toutefois. Donc, oui, il les convaincra qu'ils marchent bien sur Rome pour protéger leur empereur, et non pour l'usurper.

– Et comment s'y prendra-t-il ?

– Les légions régulières se montrent très suspicieuses envers la garde prétorienne. Atellus, l'officier que vous avez rencontré l'autre jour, vous voyez… ?

Liam et Maddy acquiescèrent d'un signe de tête.

– C'est un des tribuns de Lepidus. Il lui donnera son content de on-dit et de rumeurs, suffisamment pour que cet idiot de général convainque ses hommes que les prétoriens sont en train de préparer un mauvais coup. Si ces soldats soupçonnent, à un moment donné, que leur généreux bienfaiteur, Caligula, pourrait être remplacé par un autre empereur moins généreux, termina Caton avec un grand sourire, ils se lèveront et marcheront sur Rome.

Maddy et Liam se regardèrent eux aussi en souriant.

– C'est très malin, ponctua Liam.

– Pendant qu'Atellus distille du soupçon dans l'oreille de Lepidus, je fais la même chose avec Caligula, ajouta Caton.

– Quoi ? s'exclama Maddy en se redressant. Vous le rencontrez ?

– Je suis le tribun responsable de la cohorte du palais. Bien sûr que je le rencontre. Presque chaque jour. Je crois… qu'il commence à me faire confiance, peut-être même qu'il m'aime bien. Il nous arrive de discuter et je suis aussi près de lui que je le suis de vous à cette minute. Je pourrais essayer de m'en prendre à lui, mais ses hommes de pierre sont vifs.

– Tu n'aurais pas une chance, souligna Macron.

– Caligula m'écoute. Il n'écoute pas le *praefectus*, mais je sais qu'il accorde du crédit à mes conseils. Peut-être que si je peux le convaincre d'envoyer au combat certains de ses hommes de pierre et que je réussis à faire entrer votre « Bob » dans le palais… il est possible qu'il puisse venir à bout de tous ceux qui restent.

– Et nous aussi ? demanda Liam. Vous pourriez nous faire entrer ?

– Peut-être.

– Bob… ? interpella Maddy en anglais, en pianotant sur l'un de ses genoux. Tu es partant ?

Il répondit en anglais – sous le regard de Caton, Crassus et Macron, qui ne disaient mot.

– La description des hommes de pierre dont nous disposons suggère que ce sont des unités de reconnaissance militaire de troisième génération. Ils sont conçus pour avoir un aspect physique ordinaire et passer plus facilement pour des êtres humains. En tant qu'unité de combat au châssis composé exclusivement de muscles, je suis approximativement cinquante-cinq pour cent plus fort qu'eux. Cela me fait bénéficier d'un avantage tactique.

– En plus, tu as réglé son compte au clone qui est passé par le portail, rappela Sal. Et il était comme toi.

– Mais il n'avait plus de pieds et il lui manquait une main, tempéra Bob. Cela m'a bien aidé.

– Tu crois que tu peux les démolir ? demanda Maddy. Même s'ils sont plusieurs ?

– Individuellement, oui. Plus d'un à la fois, ce serait difficile.

Elle soupira et reprit :

– On fait un pari très risqué. On aide ces gens pour leur coup d'État et on n'a aucune garantie d'avoir quoi que ce soit en retour. Il est possible qu'il n'y ait rien dans le palais. Aucune technologie, pas de machine de déplacement, rien.

– Auquel cas on est coincés ici, dit Sal.

– C'est juste, approuva Liam.

– Bon… fit Maddy.

– Et sans Bob… si les hommes de pierre le tuent, ajouta Sal.

Ils se regardèrent. Une décision non résolue restait suspendue entre eux.

– En fait, si Bob-l'ordi n'active pas la fenêtre de retour de six mois, son cerveau va de toute façon se transformer en spaghettis bolognaise, prévint Maddy. Il ne sera plus qu'un gros légume tout baveux.

Les trois Romains les observaient, semblant attendre une explication.

– Même si on réussit à tuer Caligula, reprit Maddy, on peut aussi très bien ne rien trouver dans le palais pour nous ramener chez nous.

– Bon, voilà comment je vois les choses, dit Liam : si on doit rester pour de bon coincés ici… je n'ai pas du tout envie de vivre sous la coupe de ce Caligula.

– C'est sûr, fit Maddy en hochant lentement la tête. Si c'est fini pour nous, si cette fois on ne peut vraiment pas redresser la situation et si on est, oui, bel et bien coincés là… je préfère moi aussi que Caligula ne soit pas dans le coin. Ça colle comment avec tes priorités de mission, Bob ?

– Il s'agit déjà d'un cours du temps contaminé, répondit-il de sa grosse voix. Si on ne peut pas le corriger, la mission échoue quel que soit le plan d'action que vous choisissez.

– C'est un peu déprimant, remarqua Maddy, mais tu as tout à fait raison.

Elle se remit à écouter le babel qui chuchotait doucement dans son oreille et se tourna vers les Romains.

– OK, vous pouvez compter sur nous.

CHAPITRE 48

54 APR. J.-C.,
PALAIS IMPÉRIAL, ROME

Caligula fut parcouru d'un frisson d'excitation dans tout le corps. Cet endroit, cette grande salle avait été autrefois un temple dédié à Neptune. Désormais... ce temple lui était consacré ; plus que cela, il s'agissait d'un hommage rendu à sa prochaine destinée. Les murs, recouverts de grands carreaux de marbre, renvoyaient le son de ses pas légers tandis qu'il marchait parmi les étranges objets qui étaient entreposés là. Les portes s'étant refermées, la lumière du jour avait entièrement disparu, laissant place à la seule flamme tremblante de la lampe à huile en or massif qu'il tenait entre ses mains.

Les objets étaient ceux que les Visiteurs avaient laissés en partant. Il s'accroupit pour les observer.

– Incroyable, fit-il d'une voix que l'écho lui renvoya.

Ils avaient apporté avec eux de si curieuses possessions. Il ne se lassait jamais de les regarder.

Un bruit se fit entendre dans la cage de bois qui trônait au milieu de la salle.

– Mais tu vois... c'est si fascinant. Tes conseils...

Il ramassa une pile à hydrogène. Le métal lisse brilla dans l'obscurité ; un résidu de liquide clapota dans l'étui.

– J'ai toujours cru que les dieux n'avaient absolument besoin de rien. Qu'un simple souhait, un désir, était tout ce qu'il leur fallait pour qu'une chose se réalise. Et pourtant, toi et tes amis aviez apporté avec vous toutes ces drôles de choses. Des objets dont vous aviez besoin.

Un gémissement plaintif s'éleva de la cage.

Il inclina la pile à hydrogène pour écouter le liquide couler à l'intérieur.

– Des objets qui finissent par ne plus fonctionner, dit-il en souriant. Ça n'a vraiment rien de divin.

Il la jeta en haut d'un amas d'autres objets – des cartouches vides, des pistolets, des sacs à dos, des trousses de premiers secours, des lampes de poche – et s'approcha nonchalamment de la cage.

Il se souvint avoir été complètement subjugué à leur arrivée. Une arrivée si sensationnelle et remarquable. Tant de bruit et de spectacle, ce jour-là, dans l'arène… Comme tous les autres citoyens romains, il était alors persuadé de voir de ses yeux des êtres venus du paradis. Son cœur avait tambouriné dans sa poitrine tant il était excité, et bien sûr une immense terreur, quasi paralysante, à cette idée, l'avait envahi.

Des dieux, ou, pour le moins, des émissaires des dieux… ici… à Rome. Juste devant nous!

Caligula se souvenait de son émerveillement enfantin…

Tandis qu'il s'approchait des énormes chars, il avait vu les passagers à l'apparence incroyablement humaine qui en avaient surgi. Certains d'entre eux avaient la peau aussi claire que les Barbares sauvages, dans les régions du nord de la Germanie, d'autres la peau aussi sombre que des Égyptiens. Tous portaient des vêtements si délicieusement étranges. Il tremblait, aussi effrayé qu'un petit enfant devant un parent furieux.

La voix avait retenti à travers l'arène et s'était répercutée entre les gradins. Cette voix, telle un coup de tonnerre, avait annoncé dans un latin à l'accent prononcé qu'ils venaient de là-haut pour les éclairer, pour leur montrer de nouvelles voies. Pour leur faire don de la lumière et de la sagesse.

Puis, finalement, galvanisé par le regard de plusieurs milliers de ses sujets sur lui, et l'idée qu'un empereur romain se doit d'être celui qui montre le chemin, lentement, il avait tendu le doigt et avait osé toucher l'un d'entre eux. Caligula l'avait fait en s'attendant à moitié qu'au moindre effleurement de cette créature du paradis il serait instantanément réduit en cendres tandis que toute la puissance de l'Élysée déferlerait sur lui.

Caligula ouvrit, en la faisant coulisser sur le côté, la petite ouverture de la cage et jeta un coup d'œil dans l'obscurité qui y régnait. Ça empestait. Une épouvantable puanteur, pire que toutes celles de ces affreuses places de marché de la plèbe ou de ces dangereux immeubles, bâtis en dépit du bon sens. Dans la lumière de sa lampe à huile, il apercevait le pauvre diable à l'intérieur, tel un animal captif aux yeux écarquillés.

Il comprenait, maintenant. En fait, il l'avait su dès le début, dès le moment où son doigt avait touché la peau tiède, humide de sueur, de la chair comme la sienne... que les Visiteurs n'étaient que des gens ordinaires. Non des dieux ou des messagers des dieux.

– Bonjour, émit-il.

L'homme murmura et gargouilla quelque chose derrière sa muselière.

– Je tiens à m'excuser. Il y a bien longtemps que nous n'avons pas bavardé, dit Caligula, avec un doux sourire. C'était très impoli de ma part.

Il sortit une clé de bronze et l'agita devant son prisonnier.

– Viens par ici. Je vais te retirer cette muselière... afin que nous puissions parler.

L'homme bougea tout à coup, comme un animal sauvage, pour tenter de s'emparer de la clé. La fente était assez large pour laisser passer sa main aux doigts griffus. Caligula recula.

– Oh-oh. Tourne-toi... Voilà, très bien.

L'homme l'observa un moment par l'ouverture. Caligula ne pouvait discerner que ses yeux au-dessus du masque facial de bronze oxydé et le trou incrusté de saletés du tube d'alimentation, un ovale noir, rigide, pétrifié en un éternel « o » rouillé.

– Tourne-toi, répéta-t-il en agitant de nouveau la clé, hors de portée des griffes qui s'agitaient.

Les yeux qui l'observaient disparurent dans le noir, puis, un instant plus tard, Caligula distingua de nouveau l'arrière de sa tête, le cadenas en bronze qui fermait l'attelle, une ou deux touffes de cheveux plats qui retombaient par-dessus, et la peau couverte de plaies, et chauve, où s'était trouvée la grossière bande de métal.

Caligula passa la main dans l'ouverture, inséra la clé et tourna. Dans un claquement sourd, le cadenas s'ouvrit d'un coup et l'attelle tomba.

La tête tourna aussitôt, posa les mêmes yeux scrutateurs sur lui, mais à présent Caligula voyait le nez fin de l'homme, au-dessus d'une épaisse moustache et des poils de barbe semés de mucosités séchées et de restes de gruau pourris. Au milieu des poils, tels deux rats nouveau-nés, sans poils au creux d'un nid rudimentaire, deux lèvres émaillées de croûtes et d'égra-tignures, fraîches ou anciennes. Elles se contractaient et remuaient, révélant des gencives sanguinolentes et les chicots des quelques dents qui lui restaient.

– Bonjour, mon vieil ami, dit Caligula.

L'homme fit un effort pour bouger la bouche, savourant la liberté de mouvement dont jouissait sa langue, ses doigts grif-fus explorant pitoyablement ses lèvres en sang.

– C'est de nouveau le mois de Sextilis. Alors… ce ne sera plus très long, maintenant !

L'homme contractait toujours les lèvres, goûtant avec un plaisir évident ce bref moment de liberté sans le masque.

Caligula s'attendait à ce que le vieux fou se mette à crier dans son étrange langage. Il essayait la même chose chaque fois qu'on lui enlevait la muselière. Le même mot étranglé.

– Économise ton souffle. Ton homme de pierre ne peut pas t'entendre. Les portes sont fermées et ils sont tous dans l'autre partie du palais. Nous sommes seuls, ici.

La lamentable épave humaine essaya de nouveau, aspirant une longue bouffée d'air fétide, et cria.

– Système... annuler... au-autorisation... Bouba...

Sa voix n'était qu'un faible et fragile halètement, telle une brise à peine perceptible entre les roseaux d'un marécage.

– Crois-moi, dit Caligula avec un sourire, ils ne peuvent vraiment pas t'entendre.

L'autre tenta une fois encore, néanmoins. Cette fois, sa voix croassante se dota d'une puissance stridente et désespérée : on eût dit le cri d'un déséquilibré dans un asile d'aliénés. Et c'était toujours les mêmes mots dépourvus de sens, encore et encore. Du charabia pour Caligula.

– Bouba l'éponge ! BOU-BA-L'É-POOONGE !!!

CHAPITRE 49
54 APR. J.-C., ROME

— Alors Maddy, et cette histoire de Caligula qui rejoindrait les dieux, tu te souviens ? L'info que tu as vue sur ton ordi ?

Maddy hocha la tête. Elle n'avait pas oublié. Elle regarda Sal et Bob qui les précédaient. Ils marchaient le long d'une étroite avenue devant le jardin clos de Crassus. Des marchands y installaient chaque jour, dès l'aube, des stands, au pied du mur peint en rose. Ces échoppes provisoires s'activaient pendant quelques heures avant que l'appel à la prière du milieu de matinée retentisse par-dessus les toits de Rome et que les comparses de Caligula ne commencent leurs rondes dans les rues pour s'assurer que tous les citoyens s'agenouillaient docilement en hommage à leur empereur et à leur dieu. Les marchands sans licences et leurs stands illégaux avaient plié bagage depuis longtemps quand ils arrivaient.

Des graffitis au charbon recouvraient la peinture rose écaillée. Des tags en latin d'un *collegium*, des slogans, des plaisanteries grivoises, des bonshommes vulgaires dessinés sommairement. L'un représentait clairement l'empereur : un homme en bâtonnets avec un halo en forme de feuille de chêne qui couronnait sa tête et d'énormes bottes aux pieds. Maddy loucha sur ce qui semblait flotter dans ses mains – sans ses lunettes, toute la rue était plongée dans un flou artistique. On aurait dit un…

— Oh, par pitié… fit-elle en faisant une grimace de dégoût.

— Il va rejoindre les dieux ? demanda Liam. C'est censé se passer bientôt, je crois ?

– Oui.

Il n'y avait pas de date, mais les données qu'ils avaient trouvées mentionnaient tout de même que cela se passerait en été.

– Tu ne crois pas qu'on devrait en parler aux autres ? Je veux dire… c'est important, quand même.

– Je… je n'en suis pas sûre.

– Pourquoi ?

– Écoute… réfléchis. Si on leur apprend qu'en fait il se pourrait que Caligula ne traîne pas longtemps dans le coin, ils abandonneront leurs projets. Tu comprends ?… Pourquoi risquer ta vie si tu n'as qu'à être patient et attendre quelques semaines de plus ? Ou même quelques mois ?

Devant eux, Sal essayait de persuader Bob de marchander avec un commerçant. Maddy doutait fort qu'un marchandage puisse durer très longtemps avec un être aussi grand et intimidant que Bob.

– Liam, cette histoire d'« ascension vers les dieux », ça peut être tout et n'importe quoi. C'est beaucoup trop ambigu. Ça peut juste signifier qu'il est mort de maladie, et que ses prêtres ont décidé d'inventer une histoire plus passionnante et plus divine.

– Oui, c'est vrai.

– Cela dit, ajouta-t-elle, ça pourrait être un portail.

Il la regarda avec un grand sourire.

– Alors là… je pensais exactement la même chose. C'est pour ça que j'ai…

– Ça peut vouloir dire que, quelque part dans son palais, la technologie pour les voyages dans le temps est bel et bien là, en état de veille, et qu'elle est en train de se mettre en route. Peut-être que c'est un truc qui est programmé… un peu comme nos fenêtres de six mois, mais en bien plus long.

Elle le fixa un instant avant de reprendre :

– Tu vois… c'est pour ça qu'on doit entrer là-dedans. Avant

que quoi que ce soit qui doit arriver à Caligula... ne lui arrive. Et Caton et les autres sont notre seul moyen de réussir.

– On les utilise, déplora Liam.

Il n'avait pas l'air très heureux de cet état de fait. Elle savait qu'il avait de l'amitié pour Caton et Macron.

– Oui, soupira-t-elle. Oui, «techniquement» si on peut dire, on les utilise.

– Ça ne me paraît pas bien.

– Oh, bon sang! jura-t-elle entre ses dents. Pourquoi c'est toujours moi, la méchante? Hein?

La vérité, c'est que Maddy avait appris à considérer les chronologies modifiées comme quelque chose de pas tout à fait réel, presque comme un dessin animé, ou comme un monde virtuel. Ces gens n'étaient pas censés avoir vécu cette Histoire-là. Dans certains cas, il s'agissait peut-être de vies meilleures que celles qui auraient dû être; mais le plus souvent – en tout cas jusqu'alors – il s'agissait de vies horribles dans des cours du temps abominables. Oui... elle aurait peut-être dû dire à Caton que quelque chose, on ne savait pas quoi, dans cette chronologie, n'allait pas tarder à arriver à Caligula. Mais si cette chose survenait, dans le palais du mont Palatin, avec eux, assis là-bas... Dieu leur vienne en aide s'ils le rataient, car ce serait leur seule et unique chance de rentrer chez eux qu'ils rateraient.

– On doit entrer là-dedans, Liam... et on doit y entrer avant, je dis bien avant que quelque chose se mette en route. Tu comprends? C'est peut-être notre seul moyen de rentrer chez nous!

Il caressa pensivement les touffes de poils soyeux qui poussaient sur son menton.

– Oui... bon, sûrement.

– Donc on ne leur dit pas. On a besoin qu'ils agissent comme ils l'ont prévu. Le plus tôt sera le mieux.

– Bon, donc... notre amie a tout à fait raison, dit Crassus en adressant un signe de tête à Maddy. Il est inutile d'attendre une minute de plus. Avec notre ambition pour le moins audacieuse d'attirer par la ruse quelques-uns des hommes de pierre et grâce à votre aide, nous détenons là une chance pour vous d'approcher Caligula, Caton.

– Plus nous tarderons, plus nous aurons de chances qu'un des espions de Caligula remarque nos réunions.

Crassus passa les autres en revue : les deux sénateurs, Cicéron et Paulus, étaient présents ; Atellus avait fait le voyage depuis le camp permanent de la Xe légion ; Fronton, le plus ancien centurion de la cohorte du palais, était là, ainsi que, naturellement, Caton et Macron.

– Je sais que Caligula me soupçonne déjà de conspirer dans son dos, dit-il.

– C'est d'accord, conclut Caton. On a désormais un plan réalisable. Je propose que nous commencions immédiatement.

Bien que le groupe d'hommes rassemblés s'agitât, mal à l'aise, il n'y eut pas d'objection.

Crassus passa la main dans les plis de sa toge et en sortit plusieurs rouleaux.

– Voici la preuve, Caton, que tu peux fournir à Caligula.

Il lui tendit les parchemins. Caton les déroula et les parcourut rapidement.

– Il s'agit d'une correspondance entre Lepidus… et toi ! s'exclama-t-il.

Le vieil homme opina du chef.

– Si je montre ça à Caligula, il enverra des hommes devant ta porte dans l'heure !

– Ce doit être convaincant ! sourit Crassus. Mon nom sur ces lettres suffira pour que Caligula fasse également appeler Lepidus. À la minute où il apprendra que lui et moi avons été convoqués, il saura que son implication avec nous, même si elle ne fut que brève, a été révélée.

– Crassus, si je fais cela, tu devras quitter Rome. Si…

– Non ! Si je m'enfuis avant qu'ils viennent me chercher, cela révélera que je le savais déjà. Je dois être pris la main dans le sac par Caligula pour qu'il soit trompé. Plus important… pour qu'il te croie entièrement, Caton. Il se peut qu'il sache déjà que tu m'as rendu visite. Tu dois me trahir, Caton… tu dois me livrer à Caligula comme un traître.

Il rentra les épaules.

– Je m'exécuterai… Je jouerai le vieil innocent puis, quand il menacera de me torturer, j'invoquerai Lepidus.

– Nous avons besoin de toi vivant et en bonne santé, Crassus ! s'exclama Caton. Quand Caligula sera mort, nous aurons besoin de vous tous ! De vous tous sans exception, précisa-t-il, un œil sur Cicéron et Paulus, pour reconstruire le sénat…

– Le sénat a besoin d'hommes bien plus jeunes que moi, remarqua Crassus avec un sourire. Quoi qu'il en soit, je n'ai pas l'intention de mourir. Caligula voudra me garder vivant pour faire un exemple en public avec Lepidus.

– Alors nous devons nous assurer que le général Lepidus se déplacera rapidement, dit Caton en regardant Atellus.

– Il le fera, intervint celui-ci. Il est déjà nerveux à propos de ses réunions avec toi, l'année dernière, Crassus. Il ne souhaite pas qu'on fasse de lui un martyr.

– Et ses légions ?

– La Xe légion, la XIe et la garde prétorienne ne peuvent pas se voir.

– Dans ce cas, c'est le moment ou jamais.

– Quand montreras-tu ces preuves à Caligula ? demanda Cicéron.

– À mon retour du palais. Ils viendront te chercher ce soir, Crassus. Es-tu prêt ?

– Mes affaires sont en ordre.

– Atellus, tu dois partir sur-le-champ alors, pour porter la nouvelle au général Lepidus selon laquelle des arrestations de traîtres supposés ont eu lieu à Rome, ce soir même. Cela l'effraiera.

– Sans aucun doute.

Caton serra les rouleaux de parchemin entre ses mains.

– Dès que Caligula verra ces lettres, il ordonnera l'arrestation immédiate de Lepidus. Je pense que l'ordre et un détachement de prétoriens se présenteront chez toi peu de temps après.

Atellus afficha un grand sourire.

– Il ne dormira pas ce soir.

– Espérons juste qu'il décidera de lancer l'offensive, et non de prendre ses jambes à son cou. Vous deux, dit-il en s'adressant aux sénateurs, vous devriez aller vous cacher. Dès que Crassus apparaîtra comme un conspirateur, il est possible que Caligula décide de rassembler ce qui reste du sénat. Choisissez des amis en lesquels vous pouvez avoir confiance et demeurez hors de vue jusqu'à ce que vous appreniez qu'il est mort.

– Et moi ? demanda Macron.

– Je veux que tu prennes soin de nos nouveaux amis. Veille à leur sécurité. Dès que j'aurai convaincu Caligula de faire sortir la garde pour affronter Lepidus, je te ferai chercher.

– Comment allez-vous nous faire entrer dans le palais ? demanda Maddy.

Caton y réfléchit une minute.

– On n'aura qu'à dire que vous êtes ma « propriété ». Et Macron vous emmènera en lieu sûr dans la cour du palais. C'est à mon sens parfaitement raisonnable et je demanderai la permission qu'il en soit fait ainsi. Il y aura des émeutes dans la ville quand les gens verront défiler les prétoriens de Caligula.

Il prit une profonde inspiration et poursuivit :

– Ce soir et pendant les prochains jours, les prochaines semaines, cette cité sera plongée dans l'anarchie. Même après la mort de Caligula, ça restera dangereux. Les hommes du général Lepidus, les prétoriens et les légions se mobiliseront pour placer leur candidat sur le trône. Nous avons besoin que le sénat soit rapidement restauré… et que l'ordre soit vite rétabli si nous voulons éviter une guerre civile.

– Rome va déjà bien assez mal sans cette perspective, souligna Paulus.

– Tout à fait. Chacun de vous devrait mettre à profit la soirée pour se préparer. Macron… tu devrais faire des réserves de vivres, chez toi, et te préparer à fortifier tes appartements. Cette ville va descendre en enfer. Les *collegia* vont à coup sûr profiter du chaos pour se livrer au pillage et régler de vieux comptes.

– Tu as raison.

– Si nous sommes très chanceux, dit Caton, le sang sera surtout répandu hors de Rome. La Xe, la XIe et la garde vont se neutraliser les unes les autres. La cohorte du palais sera ici même, dans la ville, sous mon commandement. Caligula sera mort et nous disposerons d'un court laps de temps pour restaurer la république.

Cicéron le considéra.

– Pour quelques jours, Caton, tu es bien conscient que… tu seras le protecteur de Rome, très probablement la seule force militaire unie sur des centaines de kilomètres à la ronde.

– Il faut beaucoup de volonté pour restituer délibérément ce genre de pouvoir au peuple.

– Ce n'est pas le moment de te mettre à douter de moi, Cicéron.

Le politicien parut déconcerté.

– Je disais seulem…

Macron lança un juron.

– J'ai une confiance absolue en Caton !

Caton jeta un coup d'œil à Maddy et Liam. Un bref échange de regards, une entente fugace.

– Ce n'est pas ce qui était censé se passer. Caligula doit s'en aller avant qu'il ne soit trop tard pour Rome.

– Et si… commença Fronton.

– Continue, Fronton.

– Merci. Je pense que cela vaut peut-être la peine d'être exprimé : et si Caligula est vraiment un… dieu ?

Atellus éclata de rire.

– Ce n'est pas une question si bête que cela, répliqua Caton. Les soldats sont très superstitieux. Nous ferions bien de nous en soucier. Un mauvais augure, une rumeur, une chose aussi triviale que cela peut balayer leur allégeance d'un seul coup.

– La plupart d'entre eux sont quasiment analphabètes, des arriérés buveurs de vin, grogna Macron en s'essuyant le nez d'un revers de main.

Caton le regarda, puis secoua la tête en souriant.

Macron se renfrogna.

– Ça veut dire quoi, ce regard ?

CHAPITRE 50
54 APR. J.-C., ROME

La lumière de fin d'après-midi peignait les murs d'argile de tous les bâtiments d'une chaude couleur pêche et dispensait des ombres violettes dans toutes les voies étroites et les traverses. Les rues étaient pleines de marchands qui fermaient leurs échoppes et en rabattaient les volets pour la nuit.

Liam et Bob marchaient de chaque côté de Macron; Maddy et Sal se tenaient à quelques pas derrière.

– Comment c'était dans la légion ? s'informa Liam. J'ai vu des...

Il allait dire «des films», mais il se retint. Seul Caton savait d'où et de quelle époque ils venaient. Cela pouvait changer à un moment donné, mais, pour le moment, le fait qu'ils venaient d'un endroit situé au-delà du monde romain connu était déjà bien suffisant à partager.

– Eh bien, commença Macron, je vais être honnête, je crois que je me suis plaint tout au long des vingt-cinq années que j'ai passées dans la IIe légion. C'était soit difficile, soit sacrément ennuyeux. Et ces années à grelotter dans des endroits froids et humides, je ne les souhaite à personne, même pas à mon pire ennemi. Mais j'aimerais revivre cette époque, si je le pouvais, ajouta-t-il en souriant d'un air espiègle.

Ils s'écartèrent pour laisser passer deux disciples de Caligula, vêtus de longues toges vertes. On approchait de l'heure des prières du soir et les cornes d'appel ne tarderaient pas à sonner par-dessus les toits.

– Pourquoi ça ?

– Ce qui me manque, c'est… je ne sais pas. Je crois que la fraternité me manque. Ce sont vraiment des vauriens dangereux, stupides, nauséabonds, les légionnaires. Pas le genre qu'on a envie de ramener chez soi pour les présenter à la famille, si tu vois ce que je veux dire. Mais… s'interrompit-il en cherchant comment exprimer ce qu'il ressentait. Mais ensemble… avec ces hommes, on est quelque chose de *plus*, tu comprends ? On fait partie de quelque chose de plus grand. Tu me suis ?

Liam acquiesça d'un signe de tête. Il avait l'impression de comprendre. Lui et les filles, Bob et Becks, et même Bob-l'ordinateur, ils constituaient leur propre «légion»… en quelque sorte. Avec quelqu'un d'autre à ses côtés, quelqu'un dont on sait qu'il serait prêt à sacrifier sa vie pour sauver la nôtre, cela rendait possible, d'une certaine manière, de scruter des abysses insondables.

Macron poursuivit :

– En ce temps-là, je serais mort pour n'importe lequel de mes compagnons. Et je sais qu'ils en auraient tous fait autant, qu'ils m'auraient suivi en enfer si je leur en avais donné l'ordre. Tandis que maintenant… dit-il en haussant tristement les épaules. Je vois des visages que je reconnais de temps à autre. Des gars qui ont fini de servir, ou même des déserteurs. Juste des voyous et des escrocs pour certains, maintenant. Beaucoup font partie des *collegia*. Je les tuerais sans hésitation s'il le fallait.

– Combien de temps avez-vous servi ensemble, vous et Caton ?

– Oh, ça doit faire dans les douze ans, je crois, dit-il avant d'éclater de rire. C'était le bon temps. Presque toujours. Enfin… parfois. Quand il est arrivé, ce n'était qu'un esclave tout juste affranchi de la maison impériale des *Julii*. Il était aussi maigre qu'une branche de saule et il avait la peau aussi douce qu'une pêche. Il n'avait pas la moindre idée de ce qu'était la vie dans l'armée. Je me suis dit que ce gars ne tiendrait pas une semaine… Mais ça, je te l'ai déjà raconté, non ?

Liam confirma.

– J'ai dû avoir pitié de lui, au début. Je l'ai pris sous mon aile et je lui ai enseigné comment devenir un soldat. En échange, il m'a appris à lire, dit-il en riant. Il a permis à cet idiot de vieux centurion d'apprécier quelques-unes des choses les plus raffinées de l'existence.

CHAPITRE 51

Caligula se tenait dans l'atrium où il admirait les armes. De temps à autre, il les approchait de la lumière et examinait leurs lignes et leurs courbes harmonieuses. On n'y voyait pas la moindre éraflure, ni même les marques du marteau d'un artisan. C'était comme si on avait *donné naissance* à ces choses, comme si elles n'avaient pas été fabriquées.

Il les admirait, étalées sur un drap de satin. Des armes superbes et mystérieuses.

Son invité de la cage lui avait dit une fois que ces choses s'appelaient des « carabines à impulsion TI-38 », des armes qui crachaient la mort d'une simple pression du doigt. Un jour, il y avait longtemps, Caligula avait demandé à en essayer une. Mais le Visiteur nommé Stilson, un homme qu'il trouvait plutôt ennuyeux et qui ne mâchait pas ses mots, le lui avait refusé, arguant qu'il était d'une époque trop primitive pour comprendre de telles choses.

Caligula avait souri devant la stupéfiante arrogance de l'homme qui considérait son intelligence comme plus grande que celle des Romains qu'il était venu trouver en remontant le temps pour les diriger « plus judicieusement ».

Caligula avait bien compris qu'ils n'étaient certainement pas des dieux. Ils n'étaient que des hommes, des hommes d'un futur lointain. Ses fréquentes discussions privées avec ce jeune homme à la peau basanée l'avaient aidé à le comprendre, celui qui ressemblait à un Parthe : Rashim.

C'était celui qui avait le plus de connaissances sur ces choses si incroyables. Celui parmi tous à qui l'on pouvait promettre le rôle de coempereur et qui était assez stupide pour croire que ce fût vrai. Celui qu'on pouvait si facilement flatter… suffisamment jeune et naïf pour croire toutes les garanties creuses et les promesses que Caligula lui avait faites.

Rashim.

Ils étaient venus là – lui avait dit le jeune homme, des années auparavant – parce que leur monde ne fonctionnait plus ; il était empoisonné et il agonisait. Pire que cela, une épidémie s'était soudain répandue et avait tué toute la population sur son passage. Ils n'avaient pas eu le choix.

Rashim lui avait appris qu'ils avaient connaissance d'une science qui leur permettait d'ouvrir une porte sur une «dimension», d'y pénétrer et de revenir dans le monde réel au moment de leur choix. Il était clair, à travers la description de ce jeune homme, qu'il en savait peu sur cette dimension – ce savoir dépassait sa science. Mais Caligula pensa comprendre ce qu'était cette chose qu'ils avaient traversée.

Des mots mêmes de Rashim : «Blanc comme neige… infini… éternel… merveilleux… terrifiant», cela ne pouvait être qu'un endroit.

Le paradis.

Ces idiots irréfléchis étaient passés directement par le paradis pour venir ici et se sacrer rois et empereurs. S'ils avaient été dotés d'une once de sagesse, ils auraient compris que le véritable objectif était le paradis. Mais y pénétrer et le dépasser ? Alors, cela, à l'évidence, était la pure définition de la folie.

C'était seulement six mois après l'arrivée des Visiteurs, après qu'ils s'étaient installés dans l'enceinte impériale, que Caligula avait appris que ses invités n'étaient pas aussi invincibles qu'il le croyait. Leurs protecteurs, les hommes de pierre – tout comme les autres appareils – n'étaient que des outils destinés à être utilisés dans un but particulier.

Utilisés.

Allumés. Éteints.

Il suffisait de savoir le faire. Le jeune homme, Rashim, le savait. Il en avait la compréhension, il savait comment leur donner les ordres qui les faisaient se conduire très différemment.

– Je vais juste prononcer quelques mots, lui avait promis Rashim, et ils suivront vos ordres.

– Ils feront absolument tout ce que je leur demanderai?

– Oui, bien sûr. C'est un mode de veille, un mode de diagnostic.

– Et ils suivront mes ordres pour toujours?

– À moins qu'ils n'entendent de nouveau la séquence du code de réinitialisation. Dans ce cas, ils redémarreront et retourneront à leur ancien programme de paramètres de mission.

– Alors, Rashim, avait conclu Caligula avec un grand sourire, toi et moi allons régner côte à côte.

– Je ne veux pas que les autres soient blessés d'aucune façon.

La garantie de Caligula avait suffi au jeune homme crédule.

C'était une nuit de tuerie, neuf mois après l'arrivée des Visiteurs. Les murs marbrés du palais avaient renvoyé l'écho des hurlements issus du massacre dans les premières heures du jour, tandis que les hommes de pierre les traquaient l'un après l'autre. Leur chef, cet imbécile arrogant, Stilson… Caligula s'était assuré qu'ils le capturent vivant. Son tourment avait duré sept jours.

Et Rashim?

Caligula se riait de la naïveté du jeune homme. La nuit du carnage, tandis que lui et les autres Visiteurs appréciaient sa prodigue hospitalité, dans une salle tranquille, loin de l'atrium, loin des éclats de voix et des rires, les douze hommes de pierre s'étaient rassemblés en silence.

Rashim avait prononcé la séquence de mots qui déverrouillait les automates. Les hommes de pierre étaient tous tombés en transe et ne s'étaient ébroués que plusieurs minutes plus tard, un regard apparemment très différent dans leurs yeux gris et froids. Le premier ordre de Caligula avait été pour celui qui s'appelait Stern de réduire Rashim au silence avant qu'il ne puisse parler de nouveau.

Et c'est alors… que le massacre avait commencé. Huit heures plus tard, l'aube avait scintillé à l'intérieur du palais, des éclats de soleil sur les sols en marbre, ceux-là mêmes qui étaient maculés de flaques de sang en train de sécher. *Ses* hommes de pierre empilaient déjà les corps dans la cour et préparaient un bûcher funéraire. Et le jeune homme, Rashim, se réveillait dans sa cage, muselé. Et il prenait conscience que le reste de sa vie se passerait dans cette cage.

Caligula cessa de caresser le métal poli et froid des armes étalées comme des pièces de musée sur le satin pourpre. Il contempla le spectacle de Rome qui se préparait à aller se coucher. Un crépuscule riche en couleurs et chaud baignait le labyrinthe en briques argileuses, les murs à la chaux et les toits en terre cuite. De fins filets de fumée s'élevaient de tous les quartiers dans le ciel, beaucoup provenaient de feux en l'honneur des morts du jour. Les maladies, l'eau polluée… les pertes ordinaires d'une cité d'une telle ampleur. Il haussa les épaules. Les choses s'arrangeraient vite pour son peuple.

Quand il reviendrait.

Il écouta les répercussions des cornes dans la ville, au loin, convoquant les gens pour lui rendre hommage. Il distinguait la ligne sombre du merveilleux escalier qui montait au paradis ; il descendrait ces marches pour visiter ce monde, une fois qu'il aurait atteint ses blanches brumes et qu'il serait enfin devenu ce qu'il s'était toujours destiné à devenir.

Dieu.

Sa rêverie fut interrompue par le bruit de pieds nus sur le sol poli. Il leva les yeux et vit Stern s'avancer pour intercepter un esclave et, dans un murmure, lui demander quel message il avait pour l'empereur. L'esclave se prostra immédiatement dès qu'il remarqua que Caligula l'observait.

– Que se passe-t-il?

– Le tribun de la garde souhaite vous voir, répondit Stern. Il dit que c'est important.

Caligula soupira. Il était fatigué. Il avait plutôt envie de se lover sur le satin, tout contre les armes et de poser sa tête, qui le martelait, contre le métal froid, apaisant. Mais ce tribun de la cohorte du palais… oui, il aimait beaucoup ce nouveau. Un homme très intelligent, et attachant, pour un officier de l'armée.

Quel était son nom, déjà? Il avait du mal à s'en souvenir.

– Oui… très bien, fais-le entrer.

CHAPITRE 52
54 APR. J.-C.,
PALAIS IMPÉRIAL, ROME

Caton pénétra dans l'atrium de Caligula. Il y était venu à seulement cinq ou six occasions depuis qu'il avait été affecté au commandement de la garde du palais. La salle était caverneuse et tous les bruits y résonnaient à l'infini. Il n'avait jamais vu Caligula que seul. L'empereur, apparemment, préférait tenir sa famille à distance. Il aimait mieux se tenir lui-même compagnie.

Il était seul à l'exception de l'un de ses hommes de pierre, celui qui se prénommait Stern et, bien sûr, une poignée d'esclaves qui attendaient patiemment ses ordres près des murs, passant presque inaperçus, immobiles commes des fresques murales. Mais ils n'étaient pas vraiment humains aux yeux de Caligula.

Caton s'arrêta à une distance respectueuse de l'empereur et le salua.

– Je te salue, césar.

L'empereur sourit en signe de bienvenue.

– Ahh, oui, je me souviens maintenant… Tu es Caton, n'est-ce pas ?

– Oui, césar. Tribun Quintus Licinius Caton.

– Allons, Stern, ne sois pas impoli, dis bonjour à notre visiteur.

L'unité de combat regarda Caton d'un œil inexpressif.

– Bonjour.

Caton le scruta un moment sans mot dire. Il avait vu de près ces choses plusieurs fois au cours des derniers mois. Elles perturbaient ses hommes. Pour être tout à fait franc, elles le mettaient lui aussi mal à l'aise. Même s'il ne croyait pas aux explications surnaturelles, il avait toujours été certain qu'ils avaient quelque chose de pas entièrement humain. À présent, il savait ce qu'elles étaient – des constructions de la main de l'homme, conçues avec de la chair et des os en lieu et place du bois et du métal.

– Qu'y a-t-il, tribun ? demanda Caligula en se calant au fond d'une chaise, et en faisant signe à Caton d'approcher.

Caton s'exécuta, d'une dizaine de pas. Ce faisant, il nota que l'homme de pierre le surveillait de près.

– Visiblement, il s'agit de quelque chose d'important ? reprit l'empereur.

– En effet, césar. Je... j'ai découvert par hasard la preuve d'un complot contre toi.

Caligula se redressa.

– Un complot, dis-tu ?

– Le projet d'essayer de... eh bien... de te tuer.

Le visage de l'empereur rosit légèrement. Il fit entendre un soupir las.

– Ils n'arrêtent jamais ! se plaignit-il en se levant pour s'approcher de Caton. Me tuer, dis-tu ?... Ces vieux sournois. Tout ce qui les préoccupe, ce sont leurs petits buts cachés, leur avancée personnelle, les carrières de leurs fils ou de leurs neveux, faire un mariage d'argent pour améliorer leur position ou vice-versa. S'entre-égorger pour le profit. Des gens atroces.

Il sourit tristement à Caton.

– C'est le pauvre commun des mortels pour lequel j'éprouve de la pitié. Il est dirigé par ces crétins innés depuis bien trop longtemps.

Puis il remarqua les rouleaux.

– Or donc, quels sont ces imbéciles qui se mêlent de vouloir ma mort ?

Caton lui tendit les parchemins pour toute réponse.

– De la correspondance, césar.

Caligula les lui prit des mains, en déroula un et le parcourut rapidement.

– Crassus! Cette vieille figue desséchée? Pourquoi ne suis-je pas surpris? demanda-t-il, levant les yeux sur Caton, comme s'il s'agissait d'une ancienne conversation qu'ils avaient tenue plusieurs fois. Vois-tu, j'aurais dû éliminer la moindre de ces vieilles reliques bavardes. Je suis bien trop bonne pâte, c'est ça mon problème.

Il reprit la lecture de la correspondance.

– Lepidus.

Caligula eut l'air réellement surpris.

– Lepidus?

– Oui, césar.

Caligula ouvrit le rouleau et lut plus loin, son visage prit un rouge plus vif tandis que ses lèvres remuaient en silence.

– L'ingrat, le misérable. Je lui ai tout donné, à lui et à ses hommes! Je les paie trois fois ce qu'ils devraient normalement gagner! Ils ont… il a… Lepidus a prêté serment d'allégeance!

Il prit vivement un fruit dans un saladier, sur un guéridon. Le saladier tomba avec fracas sur le sol et y roula, telle la roue d'un chariot, s'arrêtant enfin, tournant sur lui-même et vibrant dans un vacarme qui retentit entre les murs de l'atrium. Caligula cracha un juron.

– Lepidus… Cette limace se mettait carrément à genoux et me priait, moi, directement. Il me priait! Il racontait qu'il avait toujours su que j'étais plus qu'un homme…

– Le général t'a dit ce qu'il pensait que tu souhaitais entendre, souligna Caton.

Caligula serra un poing qu'il brandit de façon menaçante.

– Le malhonnête… Il se tenait à mes côtés il n'y a pas si longtemps… Il se mettait à genoux devant moi et il croyait en moi! Qu'il…! Tu crois en moi, n'est-ce pas, tribun? demanda-t-il à Caton. Tu crois que je monterai bientôt au paradis où je prendrai

place? Parce que, tu sais, ce ne sera plus très long, maintenant!
Plus long du tout!

Caton hésita, et se rendit compte, l'espace de quelques battements de cœur, que son hésitation était stupide. Il aurait dû anticiper ce genre de question. Se tenir prêt et entraîné, avec une réponse à servir.

Caligula fit un grand geste de la main et plaça un doigt contre les lèvres de Caton.

– Non! Ne me réponds pas, lança-t-il, les yeux vitreux, grands ouverts, emplis de larmes de rage. Dis-moi! Pourquoi… pourquoi est-ce à ce point difficile à croire? Pourquoi est-ce si difficile d'imaginer que je peux être quelque chose de *plus* qu'un humain? Hmm? Je détiens la sagesse, une capacité d'aimer infinie. Je sais des choses que nul autre homme ne connaît. Les Visiteurs sont venus me voir, moi et personne d'autre! Ils sont venus… et ils m'ont dit beaucoup de choses!

Il se pencha encore, baissant la voix jusqu'à ce qu'elle ne soit plus qu'un chuchotement enroué.

– Plus que cela, j'ai de l'ambition. Quand on m'emportera… quand je monterai dans les cieux et que mes pouvoirs me seront conférés, nous n'aurons plus besoin de légions pour pacifier ces Barbares en Germanie, en Bretagne… Nous le ferons avec mon amour, ma compassion! Je bénirai leurs récoltes, leur eau. Je ferai en sorte que le soleil darde sa chaleur et sa lumière sur ces lieux froids et sombres, et ils m'aimeront pour cela.

Le doigt de Caligula demeurait sur les lèvres de Caton.

– Et si cela ne marche pas, je pourrai tout aussi facilement leur envoyer des fléaux. Noircir les ciels de tempêtes. Faire en sorte qu'ils aient peur de moi. L'amour et la peur, après tout, sont la moitié d'un même cercle. À un certain point de l'arc, l'un devient l'autre.

Caligula se tenait si près de lui que Caton sentait le souffle chaud de l'empereur sur son visage. Les mains de Caton se contractaient le long de son corps ; son poignet gauche se frottait contre le pommeau de fer de son glaive.

Je pourrais le tuer maintenant. M'emparer de mon glaive et le tuer sur-le-champ.

Mais lui n'aurait aucune chance. Stern n'était plus qu'à un mètre et se déplaçait terriblement vite. Les yeux gris, froids et calmes l'observaient attentivement en cette minute, analysant avec méfiance les tressaillements de ses muscles faciaux, remarquant le fléchissement subtil de ses doigts près de son glaive. Il pouvait toujours essayer de le prendre, mais Caton doutait qu'il parvienne seulement à le sortir de son fourreau avant que l'homme de pierre ne se précipite sur lui.

– Je… je ne suis qu'un soldat, césar, dit Caton, en remuant ses lèvres sous le léger effleurement du doigt de Caligula. Ma seule inquiétude est ta sécurité. C'est tout.

La colère sur le visage de l'empereur, son regard lointain, s'évanouirent en un instant. Son masque de colère disgracieux disparut et fut remplacé par une chose qui sembla authentique : un sourire chaleureux, accueillant. Il caressa affectueusement la joue de Caton.

– J'adore la simplicité de cette réponse. Pas de jugement… pas de double langage, pas de mensonge. La simplicité de l'esprit d'un bon soldat. Une tâche, un devoir… et comment la réaliser au mieux.

Caligula s'écarta de lui d'un pas.

– Naturellement, je ferai mettre leurs deux têtes au bout d'une pique pour une telle chose. Fais immédiatement arrêter Crassus.

– Et le général Lepidus, césar ?

Caligula pressa pensivement les lèvres.

– Il pourrait s'avérer prudent de le convoquer sans lui fournir de motif, plutôt que de le faire arrêter. Il a beau être une grosse limace toute molle… s'il soupçonnait qu'il ne va pas tarder à perdre sa tête, il pourrait tenter un acte irréfléchi.

– Oui, césar.

– Dis-lui… commença Caligula, un doigt posé sur le menton, dis-lui simplement que je souhaite lui parler. Rien d'alarmant, tu comprends? Je veux simplement lui parler.

– Je vais y veiller immédiatement.

– Bien, répondit Caligula d'un air distrait. Bien… et préviens-moi quand tu tiendras ce Crassus. J'aimerais aussi avoir une petite conversation avec lui.

– Très bien, césar.

Caligula se détourna de Caton et marcha nonchalamment vers la fenêtre et le balcon. Ceux-ci donnaient sur la silhouette de la ville, qui s'assombrissait.

– Ah, regarde. Comme c'est ennuyeux. Je viens de rater mon coucher de soleil, émit-il avec mélancolie.

CHAPITRE 53
54 APR. J.-C.,
30 KM AU NORD DE ROME

– Quoi?

Le général Lepidus postillonna du vin sur son bureau.

– C'est ce que j'ai entendu, général. Cet après-midi même.

Lepidus se leva et les pieds de sa chaise grincèrent.

– Des arrestations?

Le jeune tribun se dandina, mal à l'aise, son casque respectueusement placé sous un bras. Il haletait encore à la suite de sa course de cinq heures depuis la cité.

– Allons, Atellus! Que me contes-tu là?

La voix de Lepidus était aiguë et perçante, presque efféminée; il détestait quand les nerfs et l'anxiété le faisaient parler comme ça.

– Des arrestations... Crassus faisait partie du lot.

Le visage large de Lepidus pâlit aussitôt.

– Crassus!

Atellus confirma d'un signe de tête. Lepidus s'affaissa sur sa chaise, qui craqua sous sa forte corpulence. Il avait l'air choqué.

– Crassus! Que les dieux me viennent en aide, il parlera au premier signe de douleur! Et, poursuivit-il en regardant son subordonné, des noms vont être mentionnés, Atellus. Toi et...

Le tribun acquiesça.

Lepidus s'essuya la bouche, sa peau était déjà humide et poisseuse d'angoisse.

– Je maudis cette vieille prune flétrie de m'avoir embringué dans sa fichue politique!

Une ou deux visites, c'était tout. Lui et Atellus. Cela avait suffi pour qu'il comprenne que le vieil homme allait tous les faire tuer s'il ne se montrait pas plus prudent. Lepidus s'était retiré rapidement de la petite réunion de conspirateurs de cet imbécile. Il avait délibérément ignoré ses invitations répétées pour les rejoindre. Il n'aurait jamais dû y aller la première fois… Mais l'ambition, la vanité, avaient piqué sa curiosité. Crassus avait suggéré que Rome aurait besoin par la suite d'un protecteur, si « par hasard » il arrivait quelque chose à Caligula. Quelqu'un doté de pouvoir, populaire auprès de ses soldats, à portée de main… et qui ne serait pas un inconditionnel de l'empereur.

Quelqu'un… comme lui.

Lepidus avait amené avec lui un officier en qui il avait confiance, Atellus, s'attendant à un repas aux frais du vieux politicien et à une conversation soignée, une exploration modérée de ses propres pensées sur la direction que Rome devait prendre… si quoi que ce fût de regrettable arrivait à leur empereur.

Ce à quoi il ne s'était pas attendu était une assemblée d'étrangers et des échanges si peu voilés, imprudents, dangereux. Et une assemblée de conspirateurs si pitoyable ! Trois sénateurs, un tribun de la garde et une poignée d'autres.

Ce qu'il aurait dû faire était quitter immédiatement cette assemblée et tous les dénoncer à l'empereur, aussi vite qu'il aurait pu. Mais il ne l'avait pas fait. Lui et Atellus étaient revenus et n'en avaient parlé à personne.

C'était suffisant pour être considéré comme coupable, comme Crassus et ses conspirateurs, aux yeux de Caligula. Et pour couronner le tout, Crassus l'avait harcelé pour qu'il revienne, allant jusqu'à lui envoyer des cadeaux.

– Bon sang !

Il prit la coupe devant lui en renversant du vin sur le tas de rouleaux rangés devant lui – l'éternelle paperasserie habituelle d'une légion. Il vida la coupe d'un trait et s'essuya la bouche.

– Ce traître, cette vieille vipère s'est jouée de moi!

– Général?

Lepidus tressaillit et jura entre ses dents.

– Il m'a envoyé plusieurs présents durant l'année passée: les chevaux parthes, la charmante esclave…

Atellus hocha la tête: il le savait très bien, la plupart des légionnaires le savaient. L'esclave avait été particulièrement bien reçue par le général.

– Général, les cadeaux n'ont sûrement rien à voir avec ce…

– Mais tu ne comprends rien, idiot? Crassus a tenté de me faire passer pour un des participants à ses magouilles! Il essaie de… s'interrompit-il, les yeux grands ouverts. Que les dieux me viennent en aide!

– Qu'y a-t-il?

– Je lui ai écrit une lettre… Je… l'ai remercié!

Avant qu'il n'assiste à cette réunion, il avait presque été séduit par les habiles flatteries de Crassus. Il tenta de se souvenir avec précision des mots de sa correspondance. Crassus avait accompagné ses présents de lettres parsemées de critiques soigneusement formulées à l'encontre de Caligula; des encouragements subtilement tournés pour Lepidus à aller un peu plus loin dans la critique.

Il me poussait à m'exprimer. Voilà ce qu'il faisait.

Lepidus se souvenait avoir clairement évité dans sa réponse toute référence aux pensées moins que flatteuses de Crassus sur l'empereur et son épouvantable négligence des affaires de la cité. Le général se souvenait parfaitement avoir rédigé un «merci» poli et très neutre au vieil homme pour ses gentils cadeaux. Mais, plus important… il n'avait fait qu'ignorer ces dangereuses phrases évidentes; des phrases qui le sondaient maladroitement pour savoir où se trouvait son allégeance.

– Oh, aidez-moi! murmura-t-il.

– Général?

Ce qu'il n'avait malheureusement *pas* fait… était d'en référer immédiatement à l'empereur. Ce qu'il n'avait *pas* fait était de prévenir Caligula des traîtres commentaires de Crassus.

Oh, par tous les dieux!

Le point de vue du général, ces dernières années, était que ne pas bouger, garder la tête basse – en attendant que passe cette folie – était une intelligente stratégie à adopter. Avec ses deux légions installées de façon permanente à une simple journée de marche de Rome, il était parfaitement bien placé pour remplacer au plus vite cet imbécile, ce dément au moment où quelque chose lui arriverait.

Et ce serait inévitablement le cas. Caligula était un déséquilibré. De plus en plus. Se croire un dieu, se croire immortel, rien que ça… Ce fou finirait soit par se tuer dans quelque dangereuse course de char pour impressionner son peuple, ou, comme il se croyait réellement capable de voler, par sauter du haut d'un mur. À moins qu'un citoyen désespéré, affamé, n'ait raison de lui, d'un coup de fronde ou de flèche. La folie de Caligula approchait une sorte de crescendo fiévreux. Comme s'il attendait qu'une chose, une chose qui viendrait vraiment changer le monde, lui arrive très bientôt.

Mais cette nouvelle? Ces rumeurs…?

Que les dieux lui viennent en aide si cette correspondance entre lui et Crassus devait tomber entre les mains de l'empereur. Le seul fait de ne *pas* avoir participé à un complot que le vieux sénateur avait tranquillement organisé ne suffirait pas à le sauver.

– Général?

Lepidus se contenta de lever les yeux sur son tribun.

– Nous devons faire quelque chose, général. Nous pourrions bien être les prochains…

Caligula allait exposer de nouvelles têtes au bout de piques dans toute la ville dès les premières lueurs de l'aube.

Deux d'entre elles pourraient bien être la mienne et la sienne.

– Atellus?

– Général.

– Je veux tous les officiers des deux légions assemblées dans mes quartiers dans une demi-heure.

– Oui, général. Qu'est-ce que… ?

– Qu'est-ce que je projette de faire ?

– Oui, général.

– Je n'ai pas le choix, n'est-ce pas ? Crassus s'en est assuré.

Il crut voir un sourire sinistre sur les lèvres de son tribun.

– Oui, Atellus, je veux que les hommes se tiennent prêts à lever le camp.

– Général, tu envisages de marcher sur Rome… hésita Atellus, pour affronter Caligula ?

– Bien sûr que oui !

– Les hommes, général… ils risquent de ne pas bien prendre cette idée.

Atellus avait tout à fait raison. L'allégeance des légions, des officiers et des hommes allait globalement à l'empereur. Sa main était celle qui les nourrissait, et elle les nourrissait très bien. Lepidus ne pouvait être sûr que ses hommes seraient derrière lui. Et si l'ordre de son arrestation arrivait en même temps…

– Puis-je faire une suggestion, général ?

– Vas-y.

– Faisons-leur croire que la garde marche *contre* l'empereur.

Lepidus hocha silencieusement la tête.

Oui, bien sûr.

– Mobilise les hommes, général. Fais-leur croire que nous marchons sur Rome pour protéger Caligula contre un coup d'État du palais. Dis-leur que l'empereur les récompensera pour leur loyauté… que la garde sera disgraciée, démantelée, en conséquence de cette trahison.

Oui… les légions et la garde ne peuvent pas se supporter.

– Atellus… tous les officiers ici dans une demi-heure. Allez !

– Oui, général !

Le tribun salua, tourna les talons et quitta théâtralement les quartiers privés de Lepidus.

À l'aube, il aurait réuni les Xe et XIe légions, et elles seraient prêtes à marcher au pas. Peu importe comment les choses tourneraient dans les jours prochains … s'il avait besoin d'affronter la garde ou non, s'il allait tenter de s'attaquer à Caligula ou non, mieux valait s'y préparer, et avoir ses hommes sur pied, dans leur armure.

CHAPITRE 54
54 APR. J.-C., ROME

Crassus entendit des coups frapper les larges portes de bois de sa maison. Il remplit sa coupe avec ce qui lui restait de vin, observa son esclave, Tosca, qui se dépêchait de traverser la cour, serrant dans ses mains une lampe à huile, pour répondre aux coups insistants.

Les voilà.

Il versa ostensiblement le vin au fond de sa gorge. Un petit peu de courage rouge.

Crassus connaissait ses forces et ses faiblesses. Il n'était pas un homme courageux. S'il avait possédé une once de cette qualité en lui, il aurait été solidaire de tous les autres sénateurs qui avaient tenté de défier l'empereur des années auparavant.

Ce soir, il allait essayer de réparer cela.

Les portes cédèrent et les capes pourpres d'une dizaine de gardes prétoriens firent irruption devant l'esclave.

– Maître ! Maître ! cria Tosca, paniquée.

– Marcus Cornelius Crassus ! J'ai l'ordre de t'arrêter !

Crassus reconnut la voix. C'était Fronton.

Caton avait confié l'ordre d'arrestation à un officier en lequel il avait confiance pour s'emparer de Crassus humainement, gentiment.

Merci, Caton.

– Je suis là, dit-il d'une voix tremblante, sortant de l'ombre de son portique. Qu'est-ce qui ne va pas ?

Fronton s'approcha, flanqué de ses deux hommes. Il adopta son ton le plus officiel.

– Marcus Cornelius Crassus, j'ai l'ordre de t'escorter au palais de l'empereur. Il souhaite te parler.

Crassus sourit calmement à Fronton.

– À cette heure de la nuit, centurion ? Est-il seul ?

Fronton s'efforça de retenir la palpitation d'un sourire sur son visage.

– Mieux vaut venir tout de suite, Crassus.

– Oui, bien sûr, dit le vieil homme… Je ne dois pas faire attendre un dieu, n'est-ce pas ?

Tosca se précipita vers lui avec une cape.

– Maître ! Que se passe-t-il ?

Crassus tapota affectueusement le bras de son esclave.

– Inutile de t'inquiéter, Tosca, c'est un vieil ami. Je serai de retour pour le petit déjeuner, sans aucun doute.

– Crassus ? dit Fronton avec insistance.

– Ferme bien la porte, Tosca, dit-il doucement.

Il se tourna vers Fronton, attachant la cape autour de ses maigres épaules à l'aide d'un fermoir.

– Centurion ? Je suis à toi.

Caligula leva les yeux de la petite bataille que se livraient les figurines de bois sur la table basse, devant lui. Il avait perçu le tintement de l'armure, le claquement des sandales sur la pierre dans l'entrée.

– Ah… bonsoir, Crassus, fit-il avec un sourire froid.

Crassus inclina poliment la tête tandis que l'escorte de prétoriens fit halte, à quelques mètres de l'empereur.

– Je te salue, césar.

– Eh bien… il est survenu quelque chose d'étrange ce soir. Aimerais-tu savoir de quoi il s'agit ?

Crassus ne dit rien.

– Oh ? Tu n'es pas le moins du monde curieux ?

– Je me doute que tu prévois de me le dire de toute façon, césar.

Caligula se fendit d'un grand sourire avant de froncer les sourcils d'un air intrigué.

– Hmm, cela ne te ressemble pas, Crassus. D'habitude tu es si… si *docile*.

Il se pencha par-dessus les lignes de légionnaires miniatures et huma l'air qui le séparait du vieil homme.

– Tu as bu, on dirait ? Un peu inquiet, peut-être ?

– Je bois méthodiquement le vin qu'il me reste, avant que Rome ne tombe dans une totale anarchie et ne soit pillée par la populace.

– Tss-tss, fit Caligula en secouant la tête. Je ne laisserai pas Rome sombrer dans l'anarchie. Bientôt, tous les citoyens seront couverts de richesses… et auront leurs propres tonneaux de vin.

– Tu gardes toujours espoir en ton jour d'exception, à ce que je vois.

– Le jour où le paradis m'ouvrira ses portes ? Oui, bien sûr. Et ce jour est d'ailleurs très proche.

– Si tu le dis.

– Je le dis, en effet, répondit Caligula, durcissant ses traits. Tu sais que cela me soucie, Crassus ; peut-être aurez-vous une réponse à cela. Si ces sales sauvages de Judée ont réussi à croire qu'un homme sans éducation, un simple artisan quelconque, je crois… s'ils ont pu croire que ce simple trublion était le roi des rois, le fils de Dieu… pourquoi est-ce si difficile de croire qu'un empereur romain puisse…

– Tu es complètement fou, répondit Crassus. Et un danger pour Rome.

Caligula était stupéfait de la candeur de cet homme.

– Il n'y a pas **de dieux, ni** même un seul dieu, poursuivit-il. Ce sont des fables, tout cela, rien de plus. N'importe qui, même s'il est quasi demeuré, peut s'en rendre compte.

– Crassus… dit Caligula en prenant un air espiègle. On dirait bien que tu as retrouvé ta langue, ce soir.

– Tu m'as fait venir pour une raison précise, césar ?

– Oui... oui, dit Caligula en se levant. Ah, tribun ! lança-t-il en jetant un regard derrière l'épaule du vieil homme. Viens, approche-toi.

Caton se joignit à eux et offrit à Caligula un sourire bref.

– Tribun... pourquoi ne pas révéler à Crassus ce que tu as découvert, hmm ?

Caton se tourna vers Crassus, gardant une voix sèche et un ton officiel :

– Une correspondance entre toi-même et Quintus Antonius Lepidus, contenant des invocations d'actes de rébellion et de trahison.

– Tu as versé du poison dans l'oreille de Lepidus. C'est très très mal. Lepidus était un homme fidèle. Un homme bon, fit Caligula en remuant la tête d'un air triste. Je suis sûr qu'il croyait en moi jusqu'à ce que tu le travailles. Maintenant... ajouta-t-il en prenant un légionnaire de bois sur la table, je ne peux plus du tout lui faire confiance.

Crassus eut un rire sec.

– Tu ne peux faire confiance à personne... Nombreux sont ceux qui ont peur de toi. Quant à moi, j'ai juste *pitié* de toi. Tes jours sont comptés, césar.

Caligula donna un coup de pied dans la table, faisant tomber en cascade ses soldats de bois.

– Pourquoi ? Pourquoi ne pouvez-vous pas attendre, tout simplement ! Attendre de voir ce qu'il adviendra !

– Attendre ? Attendre que tu deviennes un dieu ?

– Mais ouiii ! s'exclama Caligula, se détournant d'eux et émettant un cri de frustration dans l'obscurité de l'atrium. Attendez donc ! Attendez et vous verrez !

Crassus jeta un coup d'œil à Caton et vit le tribun remuer imperceptiblement la tête. Le message était clair : ne le provoque plus, c'est inutile.

Le vieil homme sourit à son ami. Un sourire qui signifiait

qu'il savait où allait les conduire cet échange. Qu'il était prêt à l'assumer. Mais, surtout, que Caton devait laisser cela arriver. Essayer de l'arrêter, essayer de le sauver, de poignarder Caligula serait vain ; les hommes de pierre de l'empereur se tenaient tout près. Trop près.

– Tu ne seras jamais un dieu, Caligula… Petite Sandale. Tu n'es qu'un empereur raté et un imbécile, imbu de ses illusions !

Caligula fit volte-face.

– Tribun ! Ton glaive !

Caton regarda l'empereur avec hésitation.

– Donne-moi ton glaive ! Tout de suite !

Caton le dégaina lentement et présenta la poignée à Caligula.

– César, je suggère de préserver la vie de Crassus ! Il sera une source d'informa…

Caligula l'ignora et saisit le glaive. Il appuya le bout de la lame dans le creux à la base de la gorge de Crassus, ce qui provoqua un saignement, un petit écoulement le long de la clavicule proéminente du vieil homme, par-dessus le tranchant de l'arme, qui trempa le lin de sa toge.

Caligula lâcha un petit rire cruel à cette vue.

– Crassus… Tu nous réserves bien des surprises, ce soir. As-tu envie de mourir ?

– Je suis tout à fait prêt à mourir. Prêt à ouvrir la voie à une nouvelle génération de sénateurs, ajouta-t-il avec un coup d'œil à Caton.

Puis, avec un sourire de défi adressé à Caligula :

– Des sénateurs qui très bientôt te remplaceront.

Caligula vira au rouge sombre. Il enfonça le glaive de toutes ses forces, jusqu'à ce qu'il grince contre un os dans le corps du vieil homme. Il rit frénétiquement. Du sang gargouillait dans la bouche de Crassus qui s'ouvrait et se refermait spasmodiquement. Il tomba à genoux et s'effondra sur le sol.

Caligula s'accroupit pour l'examiner.

– César.

– Oui, répondit-il à Caton en levant les yeux sur lui.

– Quels sont tes ordres ?

– Mes ordres ?

– Le général Lepidus… tu as envoyé un messager tout à l'heure. Avec un message à lui remettre de toute urgence. Il sera averti maintenant. Il risque même de venir à toi.

Caligula hocha la tête. Son esprit se clarifiait au fur et à mesure que sa rage déclinait.

– Oui… oui, tu as tout à fait raison. Nous devons faire quelque chose.

– Puis-je suggérer que tu mobilises les cohortes prétoriennes en garnison à l'extérieur de la ville ? Lepidus a deux légions sous son commandement… et elles sont à moins de deux jours de marche d'ici.

Caligula se releva lentement. Il avait déjà oublié le corps de Crassus.

– Oui, nous devons agir vite.

– Immédiatement, césar. Si Lepidus sait déjà qu'on le soupçonne, il pourrait être en train, en ce moment même, de préparer ses hommes à marcher sur Rome. La garde devrait se préparer à se mettre en route pour aller à leur rencontre.

– Tu as raison ! dit Caligula avant de cracher un juron. Où donc est passé ce fichu *praefectus* ? Je l'ai envoyé chercher il y a des heures !

Caton se tourna vers Fronton.

– Trouve-le. Il nous faut son autorité pour…

– Non, nous n'en avons pas besoin ! Je suis l'empereur, tout de même ! Qu'on dise à toutes les cohortes prétoriennes de se rassembler à l'aube devant les portes de l'est sur la voie Prénestine. Compris ?

– Oui, césar, répondit Fronton.

– Eh bien, va ! Maintenant !

Le centurion quitta précipitamment l'atrium. Caton regarda Stern, au garde-à-vous juste derrière Caligula.

– Tes hommes de pierre, césar… Puis-je te suggérer de les envoyer ? Ils ont assez bonne réputation. Et Lepidus a deux légions alors que nous n'en avons qu'une, ajouta-t-il devant l'air pensif de Caligula.

– Hmm. Tu as peut-être raison. Seulement, s'il se trouvait d'autres conspirateurs comme Crassus dans les environs, je préférerais qu'ils restent à mes côtés.

Caton se demandait jusqu'où il pouvait y aller de ses conseils. À part ce qui concernait Crassus, Caligula semblait les écouter, et même leur faire bon accueil.

– Ma cohorte est là pour veiller sur toi, sur le palais et le gouvernement.

– Oui, je devrais peut-être en envoyer quelques-uns… dit Caligula en réfléchissant tout haut plus qu'il ne parlait vraiment à Caton.

– Assez pour t'assurer une victoire décisive, césar ?

– Hmm… oui. Il faut certainement que ce soit décisif. On ne peut pas avoir un général mécontent sur deux qui suive l'exemple de Lepidus, n'est-ce pas ?

– Non, césar.

CHAPITRE 55
54 APR. J.-C.,
QUARTIER DE SUBURE, ROME

Sal regarda la traverse, au bas de l'immeuble, par la petite fenêtre de leur chambre. Les gens sortaient de chez eux et l'avenue était éclairée par les flammes des lampes à huile et des torches que les curieux avaient apportées.

– Qu'est-ce qui se passe ? demanda Maddy.

– Des gens... ils se rassemblent dans la rue. Il se passe un truc.

Maddy la rejoignit et la bouscula en tendant le cou par-dessus le rebord de plâtre qui s'écaillait.

– Ça ressemble à une réunion genre conseil municipal.

– Il s'est *déjà* passé un truc.

Par-dessus les tuiles, elles apercevaient les murs d'autres rues étroites faiblement éclairées par des torches ; la lueur provenant de dizaines de fenêtres dont on avait ouvert les volets se déversait sur les dos arrondis des curieux.

– C'est comme le téléphone arabe, dit Maddy. Ils se disent quelque chose.

Les rumeurs dans cette ville se répandaient encore plus vite qu'à leur époque. Elle rit. Avec ses cloisons aussi fines que du papier à cigarette et ses cours exiguës qui facilitaient les commérages, Rome n'avait pas besoin d'Internet, de Facebook ou de Twitter.

– Peut-être qu'ils ont déjà tué Caligula.

– Je ne sais pas. Ça n'a pas pu se faire aussi facilement, quand même.

Juste sous leur fenêtre, un volet s'ouvrit en claquant et les têtes de plusieurs voisins curieux apparurent. À l'entrée de la traverse qui débouchait sur la cour de leur immeuble, la silhouette massive de Bob s'affairait.

– Mais Macron a raison… Quoi qu'il arrive dans les jours prochains, ce sera le chaos total.

– Tous ensemble, les gars, grogna Macron.

Liam, Bob et plusieurs habitants de l'immeuble étaient en train de soulever une charrette.

– Un… deux… trois… maintenant ! beugla Macron.

La charrette roula avec fracas sur le côté, formant une barricade rudimentaire qui bloquait presque entièrement l'entrée de la traverse. Il restait un passage de chaque côté qu'il fallait combler. Sous le commandement de Macron, ses locataires formèrent une chaîne humaine et transportèrent le bric-à-brac de la cour, afin de l'empiler autour de la charrette.

Liam grimpa sur une caisse pour mieux voir. Bob se tenait près de lui et regardait les gens qui s'étaient réunis.

– Tu comprends ce qu'ils disent, Bob ?

– Je vais essayer.

Il fronça les sourcils, se concentrant sur les voix confuses de l'allée.

– Apparemment, la garde prétorienne quitte la ville, dit-il en inclinant la tête pour mieux entendre. D'après une autre rumeur, Caligula aurait été tué par les prétoriens. Et il y en a une autre, ajouta Bob en souriant : les démons de l'enfer ont surgi des égouts et saccagent la ville.

Un groupe de jeunes hommes émergèrent d'un pas de porte, un peu plus haut dans l'allée, tous armés de couteaux, de hachettes et de massues.

Macron rejoignit Liam et Bob. Plus petit que Liam, il dut se mettre sur la pointe des pieds pour réussir à voir par-dessus le rebord de la charrette.

– Ça a déjà commencé, dit-il.

– Quoi donc? demanda Liam.

– Les perturbateurs… soupira Macron. Au premier signe d'une émeute, tous les vauriens de la terre sortent et cherchent la manière la plus simple de s'enrichir.

Il jura et cracha par-dessus la charrette.

– Je vous préviens, s'ils pensent seulement à toucher à mon immeuble, dit-il en extirpant son fendoir de boucher d'un petit sac noué autour de sa taille, par-dessus son tablier de cuir, ils vont le regretter. C'est moi qui vous le dis.

Liam regarda le reflet de lumière qui jouait sur l'épaisse lame.

– Mais en fait, vous, euh… vous avez dû en voir de belles quand vous étiez dans la légion, monsieur Macron.

Macron lui adressa un grand sourire édenté.

– Tu te moques de moi, mon gars?

Le babel lui répéta immédiatement la phrase. Mais l'expression incrédule de Macron valait plus qu'une réponse.

CHAPITRE 56
54 APR. J.-C.,
PALAIS IMPÉRIAL, ROME

Caton déroula une carte de la cité sur la table, dans les jardins du palais, et posa une pierre à chaque coin.

– Approchez-vous, soldats, dit-il aux officiers réunis, aux centurions et suppléants de la première cohorte – ses hommes.

Certains d'entre eux, qui venaient juste de quitter leurs couchettes, avaient encore les yeux gonflés par le sommeil et finissaient d'ajuster leur armure.

Ils se pressèrent autour de la table et leur tribun leur exposa brièvement de quoi il retournait.

– Je suis sûr que vous avez maintenant tous entendu dire que le reste de la garde se rassemblera, à l'aube, devant la caserne de la garde prétorienne.

– Que s'est-il passé, tribun ?

Caton leva les yeux sur un centurion à cou de taureau, doté d'un nez aplati de boxeur et d'épais cheveux blonds coupés à ras.

– Il semblerait, Rufus, que le général responsable de la Xe et de la XIe ait décidé qu'il en avait assez de notre empereur. La garde va partir à sa rencontre.

– C'est un peu rapide, non, tribun ? Je croyais que Lepidus était un homme de confiance de Caligula.

– Tu sais ce que c'est avec les *equites*… Les cavaliers finissent toujours par penser qu'ils ont tous les droits. Enfin bref, venons-en au fait. Notre cohorte reste en arrière pour garder la ville. Quand tout le monde se réveillera demain matin et en entendra parler… et qu'ils découvriront que la quasi-totalité de la garde s'en est allée, il y aura des émeutes dans toute la ville. Ça sera le chaos total. Ce sera donc notre rôle de protéger, partout où nous le pourrons, l'infrastructure de la cité.

Caton se pencha sur la carte avant de reprendre :

– À commencer par toi, Rufus, je veux que ta seconde centurie se déploie ici sur le Champ de Mars, pour protéger le temple. Toi aussi, Lectus, je veux ta centurie ici pour garder la voie. Sulla, Marcelllus, que vos hommes défendent l'aqueduc ici et ici. Les autres, je vous assignerai des positions sur l'enceinte impériaux pour protéger les édifices impériaux. Et tes hommes, Fronton, assureront la sécurité du palais lui-même.

– Oui, tribun.

– Une seule et unique centurie pour protéger l'empereur ? questionna Rufus, étonné.

Rufus était comme la plupart des hommes de la garde : robuste, mais certainement pas stupide.

– L'empereur a ses propres gardes du corps.

– Les hommes de pierre… émit l'un des subordonnés.

Caton n'aimait pas cette appellation, les *hommes de pierre*. Cela leur supposait des qualités surnaturelles. Il savait à présent qu'ils n'étaient que des machines composées de muscles et d'os, fabriquées par des hommes d'une époque ultérieure ; ce nom était trop chargé de superstition.

– Il sera tout à fait en sécurité tant qu'il restera dans le palais, lui assura Caton. Tu es d'accord ? lança-t-il à Fronton.

– Oui, tribun. En parfaite sécurité.

À ce moment précis, un éclat de voix retentit à travers les jardins du palais éclairés par des bougies.

– Mais que diable se passe-t-il ici ?

Tous les officiers se retournèrent et virent arriver leur *praefectus*, Quintus, qui avançait à grandes enjambées. Il n'eut aucun mal à reconnaître la grande silhouette de Caton au milieu du groupe.

– Tribun! Par Jupiter, qui a usurpé mon autorité pour donner l'ordre à la garde de… ?

– L'empereur en personne, préfet.

– Quoi ?

Quintus s'arrêta net et se retourna.

– Caligula ? Mais… Moi seul détiens l'autorité de… de…

– Quintus !

Ce fut comme si la voix de Caligula tranchait l'obscurité.

L'empereur surgit de la nuit, escorté de deux de ses hommes de pierre. Le visage du préfet pâlit. Seul un imbécile aurait pu se risquer à brailler le surnom de l'empereur dans tout le palais.

– César…

Caligula lui intima d'un geste l'ordre de se taire.

– J'ai exercé mes prérogatives d'empereur pour les mobiliser, puisqu'on n'arrivait pas à te trouver.

– Mais, césar…

Quintus avala nerveusement sa salive.

– Il… il y a un protocole…

– Ou plus exactement mes prérogatives de dieu en puissance, ajouta Caligula avant de sourire. Un seul mot de plus, Quintus, et je fais ôter ta langue de ta bouche.

Son regard froid quitta Quintus, qui se mit à fixer ses pieds comme un écolier qu'on réprimande.

– Bon, eh bien, où est-il, ce Caton ? Ah, te voici !

– César ?

– J'ai décidé qu'en fait je dirigerai la garde, rien de moins !

– Comment ? s'exclama-t-il en oubliant presque à qui il s'adressait. Mais pourquoi, césar ?

– Je trouve approprié de vous accompagner. Il est bon que les hommes soient conduits par moi et, bien sûr, par mes hommes de pierre. Cela devrait tout à fait les inspirer.

Caton parcourut rapidement du regard les têtes pour y chercher celle du seul conspirateur présent : Fronton.

– Mais, césar, il serait plus avisé de ta part de rester au palais.

Les gens ont besoin de te voir ici même, à Rome Ils ont besoin de constater que la… sottise… de Lepidus ne t'inquiète en rien !

– Oh, je ne suis pas le moins du monde inquiet, fit Caligula avec un petit rire. En fait, je suis impatient de participer à une grande et splendide bataille ! Cela fait si longtemps.

Il renifla l'air comme s'il y flottait un parfum qu'il fût le seul à détecter.

– Une dernière bataille, reprit-il, avant de monter aux cieux. Comme c'est merveilleux ! dit-il en se retournant vers l'homme de pierre qui portait son armure. Et je n'aurais vraiment pas voulu manquer de voir ce gros traître de Lepidus ramper à mes pieds.

Caton fit un effort pour maîtriser sa voix.

– César ! Je t'en prie… Ce sera dangereux…

– Dangereux ! Oh, si peu ! dit Caligula, en levant les bras tandis que l'homme de pierre l'aidait à enfiler sa cuirasse de bronze.

– C'est ce que les gens ont besoin de voir… ce qu'il leur faut comprendre : que je ne suis pas seulement un dieu, mais aussi un guerrier, un grand général.

Caton serra les dents dans un geste de frustration. Tout leur plan s'effondrait.

– Tribun, dit l'empereur, assure-toi simplement que personne ne se méconduise durant mon absence. Je ne veux pas revenir dans une ville sens dessus dessous.

Caligula laissa l'homme de pierre finir d'ajuster sa cuirasse.

– Viens, Quintus ! Ne reste pas planté là, comme une vieille femme ! Tu ferais mieux d'aller chercher ton armure, toi aussi. Nous quitterons la caserne de la garde prétorienne au lever du jour. Je te laisserai trois de mes gardes du corps pour t'aider à garder le palais, dit-il, avec un clin d'œil, à Caton. Je te confie ma demeure, tribun. Veille au mieux à la conserver en ordre.

Puis, avec une grande tape sur l'épaule de Quintus, il ajouta :

– Vas-y, mon garçon !

Caton regarda Quintus partir, et Caligula conduire ses gardes du corps vers les étables impériales, jusqu'à ce que la nuit les avale. Puis il retourna près de ses officiers.

– Très bien, vous avez tous vos ordres. Vous pouvez disposer.

Les officiers saluèrent puis s'en retournèrent rassembler leurs hommes. Fronton renvoya son propre subordonné et organisa la première centurie. Les deux hommes ne dirent mot jusqu'à ce qu'ils soient tout à fait seuls, hors de portée des oreilles indiscrètes.

Caton jura.

– Notre plan tombe à l'eau, on dirait, déplora Fronton.

Caton hocha la tête. Celui-ci reposait sur l'hypothèse que Caligula resterait au palais et enverrait la plupart des hommes de pierre soutenir la garde. Maintenant qu'il avait décidé de partir, cette bataille tournerait sûrement à son avantage, l'enhardissant sans aucun doute encore plus.

– Sauf si Lepidus parvient à le vaincre. Tu crois qu'il a ses chances ?

Caton secoua la tête. Les prétoriens et les hommes de pierre à l'avant-garde seraient sans doute impossibles à arrêter pour Lepidus et ses hommes.

– Tout ce que nous avons réussi à faire, Fronton, c'est de donner l'occasion à Caligula de faire un peu de sport – un sport sanglant, on peut y compter. Voilà tout.

Il se demanda s'il y avait eu un moment, au cours de ces dernières heures, où il aurait pu se saisir de son glaive et lui asséner un coup fatal. Il serait sans doute mort quelques secondes après l'empereur. Les hommes de pierre étaient rapides et très dangereux. Tout ce qu'il aurait pu faire, très probablement, aurait été de bondir sur Caligula avant d'être terrassé et exécuté sur-le-champ.

La vérité était qu'à son retour Caligula découvrirait par un moyen ou par un autre que Crassus avait rencontré d'autres conspirateurs. Cicéron et Paulus figureraient sûrement en haut de la liste des personnes avec lesquelles l'empereur souhaiterait avoir une petite conversation. Et combien de temps s'écoulerait-il encore avant que l'un ou l'autre de ces vieillards ne prononce son nom ?

– S'il gagne, Fronton… s'il revient victorieux, j'essaierai de l'avoir. Nos noms, ajouta-t-il, les yeux dans ceux de son premier centurion, sortiront bien assez tôt à son retour.

– Alors, nous serons des hommes morts, conclut Fronton.

– En effet.

CHAPITRE 57
54 APR. J.-C.,
QUARTIER DE SUBURE, ROME

– Je n'ai jamais vu les rues aussi calmes, remarqua Macron.

Liam en convint d'un signe de tête en scrutant l'avenue vide, par-dessus la barricade. Pas complètement vide, toutefois. Une demi-douzaine de corps jonchaient la rue pavée. Des batailles avaient fait rage toute la nuit : des bandes rivales avaient réglé leurs comptes, des gens avaient pillé les petits commerces situés au pied des immeubles qui leur faisaient face. Et une chose avait instillé la peur chez les centurions vétérans : le feu. Quelqu'un avait enflammé l'une des petites alcôves où l'on vendait des rouleaux de lin et de soie.

Macron avait sauté par-dessus la barricade et avait foncé de l'autre côté de l'avenue, bousculant brutalement des jeunes gens qui se battaient, afin d'éteindre les flammes avant qu'il ne soit trop tard et qu'elles n'investissent définitivement les lieux. Cinq minutes après, il était revenu, sentant la fumée, suant abondamment, et murmurant pour lui-même des grossièretés.

– Si j'avais su à quel point ces bâtiments sont sommaires... j'aurais plutôt investi dans une vigne.

C'était maintenant le milieu de la matinée. Le soleil se déversait sur les pavés, depuis un ciel strié de fumée.

– J'imagine qu'aucun marchand ne se montrera aujourd'hui ? dit Liam.

– Non. N'importe quel commerçant doté d'une once de bon sens mettrait les voiles loin de Rome jusqu'à ce que les prétoriens reviennent rétablir l'ordre. Les gens vont avoir faim, ce matin.

Liam se retourna vers la cour. Là-bas, il y avait à manger : plusieurs sacs de grains achetés à un prix exorbitant la veille, une dizaine de poulets et, bien sûr, leurs deux chevaux. Liam devina qu'il y avait, dans l'immeuble de Macron, une centaine de locataires, une centaine de bouches à nourrir chaque jour qu'allaient encore durer les événements.

– Tout le monde sait qu'on a de la nourriture, ici.

Macron répondit par des signes de tête aux visages qui, sur la façade opposée, se penchaient aux fenêtres.

– La nouvelle va se répandre très vite. D'ici peu, nous devrons nous battre pour elle.

Sal travaillait avec un jeune homme, un esclave blond qui venait de Gaule. Elle tenait le pieu tandis qu'il en taillait l'extrémité pour en faire une pique. Elle ne lui donnait pas plus de quinze ans, mais c'était difficile à dire. Ses bras n'étaient que muscles et tendons, son visage mince et crispé. Pas un centimètre de sa chair n'était inutile. Il n'avait tellement rien en commun avec les visages bouffis de ses amis de 2026.

– Bouger pas, s'il te plaît, dit-il, avec un sourire, dans un latin approximatif.

– Désolée, répondit-elle en répétant ce que lui disait le babel logé dans son oreille.

Enfin, il fit tourner le pieu au-dessus des flammes d'un brasero pour le durcir.

– On dit toi et tes amis venir de loin, commença le garçon.

– De très loin, confirma Sal.

Il lui jeta un rapide coup d'œil.

– Quelqu'un me dit… c'est même endroit que Visiteurs ?

– Pas vraiment.

Dire « oui » aurait invité à un déluge de questions auxquelles elle n'était pas sûre de savoir répondre.

Il observa le piercing qui ornait son nez.

– C'est marque d'esclave ?

– Ça ? dit-elle en le touchant. Non… c'est juste… une décoration, je dirais. Pour être belle.

Le garçon s'empara d'un autre pieu et lui proposa de le tenir par une extrémité.

– Toi sembles… différente.

– Différente ? répéta-t-elle en se regardant.

Son sweat à capuche noir, son jean slim et ses bottes à semelles compensées étaient dans sa chambre. Là, elle portait une tunique bordeaux sans manches, qui descendait jusqu'aux tibias, ceinturée à la taille par une bande de cuir, et des sandales. Comme n'importe quelle autre fille de Rome.

Le jeune homme désigna sa frange.

– Les cheveux comme… aussi courts que garçon.

Elle fit la grimace. Elle ne trouvait pas. Au contraire, ils étaient un peu trop longs à son goût, en ce moment. Sa frange lui tombait toujours sur les yeux. Ils avaient bien trop repoussé depuis la dernière fois qu'elle les avait fait couper. Mais comparés à ceux d'une fille ou une femme de cette époque, le plus souvent longs et tirés en arrière, rassemblés en une natte qui leur tombait au creux du dos, oui… les siens paraissaient sûrement aussi courts que ceux d'un garçon.

– J'aime bien comme ça, répliqua-t-elle. Les femmes se coiffent comme ça là d'où on vient.

– On dit ta maison s'appeler… dit-il en s'efforçant de se concentrer pour bien prononcer. *A-mé-ri-que* ?

L'Amérique. Ma maison ?

Elle sourit d'un air triste.

Pas vraiment.

– Je viens d'un endroit qui s'appelle l'Inde, répondit-elle. De Mumbai.

– Mourm… baille ?

– Presque : Mumbai, répéta-t-elle.

– Est-ce que… même endroit que… amis de toi ?

Comment allait-elle expliquer cela ? Non. Ce n'était pas

le même endroit. Mais, se rappela-t-elle, il fallait faire simple.

– Oui, si on veut. C'est très près.

Il cessa un moment de tailler le pieu.

– Comment c'est, *Mumbai*?

Elle le regarda, puis considéra la cour, désormais occupée par les locataires de l'immeuble qui préparaient ensemble armes et barricades. Elle vit des cordes à linge suspendues dans le ciel au-dessus de leurs têtes, d'un balcon à l'autre. Certaines parties de Mumbai ressemblaient à cela : des bidonvilles composés de tôle ondulée et de parpaings dangereusement empilés, dans une promiscuité absurde. Des dizaines de milliers d'émigrants appauvris, venus des basses terres alors submergées du Bangladesh, vivaient ainsi, les uns sur les autres. Chaque immense quartier du bidonville partageait plusieurs dizaines d'alimentations électriques surchargées, quelques robinets d'eau et des toilettes communes qui charriaient des déchets non traités jusqu'aux rues crasseuses, en contrebas.

Sal soupira. Elle se rendait compte qu'elle venait d'une époque datant de presque deux mille ans après celle-ci, et pourtant les choses là-bas, *à la maison*, avaient tellement empiré, avec la surpopulation, la raréfaction des ressources, la nourriture et l'hygiène si insuffisantes... que ce quartier bas de gamme de la Rome antique ressemblait presque à un pas en avant dans le futur.

Presque.

– Ce n'est pas aussi bien qu'ici, répondit-elle. Je crois bien qu'on a saccagé l'endroit d'où nous venons.

– Que dire toi?

Comment tout expliquer?

– On était trop nombreux, finit-elle par répondre. Trop nombreux à vouloir trop de choses... je crois.

Il acquiesça d'un signe de tête comme s'il comprenait cela.

– Comme Rome, alors?

Comme Rome?

Rome avait fini par tomber, en effet. Elle s'était effondrée, avait brûlé, envahie par les Barbares. Peut-être avait-il raison, peut-être que son époque et Rome avaient beaucoup en commun.

– Oui, un peu comme Rome.

À cette minute, elle entendit Liam au cœur du brouhaha qui emplissait la cour. Elle ne pouvait comprendre ce qu'il disait, mais sa voix perçante n'annonçait rien de bon.

– Liam ? Qu'est-ce qui se passe ? cria Maddy.

– On a de la compagnie !

La voix de Macron retentit, encore plus fort, un cri de ralliement qui se répercuta entre les quatre murs élevés de la cour et fit pivoter toutes les têtes. Le petit appareil niché dans l'oreille de Sal traduisait consciencieusement ses cris éraillés avec la voix de sergent chef qu'il avait choisie.

<Ils arrivent.>

Le palais était d'ordinaire un endroit tranquille. Les célèbres orgies de Caligula, ses excès particuliers à propos desquels jasaient les Romains dans tout l'Empire, étaient une caractéristique de ses jeunes années. Certains des vétérans les plus âgés de la garde avaient échangé avec Caton des histoires sur le comportement extravagant de l'empereur peu après son accession au pouvoir. Mais tous s'accordèrent à dire que le Jour des Visiteurs, Caligula avait laissé tout cela derrière lui.

Depuis lors, la grande salle de l'empereur était devenue un lieu où les conversations se déroulaient calmement et où les gardes qui patrouillaient partout, pour ne pas s'éloigner de l'empereur, marchaient à pas légers et cherchaient à étouffer autant qu'ils le pouvaient les cliquetis de leur équipement.

Le palais était d'ordinaire un endroit tranquille, remarqua Caton, mais aujourd'hui, il était vraiment aussi silencieux qu'une tombe. Le personnel du palais, les esclaves comme les affranchis, étaient confinés dans leurs logements pour leur propre sécurité. Les seules personnes présentes dans l'enceinte étaient Caton, le centurion Fronton et sa centurie... et les trois hommes de pierre que Caligula avait choisi de laisser.

Où sont-ils allés, exactement ?

Il préférait savoir où étaient tapies ces espèces de choses.

Caton faisait de son mieux pour ressembler à un officier soucieux de son devoir. Il parcourait les couloirs silencieux et leur sol de marbre, ainsi que les cours privées, quêtant le moindre signe d'intrus ou de pillards. Dehors, sur la pelouse du palais, il s'accroupit devant une grille d'égout et alla jusqu'à vérifier si elle était sûre. Non qu'il ait particulièrement peur. Mais les apparences étaient très importantes.

Son esprit était ailleurs.

Un messager du préfet Quintus était arrivé quelques heures seulement après que la garde avait levé le camp, formant une longue colonne de capes rouges. Des escadrons de cavalerie en reconnaissance à l'avant de la colonne s'étaient déjà accrochés avec les éclaireurs des Xe et XIe légions. Ils avaient entraperçu la colonne de Lepidus à l'horizon. Apparemment, Atellus avait réussi à convaincre le général de bouger. Les deux forces se rencontreraient probablement à quelques kilomètres, d'ici midi, et passeraient ensuite le reste de la journée à établir leurs camps provisoires. Leurs hommes se reposeraient pendant la nuit et la bataille aurait lieu le lendemain.

Ce qui inquiétait Caton, c'était la possibilité d'une remise en jeu entre Caligula et Lepidus. Le général pouvait très bien persuader l'empereur qu'il avait été envoyé par Crassus et ses conspirateurs. Combien de temps se passerait-il, durant cette conversation, avant que le nom de Caton soit prononcé ? Et combien de temps après cela, avant qu'un messager et une escorte de la cavalerie prétorienne arrivent au palais avec l'ordre de son arrestation ?

Il aurait pu poignarder Caligula. Il aurait dû essayer pendant que l'empereur était distrait par l'agonie de Crassus. Il aurait peut-être eu sa chance.

Son esprit évoqua ensuite les jeunes étrangers : les deux filles, le jeune homme et leur géant. Peut-être que la seule chance qu'il détenait maintenant était de faire venir cette créature, *Bob* – un drôle de nom –, dans l'enceinte impériale, pendant qu'elle était encore quasiment déserte. Ensuite, au retour de Caligula, il pourrait se débrouiller d'une façon ou d'une autre pour trouver le bon moment, et surgir pour se faufiler près de lui.

Ce n'était pas à proprement parler un plan, mais c'était tout ce qui restait à Caton en cette minute, s'il ne voulait pas se contenter d'attendre l'inévitable arrivée d'un messager et de son ordre d'arrestation.

Il retourna dans l'atrium et prit vers l'ouest, par le vestibule d'accès à l'entrée principale du palais. Fronton et plusieurs sections de ses hommes étaient là. Caton avait besoin de lui parler. Au milieu du vestibule, empli de l'écho de ses pas lourds et rapides, il s'arrêta devant un rideau.

Le temple se trouvait juste derrière.

Il s'approcha.

C'était le temple dans lequel seul Caligula pénétrait. Il se demanda si la fille, Maddy, avait raison. Si, dissimulés dans la pièce, il y avait bien les mystérieux chars, ou peut-être même les restes des Visiteurs. Il agrippa le rideau et le tira lentement sur un côté.

– Vous n'avez pas la permission d'être là.

Caton sursauta en entendant la voix sévère. Voilà donc où étaient tapis les trois hommes de pierre.

– Veuillez partir immédiatement, dit un autre, s'avançant d'un pas menaçant, la main sur la poignée de son glaive.

CHAPITRE 59
54 APR. J.-C.,
QUARTIER DE SUBURE, ROME

– Jésus Marie Joseph! Mais descends de là, enfin! hurla Liam en envoyant sa massue de fortune sur les grosses articulations de deux mains qui agrippaient le haut de la barricade.

La massue – en réalité le pied d'un tabouret – heurta lourdement le sol. Même au cœur du chahut et des huées de la foule qui s'était massée dans la rue, il entendit les os craquer comme une coquille d'œuf.

Au même endroit, un peu plus tard, d'autres mains surgirent. La foule, unissant ses forces, remuait la charrette d'avant en arrière dans le but de la faire basculer. Bob se servait autant que possible de son corps massif pour la maintenir en place et l'immobiliser. Mais cela ne se passait pas comme ils l'avaient espéré. Les longerons de bois grinçaient et se desserraient sous la pression. Si la foule ne parvenait pas à la renverser, à cause de Bob qui s'y accrochait, elle allait finir par tomber en pièces.

Macron infligeait des coups de glaive aux imbéciles qui tentaient désespérément d'écarter le fatras empilé de chaque côté de la charrette pour se frayer un passage.

– Fichez le camp! criait-il rageusement. C'est ma propriété!

Un homme d'une tête de plus que lui l'attaqua avec son glaive. Malgré ses kilos en trop pour un soldat, Macron fit preuve d'une étonnante agilité en l'esquivant. La lame s'enfonça profondément dans un coffre en bois.

Il lança un sourire triomphant à son adversaire, qui faisait des tentatives frénétiques pour dégager son arme, et lui envoya violemment le pommeau de son arme dans la figure. L'homme tomba à la renverse dans la foule.

– Information, rugit Bob : la barricade ne résistera pas long-temps.

Liam acquiesça. Elle tombait en morceaux de part et d'autre. Mieux valait reculer de quelques pas pour former une ligne défensive un peu plus bas.

– Ça va s'effondrer !

Macron en était conscient. Il jeta un œil par-dessus son épaule. Tout au bout de la traverse, il y avait une autre petite barricade de meubles et de bric-à-brac. Ils pouvaient aller s'y réfugier en courant. Ils bénéficieraient ainsi des jets de pierres et de divers projectiles de tous les locataires, depuis les balcons de la cour.

– Bon, alors… À trois, tout le monde fonce là-bas !

Les hommes opinèrent du chef. Liam aussi. Il écouta le murmure dans son oreille, à peine audible à cause du vacarme, mais il avait déjà deviné ce que Macron braillait.

– Un… !

Tous reculèrent d'un pas de la charrette qui basculait à grand bruit. Bob le maintenait toujours.

– Deux… !

Liam écrasa deux autres mains avec sa massue, les transformant en bouillie sanglante.

– Trois !

Ils se retournèrent tous en même temps et dégringolèrent dans la traverse. Leurs sandales glissaient sur le fumier rendu boueux par les pluies de la nuit.

Lorsqu'il sauta de la petite barricade intérieure, Liam entendit derrière lui la charrette s'effondrer avec fracas. Bob resta où il était, barrant presque complètement le passage grâce à sa haute carrure, mais aussi aux grands arcs de cercle qu'il décrivait avec un marteau de forgeron.

Maintenant que la charrette était éventrée et Bob pleinement exposé, les projectiles se mirent à pleuvoir sur lui depuis l'avenue : des pierres, de nombreuses flèches, des briques d'argile. Un flot de sang épais s'écoulait comme du sirop par la dizaine de plaies et d'entailles dont Bob était déjà recouvert. L'unité de soutien avait essuyé des obstacles bien pires que ceux-là, mais Becks avait servi d'exemple : il avait suffi d'une balle pour endommager son cerveau organique, pourtant de la taille d'une noisette. Il pouvait donc être tué comme n'importe quel autre homme.

– Bob ! Reviens ! lui cria Liam par-dessus la cacophonie répercutée de toutes parts entre les murs.

– Affirmatif ! gronda Bob en réponse.

Il battit lentement en retraite, balançant toujours son marteau et maintenant la foule à distance, jusqu'au moment où il put enfin faire volte-face et se jeter par-dessus la barricade pour rejoindre les autres.

Un moment plus tard, la foule renversait la seconde barricade. Celle-ci vacilla et s'effondra sans résistance, laissant place à un enchevêtrement de pieds de chaises et de bouts de caisses brisés. Au milieu de tout cela se pressaient une multitude de jambes et de bras, des massues qui virevoltaient, des couteaux et des glaives.

Au-dessus de leurs têtes sifflaient des pierres, des pieux tranchants et même des poignées de boue. Une bagarre de voisinage, d'une nature que Liam n'avait encore jamais connue.

On se chargea immédiatement des premiers hommes qui franchirent le fouillis de la barricade : ils s'écroulèrent dans l'enchevêtrement des débris de meubles. Les autres reculèrent aussitôt sous la pluie de projectiles déclenchée depuis les balcons.

Entre le marteau virevoltant de Bob et les grands mouvements de glaive rageurs de Macron, la foule hurlante, en colère, était contenue dans l'étroit goulot que constituait la traverse sans pouvoir avancer d'un pas.

– Allez! Descendez, tous autant que vous êtes!

Macron maintenait les hommes en respect en faisant tournoyer son glaive au-dessus de sa tête. Le babel s'efforçait de trouver des équivalents en anglais moderne pour la moitié des jurons qu'il crachait. Liam se surprit à rire nerveusement en entendant le langage particulièrement cru de l'ancien soldat.

– Allez, ouste! Du balai! exultait-il avec défi.

Il se baissa pour ramasser un caillou qui venait juste d'atterrir à ses pieds et le jeta de nouveau dans la foule.

– Attention!

Macron leva son bouclier, un vieux bouclier rectangulaire incurvé et cabossé qui portait encore quelques taches de peinture en guise d'insigne de la IIe légion au milieu du motif de l'éclair. Il le leva au-dessus de sa tête et de celle de Liam au moment où un gros caillou, lancé depuis l'avenue, décrivait un arc de cercle par-dessus la foule et retombait sur eux. La pierre heurta bruyamment le bouclier, fut déviée par une entaille et roula sur le sol, à leurs pieds.

Macron abaissa le bouclier en souriant à Liam.

– Ça me rappelle le bon vieux temps!

Liam avait la nette impression, avant même d'en avoir la traduction une demi-seconde plus tard, que ce vieux gamin s'amusait bien. Ou que cela aurait été le cas… s'il n'avait entendu quelqu'un crier: «*Incendia, flamma!*»

– Quoi?!

Macron regarda dans la cour, d'où provenaient les cris.

– Qu'est-ce qui se passe? demanda Liam.

Ils entendirent le sifflement caractéristique d'une flèche. Liam vit une légère trace de fumée traverser le ciel, dans son sillage.

Macron cracha sa rage en un flot d'invectives.

– Nooooon! finit-il par crier.

Plusieurs autres flèches enflammées sifflèrent et allèrent se ficher avec un bruit sourd dans les balcons, mettant aussitôt le feu au bois sec, aux paravents de roseaux tissés et au linge qui séchait.

– Non ! hurla de nouveau Macron. C'est ma propriété, par Jupiter !

CHAPITRE 60

Caton les observait, immobile; ils lui retournèrent calmement son regard.

– Cette zone vous est interdite, déclara Stern. Vous n'avez pas
la permission d'aller plus loin. Veuillez partir immédiatement.

– Je vérifie qu'il n'y a pas d'intrus ni de pillards dans le palais,
expliqua Caton.

– Je comprends, répondit tranquillement Stern. Néanmoins,
je répète: vous n'avez pas la permission de pénétrer dans cet
endroit précis. Veuillez faire demi-tour et partir.

Ces hommes – non, pas ces hommes, ces *choses* – mettaient
habituellement Caton mal à l'aise. Toutefois, contrairement aux
superstitieux qu'il avait sous son commandement, il ne les
aurait jamais considérés comme des êtres surnaturels. Il se
serait juste dit qu'ils étaient franchement inhumains, bizarres,
effrayants. Mais, à présent, il éprouvait une sorte de compréhension de ce qu'ils étaient.

Des machines. Des appareils.

– Tu sais qui je suis, n'est-ce pas?

– Affirmatif. Vous êtes le tribun Caton.

– Et tu sais que je détiens l'autorité de l'empereur en son
absence? demanda Caton. Je suis chargé de la sécurité du palais.

– Affirmatif.

– Donc, qu'y a-t-il derrière cette porte?

Stern s'avança. Il inclina légèrement la tête comme s'il écoutait quelque chose qu'il était le seul à entendre.

– Cette information est strictement confidentielle, tribun Caton. Vous ne disposez pas du certificat de sécurité correct pour obtenir cette information.

Caton examina Stern. Ses yeux clignaient de façon répétée. Il affichait un air d'incertitude préoccupée, de confusion.

Certificat de sécurité. Comme ces mots sont étranges.

– Tu veux dire que je ne suis pas habilité ? Mais tu n'ignores pas que l'empereur m'a désigné comme responsable de...

– Négatif. Vous êtes dans une zone de sécurité militaire américaine. C'est...

Stern s'interrompit et inclina de nouveau maladroitement la tête.

– Dans le mode de fonctionnement actuel, l'utilisateur désigné par le nom « empereur » bénéficie du contrôle complet de diagnostic, reprit-il.

La confusion s'effaça lentement de son visage, comme si une autre voix intérieure, contradictoire, le traversait.

– Nous sommes autorisés à avoir recours à la force si vous ne partez pas.

Stern s'avança d'un pas, désormais plus sûr de lui. Il mit la main sur la poignée de son glaive.

– Vous devez quitter les lieux immédiatement.

Caton leva les deux mains en signe de capitulation.

– Très bien, très bien... je pars.

Il recula dans le couloir principal et remit le rideau en place, dissimulant de nouveau le petit passage.

Caton comprit que la jeune femme du futur avait raison. Au-delà de ces lourdes portes de chêne se trouvait très probablement tout ce qu'elle cherchait : la technologie de son époque, la route de retour chez elle, et le moyen de tout corriger.

Il trouva Fronton quelques minutes plus tard, dehors. Il admirait le ciel de Rome lacé des rubans de fumée qui s'élevaient des émeutes de la ville.

– On devrait faire entrer les autres, maintenant, dit-il doucement.

– Oui, tribun.

– Prends une section avec toi et fais revenir nos amis aussi
vite que possible.

Sal avait du mal à respirer. Un épais nuage de fumée provenant des feux qui les surplombaient emplissait désormais la cour.

Maddy était avec elle. Ou plutôt elle était avec Maddy, qui l'avait retrouvée et était en train de la conduire par la main à travers un océan de corps entremêlés. Le feu venait de démarrer et les pillards étaient tenus à distance dans la traverse par les projectiles lancés depuis les balcons.

Mais à présent tout était plongé dans un chaos brumeux. La fumée d'une dizaine de feux au premier et au deuxième étage était devenue une nappe asphyxiante. Les locataires de Macron ne s'occupaient plus de protéger leurs appartements des pillards, mais se bousculaient pour échapper au bâtiment en flammes. Sal se faisait elle-même bousculer de tous côtés. Elle lâcha presque la main de Maddy lorsqu'elles furent prises en entonnoir entre des corps en lutte. Cinq minutes auparavant, la traverse était un goulot qui les protégeait ; désormais, elle se refermait sur elles, comme un piège.

Au-dessus, parmi le nuage de fumée, le feu s'emparait de l'immeuble.

– Maddy, on doit sortir de là ! Il faut trouver la sortie !

– Je sais !

Elle n'avait pas la moindre idée de l'endroit où se trouvaient Liam et Bob. La dernière fois qu'elle les avait vus, ils venaient d'édifier la deuxième barricade et contenaient la foule qui les huait. Mais c'était déjà de l'histoire ancienne. Il n'y avait plus d'« attaquants » ni de « défenseurs », juste deux cents personnes qui luttaient pour s'échapper du bâtiment par un passage plein d'embûches et de cadavres.

Un énorme craquement retentit et, une minute plus tard, un étage entier de balcons s'écroula. Une avalanche de débris de bois noircis, fumants, explosa dans une pluie d'étincelles et de braises qui mirent à leur tour le feu à des auvents. Par une trouée dans la fumée, Sal aperçut une femme avec un enfant dans les bras, piégée à côté de deux chevaux qui roulaient de grands yeux devant les flammes ; elle, l'enfant et les bêtes étaient prisonniers à l'intérieur d'un échafaudage qui s'était effondré.

Le regard de la femme croisa celui de Sal – la seule personne qui s'était retournée dans la cour. Elle hurla pour implorer du secours. Un bref instant. Puis la trouée se referma et elle disparut avec son enfant. Des morceaux de vêtements enflammés et des braises commencèrent à pleuvoir sur la foule qui obstruait complètement la traverse, sans s'échapper nulle part, mettant simplement le feu à des vêtements, des cheveux.

– Au secours ! hurla Sal. Au secours !

Sa voix était couverte par des dizaines d'autres qui criaient exactement la même chose en latin.

Elle ne voyait plus Maddy. Elle tenait toujours sa main, mais leurs bras s'entortillaient derrière les épaules d'un vieillard qui portait dans son dos un bébé en pleurs.

– Maddy ! cria-t-elle.

– Je suis là !

On va mourir. On va mourir étouffées et brûlées.

Dans son esprit surgirent des souvenirs du « dernier jour » de sa vie. Quand elle se tenait, avec d'autres habitants de son étage, dans les ruines de l'escalier : sa *mamaji* et son *papaji*, avec, tout comme elle, leurs visages recouverts de poussière ; l'air chargé de poudre de ciment et de fumées toxiques. Elle se souvenait de l'asphyxie, la panique, la terreur. Puis il y avait eu ce bruit, ce bruit de fin du monde... un profond grondement comme un train à l'approche. Le sol tremblait sous leurs pieds.

Puis Foster lui avait tendu la main, lui avait proposé, à elle, rien qu'à elle, un moyen d'échapper à ça.

Oh jahulla, pas comme ça. Je ne veux pas mourir comme ça.

– Bob! hurla-t-elle. Liam! Au secooours!

Liam et Bob observaient les gens sortir au compte-gouttes de la traverse et déboucher dans l'avenue. Cela n'avait rien d'une fuite précipitée. Il s'agissait plutôt d'un écoulement lent de gens titubant, rampant, toussant, soulevés de haut-le-cœur, et qui se hissaient péniblement par-dessus un monticule de cadavres qui ne cessait de croître.

– C'était la voix de Sal!

– Affirmatif, convint Bob.

– Doux Jésus! Il faut qu'on aille la chercher!

– Tu dois rester ici, Liam, conseilla Bob, en se tournant du côté de la sortie obstruée.

– Non! Je viens avec...

Une poigne de fer arrêta Liam. C'était Macron.

– Laisse ton ami y aller, mon gars.

Liam se débattit pour se dégager de son emprise. Mais le Romain le tenait d'une manière bien trop ferme et pressante.

– Laisse-le partir, je te dis... S'il est vraiment fait de pierre, il vivra.

Liam regarda Bob forcer nonchalamment le passage à travers la foule des gens qui sortaient, puis disparaître dans la fumée épaisse que vomissait l'étroit passage.

Par-dessus les appels à l'aide, les flammes crépitaient en dévorant avidement l'immeuble. La fumée, qui virait maintenant au gris sombre, semblait crachée par toutes les petites fenêtres. Le crépi d'argile jaune qui recouvrait la façade du bâtiment commençait à se craqueler sous l'effet de la chaleur et tombait par plaques. Même les façades construites en dur s'émiettaient et tombaient, telle la peau d'un cadavre ; un cadavre qui se serait décomposé en accéléré, réduit à son squelette en quelques minutes..

Liam manquait d'oxygène. Ses jambes fatiguées commençaient à céder sous son poids, et il dut s'asseoir brutalement au milieu de l'avenue pavée, s'effondrant comme un sac de charbon tombé d'une charrette. Il n'était pas le seul. L'avenue était remplie de gens qui, comme lui, s'affalaient sur les genoux, s'étendaient sur le dos, haletaient en essayant désespérement de remplir leurs poumons d'air frais.

Macron s'accroupit à côté de lui, les yeux remplis de larmes.

– Stupide, murmura-t-il pour lui-même. Peuple stupide, stupide.

Ils entendirent quelque chose s'écrouler tout au fond, derrière la colonne de fumée. Peut-être un mur qui cédait, emplissant la cour de fragments de briques d'argile éclatées par la chaleur et de débris d'échafaudage rougeoyants.

Liam sentit ses joues s'humidifier. Des larmes traçaient deux petits chemins propres le long de son visage noirci par la suie.

Ils sont tous morts, là-dedans. C'est sûr. Tous.

Le fracas assourdissant d'un nouvel effondrement, quelque part dans la fumée, fut aussitôt remplacé par le craquement et le rugissement des flammes qui s'intensifiaient. Le flot de gens rampant et chancelant en surgissant de la fumée s'amincissait. Ils ne sortaient plus que par un ou deux. Le tout dernier, certainement, ne tarderait pas à apparaître. Avec une certitude encore jamais éprouvée pour quoi que ce soit, Liam savait que les pauvres malheureux prisonniers de ce piège fatal étaient soit en train de suffoquer, soit enfouis sous les décombres ou carbonisés.

Sa vision, brouillée par les larmes, devint un kaléidoscope d'étoiles réfractées et de lances de lumière. Il sentit une main se poser sur son dos et le tapoter doucement, puis entendit le grognement profond de la voix de Macron, au loin, qui offrait à un soldat des mots de réconfort maladroits.

Mais tout ce que pouvait faire Liam était de se répéter des mots guère plus rassurants.

Ils sont partis… Je suis tout seul, maintenant.

Tout seul.

C'était égoïste, réalisa-t-il. C'était égoïste de se lamenter sur son sort dans un moment pareil. Maddy, Sal et Bob n'étaient pas seulement ses amis, mais sa famille, une famille plus vraie que ses souvenirs de sa mère, de son père, de ses oncles et de ses tantes – pauvres souvenirs défraîchis comme les photos d'un vieil album.

Il sentait toujours la main de Macron tapoter son dos.

S'il avait eu plus de présence d'esprit, s'il s'était montré plus fort, plus rapide, plus malin, il aurait réagi plus vite, il aurait escaladé la barricade et il serait allé chercher les deux filles. Il aurait pu y avoir une issue pour elles. Ils auraient pu en trouver une, ensemble.

La main de Macron battait son dos plus fort, maintenant. Ce n'était plus un geste doux ni réconfortant. Il prit conscience que le babel dans son oreille lui disait quelque chose avec une insistance tranquille. Il lui répétait en anglais ce que le vieux Romain était en train de crier.

<*Regarde. Regarde. Mais regarde.*>

Liam s'exécuta. Il essuya les larmes et les saletés de ses yeux. Sa vision floue, réfractée s'éclaircit. Il vit ce qu'il s'attendait à voir : l'épaisse colonne de fumée qui montait en volutes depuis ce qui restait de l'immeuble de Macron, et des dizaines de gens recouverts de suie.

Alors il identifia la silhouette au dos voûté d'un taureau qui chargeait dans sa direction. Mais ce n'était pas un taureau… Il courait comme un humain, sur des jambes humaines. C'était un minotaure.

Non, pas non plus un minotaure. Ce n'étaient pas des cornes sur sa tête. Il essuya de nouveau ses yeux et comprit que Macron, qui martelait toujours son dos, poussait des hourras d'une voix enrouée.

Le faux minotaure, une énorme créature noire comme du charbon, fit halte devant Liam. Il souleva les deux bosses – celles qu'il avait prises pour des cornes – de ses épaules et les déposa sur les pavés, où elles se mirent à cracher et tousser.

– Brûlures et écorchures mineures. Légère lésion de la trachée et des conduits nasaux possible. Ça guérira. Mais elles vont bien, gronda Bob.

Derrière eux, la façade entière de l'immeuble bascula en arrière et s'effondra, envoyant haut dans le ciel un nuage en forme de champignon, composé d'étincelles, de braises et de cendres.

– Contrairement à votre immeuble, Lucius Cornelius Macron, ajouta Bob.

À ce moment précis, le claquement des sandales cloutées des soldats retentit sur les pavés, ainsi que les tintements et les bruits de ferraille des armures et des harnais.

Macron se retourna et reconnut Fronton.

– Tu aurais pu te dépêcher un peu !

Fronton contempla le placement que Macron avait fait pour sa retraite, ou plutôt ce qu'il en restait.

– C'est comme ça dans toute la ville. Il y a des émeutes dans tous les quartiers. Caton m'envoie vous chercher, ajouta-t-il à l'adresse de Maddy et de Liam.

Maddy, toujours à genoux, crachait des mucosités aussi noires que du goudron. Elle s'essuya la bouche et considéra le centurion.

– Vous… vous pouvez nous faire entrer… dans le palais de l'empereur ?

– Tout de suite, oui. Mais il va falloir se dépêcher, répondit Fronton.

CHAPITRE 62
54 APR. J.-C., ENVIRONS DE ROME

Caligula regarda le sol, mouvant et noir comme s'il avait été recouvert d'insectes rampants : des centaines de corbeaux sautillaient parmi les cadavres, et il y en avait plus encore dans le ciel, planant ou descendant en piqué sur le champ de bataille.

Il y avait des cadavres à perte de vue : il reconnaissait les tuniques rouges des légionnaires qui avaient péri, des hommes de la Xe et de la XIe qui ponctuaient l'herbe vert olive à flanc de coteau. On aurait dit des coquelicots sauvages.

Cela s'était produit avant que le soleil n'atteigne son zénith. Deux légions d'hommes brisées et mises en déroute en l'espace d'une heure. Caligula avait vu la bataille se déployer depuis une confortable plateforme en bois érigée aux premières heures du jour. Sa petite avant-garde d'hommes de pierre formait l'extrême pointe d'un angle avancé et avait plongé au cœur de la prévisible formation en damier de Lepidus. Les hommes de pierre furent vite perdus de vue dans la mêlée, cependant on ne doutait jamais de l'endroit exact où ils se trouvaient parmi la foule des combattants car ils étaient à l'origine de hurlements, et de la plus grande agitation au milieu de la mer scintillante de casques et d'armures.

Caligula pouvait maintenant suivre leur parcours par le sillage de corps horriblement démembrés qu'ils avaient laissés derrière eux ; presque comme si quelqu'un avait ramassé des hommes et des morceaux d'hommes, et les avait disposés derrière lui, formant un long tapis, une route de chair déchiquetée, d'os brisés et de métal cabossé.

Ces hommes de pierre étaient quasi indestructibles, mais pas totalement. Quatre d'entre eux avaient fini par être tués par les hommes de Lepidus. Un effort concerté de ses archers les avait laissés un instant abasourdis, pelotes d'épingle titubantes, comme des porcs-épics humains, avant de finir par s'écrouler. Mais alors, bien sûr, c'était déjà trop tard, les formations de légionnaires étaient démantelées et les hommes commençaient déjà à faire demi-tour et à prendre leurs jambes à leur cou.

Caligula regarda une fois de plus le misérable spectacle de tant de bons légionnaires romains morts sur le champ de bataille, et qui n'étaient plus que de la charogne picorée par des oiseaux affamés. Difficile de savourer une victoire quand les conséquences offrent un tel spectacle. Il soupira avec tristesse et se retourna vers le général Lepidus. Puis il s'agenouilla, retira son armure et se retrouva vêtu de sa seule tunique, loqueteuse et tachée de sang.

– Voilà ce qui se passe… quand on décide de prendre les choses en mains, dit Caligula, les paumes appuyées sur le pommeau de son glaive. Que pensais-tu qu'il arriverait, franchement? Hmm?

Les yeux de Lepidus ne quittaient pas les doigts de l'empereur qui remuaient.

– Je n'avais pas le choix, césar. Je…

– Eh bien, sache que, moi, je pense que tu avais le choix, rétorqua Caligula avec une moue désapprobatrice. Tu aurais pu venir me voir au moment où ce vieil homme pernicieux, Crassus, a commencé à t'envoyer des petits mots pleins de traîtrise. Tu aurais pu me présenter ces lettres et me prouver très facilement que je pouvais te faire confiance. Mais non… tu as choisi de n'en rien faire.

– Je… Crassus s'efforçait déjà de me faire apparaître comme coupable! Il formulait ses lettres de façon à faire comme si nous avions déjà parlé de… de…

– De tenter de me tuer?

Lepidus se tut et baissa les yeux, vaincu.

– Même si les lettres de Crassus t'impliquaient… tu aurais dû venir me voir. J'aurais compris. J'aurais été juste et clément. Dieux du ciel, je ne suis pas un monstre, Lepidus.

– Je… j'ai été trompé. On s'est servi de moi.

– Oh, c'est ça, on t'a trompé.

– J'avais peur.

Caligula se baissa devant le général, releva d'un doigt le menton proéminent de l'homme et le fixa dans les yeux.

– Peur ? De moi ? Pourquoi ? Qu'ai-je donc de si effrayant ? Je ne veux que le meilleur pour nous tous, le meilleur pour tous les Romains, dit-il avant de se redresser. La peur, c'est ce qui t'a fait perdre. Tu ne vaux pas mieux qu'un vieillard apeuré. Je devrais placer de bien meilleurs hommes à la tête de mes légions.

Il commença à tirer son glaive de son fourreau.

– Grâce, césar !

– Oh, tu me supplies, c'est ça ? Tu es si désolé maintenant, n'est-ce pas ?

Lepidus hocha vigoureusement la tête.

– On… ne m'a pas laissé le choix ! Il fallait que je fasse quelque chose !

– Ils t'ont aiguillé… *contraint* à essayer de me tuer, de me remplacer, dit Caligula en esquissant un sourire. Et il est évident que tu as cru que vous pouviez vraiment me remplacer.

– Je… non… je ne croyais pas…

– Je ne pense pas que tu étais désolé ce matin, quand tu as présenté tes légions au combat. Je crois que tu étais impatient à l'idée de dormir dans mon lit ce soir, dans mon palais. De te prendre pour l'empereur, d'essayer mes vêtements – non pas qu'ils t'iraient !

Caligula rit et leva la pointe de son glaive devant le visage de Lepidus. Le soleil se réverbérait sur la lame polie, éblouissant le général.

– J'ai besoin de meilleurs hommes que toi à la tête de mes légions, répéta-t-il. Plus jeunes, plus courageux. Des gens dignes de confiance. Maintenant, écoute-moi bien, Lepidus : tu peux tenter de faire amende honorable… à la condition de me dire qui d'autre, à part Crassus, est impliqué dans cette ridicule mascarade.

Le général passa rapidement la langue sur ses lèvres sèches.

– Je pense que mon tribun, Atellus, y a participé. Maintenant que j'y pense… oui, j'en suis sûr, césar.

Caligula jeta un bref coup d'œil au corps du tribun qui gisait non loin, dans l'herbe.

– Eh bien, ce n'est pas vraiment lui qui va le nier, maintenant. Qu'en dis-tu, Lepidus ?

– D'autres… J-je suis sûr qu'il y en avait… Oui, C-Crassus a eu la visite de Cicéron… de Paulus. Ces deux…

– Là, c'est un peu mieux, oui, l'encouragea Caligula, en se caressant le nez d'un air pensif. J'imagine très bien ces deux reliques en faire partie d'une manière ou d'une autre. Qui d'autre, hmm ? Tu te souviens d'autres visages que tu aurais remarqués en compagnie de Crassus ?

Les yeux de Lepidus s'échappaient à droite, à gauche, écumant à toute vitesse son esprit pour y trouver des noms, des visages.

– Le tribun de ton palais ! Le nouveau !

Caligula fronça les sourcils.

– Quoi ? Tu veux parler de… Caton ?

Lepidus hocha une fois de plus vigoureusement la tête.

– Oui ! Il y a pris part ! Je… j'en suis sûr !

– Caton, fit Caligula, soucieux.

– Crassus y a fait allusion… il n'y a pas longtemps… Il a dit…

– Qu'a-t-il dit ?

– Il a dit qu'il avait quelqu'un dans le palais… quelqu'un proche de vous, qui était en contact avec vous.

Caligula se rappela les quelques conversations qu'il avait

eues avec cet homme. Le tribun lui avait toujours paru professionnel, fiable, compétent. Mais alors...

Tes hommes de pierre, césar... Puis-je te suggérer de les envoyer?... Ma cohorte est là pour veiller sur toi...

Caligula se retourna d'un coup, cherchant des yeux le *praefectus* Quintus.

– Quintus, renvoie la cavalerie à Rome, immédiatement!

Il adressa un signe aux cinq hommes de pierre restés là, leur armure verte maculée de taches sombres de sang séché.

– Prends-les avec toi! Il faut arrêter le tribun de la cohorte du palais!

– Le tribun, césar?

– Il est des leurs, Quintus! C'est un traître! Je veux qu'on l'arrête. Et je le veux vivant, tu m'entends?

– Oui, césar.

– Et rassemble le reste de la garde pour le départ.

– Mais, césar, ils viennent juste de combattre! Ils ont besoin...

Le regard de Caligula l'interrompit tout net.

– Rassemble-les, répéta-t-il doucement.

Le préfet fit signe qu'il avait compris, salua et sortit transmettre les ordres.

Caligula regarda de nouveau l'homme qui lui faisait face, un visage angoissé, parcouru de soubresauts nerveux, inondé de sueur.

– Merci Lepidus, prononça-t-il distraitement.

C'est alors que, sans trop y penser, pour faire bonne mesure, il enfonça son glaive dans la gorge du général. Avant même que le jet de sang n'atteigne le sol sec, sablonneux et l'herbe aride du coteau, Caligula avait déjà tourné les talons et regagnait sa tente pour endosser une nouvelle armure. L'autre était vraiment trop inconfortable. La marche de retour pour Rome prendrait une matinée et un après-midi. Ils seraient de retour au crépuscule, supposa-t-il... s'ils se mettaient vite en route.

Derrière lui, il entendit enfin le bruit mat que fit le corps du général en s'écroulant. Tout autour, les ordres qu'il avait donnés à Quintus était aboyés le long des rangs, suivis par le bruit de cinq milliers d'hommes qui s'activaient en réponse.

CHAPITRE 63

– Je ne peux pas vous laisser entrer, centurion…

L'*optio* grimaça, mal à l'aise, à l'idée de défier les ordres de son centurion. Il tendit le cou pour regarder à travers la grille en fer de la porte et mieux apercevoir, derrière Fronton, les gens recouverts de suie qui l'accompagnaient.

– Je ne peux pas les laisser pénétrer dans l'enceinte du palais, dit-il en déglutissant nerveusement. Ce sont les ordres permanents.

– Les ordres, cher Septimus, sont exactement ce que je dis qu'ils sont. Maintenant, ouvre cette porte!

Le subalterne regarda Fronton d'un air mécontent. Déchiré entre le savon qu'allait lui passer son centurion et la peur de ce qui lui arriverait si jamais Caligula découvrait qu'il avait ouvert la porte nord-ouest et qu'il avait laissé entrer des étrangers qui n'y étaient apparemment pas invités.

– Est-ce que ce sont les ordres de l'empereur?

Fronton soupira. Il était sur le point de se laisser aller à une explosion d'un langage coloré quand Caton apparut à ses côtés.

– C'est bon. Laisse-les entrer, Septimus. C'est moi qui les ai fait demander. Je voulais les introduire dans l'enceinte impériale pour une question de sécurité.

Le subalterne fit un signe de tête à son tribun.

– Bien, désolé, tribun… C'est juste que je…

Caton le fit taire par un sourire.

– C'est tout à fait normal, tu obéis aux ordres.

Le verrou glissa et la grille s'ouvrit.

Fronton adressa à l'*optio* un regard plein de mépris en conduisant ses hommes et les autres à l'intérieur des jardins. La porte claqua en se refermant. Le premier regard de Caton fut pour son vieil ami Macron, puis pour Maddy et les autres.

– Que s'est-il passé ?

– Un incendie, voilà ce qui s'est passé, grogna Macron. Tout est fichu : mon investissement, mes fonds de retraite, tout.

– Il y a des incendies dans toute la ville, dit Fronton.

Caton hocha la tête. L'air était imprégné d'une odeur de brûlé, et un nuage de fumée était suspendu dans le ciel.

– Mieux vaut assigner tout de suite tes hommes à leurs postes, centurion.

– Tu as raison, tribun, approuva Fronton.

Caton attendit que Fronton ait terminé de crier ses ordres et que les légionnaires se soient dispersés pour gagner leurs positions de déploiement autour de l'enceinte.

– Je vais vous emmener au temple de Neptune, à l'intérieur du palais, leur apprit Caton. Je pense que vous y trouverez ce que vous cherchez : les affaires des Visiteurs.

– Il a trouvé quelque chose ! s'écria Maddy, à l'intention de Sal.

Sal eut l'air de retrouver courage.

– Quoi ? Une machine spatiotemporelle ?

– Vous pouvez nous y emmener tout de suite ? demanda Maddy sans répondre.

– Je peux, mais il y a un problème, poursuivit Caton. Trois hommes de pierre le gardent.

Liam traduisit pour Sal, qui soupira.

– Pensez-vous que votre homme de pierre pourrait se battre avec trois d'entre eux à la fois ?

– Ce sont des modèles de combat plus légers. J'ai une chance de succès raisonnable, intervint Bob.

– Nous t'aiderons, dit Macron. Si tu as besoin d'aide, naturellement.

Les trois unités de combat détectèrent en même temps le faible signal ; ils se fixèrent instantanément du regard. Le signal était faible, puis il oscillait quelques secondes hors de la zone détectable, et revenait : il s'agissait de la diffusion d'un signal d'identification inconnu.

– Ce n'est pas l'un de nous. Le fabricant du système est différent, dit Stern en plissant les yeux. L'onglet d'identification du signal a un OS plus ancien.

Les deux autres acquiescèrent d'un signe de tête.

– V2.3.II.

– Entendu.

Le cerveau numérique de Stern décomposa le signal.

[INFORMATION :
TYPE DU MODÈLE – MODÈLE DE COMBAT LOURD
WG Systems
NUMÉRO DE SÉRIE – 4039282
ANNÉE D'ACTIVATION – 2054
OS – v2.3.II]

– Cette unité représente-t-elle une menace ? demanda l'un d'eux.

– Si cette unité compromet les ordres permanents de notre utilisateur autorisé, établit Stern, c'est une cible légitime.

– C'est un modèle de combat lourd, Stern, dit l'autre. Plus lourd que nous.

Il regarda le membre de son escouade, légèrement impressionné par la note d'angoisse dans sa voix. Un indicateur de tension nerveuse qu'il avait dû emprunter à un humain et qu'il employait de façon tout à fait convaincante.

– Nous sommes trois. Nous avons l'avantage significatif du nombre.

– Et s'il est équipé de meilleures armes que les nôtres ?

Stern approuva d'un signe de tête : c'était une source d'inquiétude certaine. Bien que les trois clones portaient toujours leur armure en polygraphène, après toutes ces années, leurs armes étaient inutilisables. Ils n'avaient que des glaives et des lances.

– Unité Chuck ? Unité Butch ? J'ai un ordre à vous communiquer.

Les deux autres se mirent au garde-à-vous.

– Affirmatif.

– Repérer et observer. Identifier quel armement possède l'unité de combat et faire un rapport.

– Oui, monsieur.

Stern les regarda écarter le rideau et écouta s'éloigner le bruit de leurs lourdes bottes. Son esprit numérique avait quelques calculs simples à exécuter, plusieurs scénarios de combat pour évaluer si cette nouvelle menaçait de les empêcher, lui et ses hommes, d'obéir aux ordres permanents de l'utilisateur temporaire Caligula. Mais son cerveau réel, ce petit morceau de chair rose relié par un cordon constitué de câbles de transmission de données extrêmement fins, réfléchissait : comment était-il possible qu'une autre unité de combat, et qui plus est d'un modèle légèrement plus ancien, se trouve dans la Rome antique ?

CHAPITRE 64

– C'est à la sortie du corridor principal, après le portique d'entrée, chuchota Caton. Il est dissimulé par un gros rideau de velours, sur la droite. Votre homme de pierre pourrait-il tenter de les attirer ailleurs? demanda-t-il à Maddy et Liam.

– Ça va dépendre des ordres qu'ils ont, rétorqua Maddy. Tu es d'accord, Bob?

– Affirmatif. Si garder la porte est une priorité plus haute que l'élimination d'une menace potentielle, ils n'essaieront pas de me poursuivre.

– Auquel cas, nous n'aurons plus qu'à nous battre, compléta Liam. Qu'en penses-tu? demanda-t-il à Bob. On peut avoir le dessus?

– C'est possible.

– Possible? soupira Maddy. OK… je vais essayer de faire avec.

– Pouvons-nous y aller, à présent? intervint Caton.

– Un moment, dit Bob, inclinant la tête de côté.

Ses paupières se mirent à papilloter.

– Qu'est-ce qui se passe? interrogea Liam.

Bob eut l'air satisfait de quelque chose qui se déroulait sous son crâne.

– Je désactive mon système de communication sans fil.

– Tu éteins le wifi? Bonne idée! fit Maddy en lui donnant une petite tape dans le dos.

Caton les conduisit dans les jardins à l'est du palais impérial, et s'approcha d'un rang de prétoriens qui gardaient le portique est. Les hommes détaillèrent avec suspicion les personnes noires de suie qui accompagnaient leur tribun. Mais Caton leur rappela avec froideur qu'ils devaient rester concentrés sur leur tâche et surveiller les murs d'enceinte afin de veiller à ce qu'aucun pillard ne tente de tirer avantage du chaos dans lequel la ville entière était plongée.

Il les fit passer devant les gardes puis les conduisit dehors, dans le soleil de l'après-midi, et enfin à l'intérieur du labyrinthe froid et peu éclairé du palais de Caligula. Ils passèrent devant des colonnes de marbre et foulèrent des mosaïques aux motifs complexes et aux couleurs vives.

– Ouah… c'est complètement *bindaas*, fit Sal dans un murmure à peine audible.

– Le palais devrait être totalement désert, maintenant, à l'exception des trois hommes de pierre, les informa Caton. Les esclaves ont été relégués dans leurs chambres et mes hommes sont tous postés à l'extérieur pour surveiller les entrées. Nous sommes donc seuls.

– De quel côté on va?

– Par là, dit-il en pointant le doigt.

Le tribun ouvrait le chemin avec Bob, armé de deux glaives. Derrière eux, Maddy et Sal, inquiètes, se tenaient fort par la main. Fermant la marche, Liam et Macron, pas moins soucieux, jetaient des regards méfiants derrière eux et dans les ombres entre les colonnes. Leur respiration résonnait dans l'obscurité, ainsi que le bruit de leurs pas, dangereusement sonores.

Peu de temps après, ils risquèrent un œil dans le corridor, presque aussi large qu'une voie romaine. Les murs s'élevaient très haut jusqu'à des fresques peintes sur les plafonds représentant des scènes héroïques – dont le sujet était sans doute Caligula. Elles étaient ponctuées ici et là de petites lucarnes, laissant entrer de maigres rayons de soleil qui pénétraient l'obscurité jusqu'aux tesselles de mosaïque, comme des faisceaux de projecteurs, légèrement voilés.

Caton indiqua la droite et passa devant, par mesure de prudence.

Ils marchèrent lentement le long du couloir jusqu'à ce que Caton finisse par s'arrêter en désignant un rideau qui remuait doucement.

Bob traversa le corridor et se posta près du rideau. Un courant d'air froid faisait palpiter l'étoffe. Liam pouvait le sentir sur sa peau.

Et cela recommençait, la même chose qui l'affligeait chaque fois qu'il était confronté à la violence, même hypothétique : ses jambes tremblaient comme les moustaches d'un rongeur et sa bouche était aussi sèche que du parchemin.

Il regarda brièvement Macron, dont la barbe se fendait d'un grand sourire enthousiaste. À côté de lui, Caton, trente centimètres de plus, plein d'assurance, un visage impassible, du même marbre ou presque que celui de Bob. Les deux hommes paraissaient complètement habitués à ça – ce moment où l'on se prépare à combattre. Cette dernière respiration, cette pulsation avant que le calme fasse place au maudit chaos dans lequel il se débattrait.

Liam soupira.

Pourquoi est-ce que je n'arrive jamais à me préparer à ça ?

Caton vérifia que les autres étaient prêts, puis il tira le rideau d'un coup sec.

CHAPITRE 65

Maddy en eut le souffle coupé. Il se tenait là, bien campé sur ses jambes, comme s'il les attendait.

Mais c'est l'anachronisme de son apparence qui la surprit. Dans la lumière tremblotante de deux lampes à huile, un glaive dans une main et un bouclier de gladiateur dans l'autre, se tenait un être qui venait indubitablement du xxie siècle. Un soldat en treillis kaki, équipé de plaques en polygraphène qui lui couvraient le torse, les épaules et les jambes, et chaussé de rangers noirs. Au premier coup d'œil – hormis le glaive et le bouclier, bien entendu –, il ressemblait à un des ces membres des forces spéciales qui descendent en rappel sur les terrasses des planques d'Al-Qaida.

– Vous n'êtes pas autorisés à dépasser cette limite, dit-il presque poliment. Partez immédiatement.

Bob croisa son regard.

– Vous devez vous écarter.

Le soldat détailla Bob. Une étincelle d'identification, de compréhension apparut dans ses yeux.

– Vous êtes un modèle de combat lourd.

– Affirmatif, répondit Bob. Vous êtes un modèle de reconnaissance multirôle. Une version ultérieure?

– Oui, sourit-il. Même fabricant.

Maddy aurait pu jurer que les deux clones s'étaient échangé un rapide salut, du style «ravi de vous rencontrer».

– Vous devez vous écarter, finit par répéter Bob.

– Vous n'êtes pas autorisés à dépasser cette limite.

– Nos priorités sont en conflit.

– Exact.

Les yeux des deux clones clignèrent pendant une fraction de seconde comme ils parvenaient à la même conclusion, mais ce fut l'unité-soldat qui réagit le premier. Il propulsa son glaive vers la gorge de Bob – avec la vitesse d'un serpent. Bob fit un pas de côté, mais pas assez vite pour éviter l'extrémité du glaive qui l'embrocha juste au-dessus de la clavicule.

Il riposta en lançant un coup de glaive circulaire de la main droite. Le soldat para de son bouclier le coup violent dans un fracas assourdissant. Bob propulsa son deuxième glaive vers l'abdomen de son adversaire. Son temps de réaction – ou peut-être était-ce un module doté d'un code de prédiction – anticipa le mouvement et l'esquiva avec la grâce d'une ballerine digne de Becks, tout en retirant d'un coup sec son glaive de l'épaule de Bob.

Macron attaqua. Le clone releva son arme d'un geste vif et bloqua le coup dans un tintement sonore. Bob chargea de nouveau avec le glaive de sa main droite et percuta le bord arrondi du bouclier. Il en profita pour s'en servir de levier et arracha brusquement le petit bouclier de gladiateur des mains du clone en le projetant contre la paroi du corridor.

Le clone recula d'un pas. Ses yeux allaient de Bob à Macron, puis à Liam qui s'avança d'un pas hésitant pour leur prêter main-forte.

– Liam ! Non ! souffla Maddy.

– C'est trop risqué, gronda Bob.

– Il a raison, ajouta Macron, hargneux.

Le clone était ramassé sur lui-même, comme un serpent à sonnette prêt à attaquer, faisant passer adroitement son glaive d'une main à l'autre.

– Vous n'avez pas l'habilitation nécessaire pour passer. Veuillez partir immédiatement.

Macron et Liam s'approchaient et Caton tenait bon devant lui. L'attaque venait de trois côtés, mais Maddy comprit immédiatement que le clone allait attaquer Liam. Contrairement aux deux autres, ce n'était pas un soldat.

– Liam ! cria-t-elle. Reviens, s'il te plaît !

– Ça va, Maddy ! assura-t-il par-dessus son épaule.

Le clone profita de cette fraction de seconde de distraction.

Il bondit vers Liam en visant son ventre de la pointe de son glaive. Liam gémit de douleur lorsque la lame plongea dans sa tunique de lin pour en ressortir immédiatement.

Aussitôt, une tache rouge apparut sur le tissu et Liam tomba à genoux. Macron envoya son glaive vers le flanc du soldat, mais, une fois encore, le cerveau de l'unité anticipa le coup en une nanoseconde et réussit à l'esquiver.

Ses deux bras étant désormais occupés, l'un qui s'éloignait de Liam, l'autre qui bloquait le coup de Macron, il ne pouvait pas contrer l'attaque de Bob. La lame de son glaive s'enfonça profondément dans sa tête, traversant le crâne et provoquant des dégâts irrévocables à son cerveau en silicium.

Stern vacilla. Ses yeux gris exprimaient une totale incompréhension. Un petit filet de sang coula entre ses sourcils, puis longea l'arête de son nez.

Il prononça quelques mots incompréhensibles avant de tomber en avant, à plat sur le visage. Tout à fait mort.

– Liaaam ! hurla Sal, en s'élançant.

Elle traversa le corridor en courant et se précipita vers lui, toujours agenouillé, les bras serrés sur son ventre ensanglanté. Son visage avait viré au gris, sa peau était cireuse et perlée de gouttes de sueur.

– Jésus Marie Joseph ! Qu'est-ce que ça fait mal !

– Liam… dit Maddy d'une voix tremblante. Liam, est-ce que c'est grave ?

Il grimaça de douleur.

– Est-ce que j'ai l'air d'un fichu docteur ? J'en sais rien, moi !

Macron et Caton rejoignirent les filles.

– Macron s'est occupé de pas mal de gars sur le champ de bataille.

– Laisse-moi jeter un coup d'œil, mon garçon.

Bob agrippa l'épaule de Maddy.

– Nous ne disposons pas de beaucoup de temps, Maddy. Les autres unités de combat ne sont pas loin.

– Votre homme de pierre a raison, remarqua Caton, puis il désigna la porte qui leur faisait face. Si ce que vous cherchez est là… vous feriez mieux de vous dépêcher.

Maddy eut un dernier regard pour Liam, qui venait de s'affaler sur le sol de mosaïque, le teint terreux. Macron déchirait la tunique rouge de sang pour examiner la blessure.

– Sal… dit-elle.

Sal acquiesça d'un signe de tête. Elle avait compris.

– Je m'occupe de lui. Vas-y.

Maddy suivit Bob et Caton jusqu'à la porte. Bob fit glisser sans effort l'épais linteau de métal qui barrait les battants, dans un grincement qui résonna dans le petit couloir.

– Soyez prudente, dit Caton à Maddy en posant la main sur les lourdes portes. À mon avis, leur fonction est d'empêcher ce qui est à l'intérieur de sortir, et pas de dissuader les curieux d'entrer.

Le tribun prit une grande inspiration, signe que, malgré son esprit rationnel, quelque part il croyait en cette histoire de domaine des dieux.

Maddy agrippa la poignée et tira. Le lourd battant en chêne vibra lourdement, mais ne bougea pas. Elle jura.

– Non, mais je rêve ? C'est fermé à clé !

Bob poussa doucement l'autre battant, qui s'ouvrit dans un grincement inquiétant.

– Négatif. Il faut pousser, pas tirer.

CHAPITRE 66

Maddy alluma une chandelle et pénétra dans une pièce plongée dans le noir complet. La lueur tremblotante de la flamme ne révélait pas grand-chose de l'intérieur. Apparemment, il s'agissait d'une salle très vaste, car ses pas résonnaient comme dans une caverne. Elle aperçut vaguement le plafond et vit que les murs étaient décorés de fresques. Bob et Caton lui emboîtèrent le pas, eux aussi munis de bougies qui n'amplifièrent que très légèrement l'éclairage de la pièce.

Elle avança de quelques mètres et l'éclat de sa bougie se refléta sur des objets posés sur de petites tables en bois. Elle s'en approcha et posa la chandelle sur l'une d'elles.

– Bob ! Viens voir !

– Il s'agit d'une carabine à impulsion, alimentée par des piles à hydrogène, énonça-t-il froidement.

– Quelles sont ces choses ? demanda Caton.

– Des armes, répondit Maddy. Des armes du futur.

Les yeux de Caton s'écarquillèrent.

– Les histoires des Visiteurs… Cicéron m'a raconté qu'ils avaient des « lances qui rugissaient ». C'est donc ça ?

– Je doute qu'elles rugissent encore, commenta Maddy, en ramassant l'une d'elles pour l'inspecter de plus près et souffler sur la poussière dont elle était recouverte.

– Information : faute de maintenance, les piles à hydrogène sont probablement hors d'usage.

Le regard de Maddy se posa de nouveau sur la table. Il y avait aussi des fournitures de toutes sortes : médicaments, rations militaires, outils…

— Ce n'était pas juste une petite visite, dit-elle, le souffle court. Les Visiteurs sont venus ici pour s'y installer ! Vous vous rendez compte ? Pour… pour coloniser la Rome antique, rien que ça !

— Cela semble être une conclusion plausible, énonça Bob.

Elle reprit sa bougie et s'accroupit devant un tas de vêtements et de chaussures qui, pour certains, étaient tachés de sang. À en juger par leur nombre, ils devaient être très nombreux, peut-être des centaines. Et tous avaient été massacrés ?

— Et ceci, alors ? murmura Caton d'un ton presque révérencieux. Ce doit être un des chars dans lesquels ils sont arrivés.

À l'autre bout de la salle, Caton était en train d'inspecter une masse qui brillait faiblement dans le noir. L'instant suivant, tous trois examinaient un immense véhicule. Pour Maddy, ça ressemblait à un croisement entre une jeep et un aéroglisseur.

— C'est un VCM, un véhicule de transport de troupes toutterrain avec des propulseurs anti-gravité à capacité de décollage et atterrissage vertical en altitude limitée, dit Bob. Ce modèle est plus avancé que les prototypes testés sur le terrain par l'armée dans les années 2050.

— C'est complètement dingue ! L'échelle de la contamination temporelle… je veux dire, c'est fou. Mais à quoi ils pensaient ?

— Maddy ?

C'était Sal. Sa silhouette se découpait dans l'embrasure de la porte.

— Comment va-t-il ?

— Macron l'a bandé, dit-elle en parvenant à afficher un sourire de soulagement. Il dit que ce n'est pas grave. Juste une blessure superficielle.

— OK… OK, lâcha Maddy en poussant un soupir. C'est bien.

Elle regarda autour d'elle. Il y avait encore beaucoup d'autres choses. Peut-être, quelque part dans cette salle – *faites que oui* –

se trouvait une machine capable de les ramener chez eux. Tout de suite.

– Bob, s'ils ont amené avec eux une machine de déplacement spatiotemporel et qu'il se trouve quelque part par là, il faut le trouver.

– Affirmatif. Mais il est peu probable, de toute façon, qu'il y ait encore une source viable d'énergie.

Bob escalada la carcasse inclinée.

– Je vais regarder à l'intérieur du VCM.

– Oui, c'est ça…. On va trouver un moyen de rentrer, ajouta-t-elle à l'attention de Sal. Je te le promets. Tu restes avec Liam, d'accord ?

Sal hocha la tête et disparut prestement.

Une machine de déplacement spatiotemporel. S'il vous plaît, dites-moi, bande d'imbéciles, que vous avez apporté un moyen de rentrer chez vous. S'il vous plaît. Vous n'avez pas pu être aussi stupides, quand même ?

Mais peut-être qu'ils n'avaient pas été stupides. Seulement désespérés.

Elle retourna vers les tables où étaient empilés les pistolets, les munitions, les sangles, l'équipement de terrain, espérant trouver des trousses de premiers secours – des anesthésiques pour Liam et, plus important, des antiseptiques pour nettoyer sa blessure et des antibiotiques pour combattre toute infection potentielle. Il ne s'en sortirait pas si le glaive n'était pas propre. Dans cette ère pré-pénicilline, même une coupure insignifiante pouvait avoir raison de vous si vous manquiez de chance. Elle trouva une trousse d'urgence, l'ouvrit. Elle était très bien fournie.

– Sal !

Sal entra.

– Tiens… défais les bandes de Liam. Il y a un spray antibiotique ici. Sers-toi de ça et de ces bandages ; au moins, ils sont propres.

Sal s'empara de la trousse et se dépêcha de ressortir. Maddy reprit son exploration. Sa bougie fit apparaître, au milieu de la salle, un grand objet. Une boîte, ou plutôt une caisse.

Un caisson de protection?

Elle s'en approcha en pressant le pas, faisant de son mieux pour étouffer l'espoir naissant qu'il puisse contenir une machine attendant impatiemment d'être mise en route, pour les emmener, sans encombre, en 2001.

Ça ne marche pas comme ça dans la vie, tu le sais bien, Maddy. En tout cas pas pour nous.

De plus près, cela ressemblait moins à une caisse d'emballage qu'à une sorte de malle de voyage dans laquelle on aurait transporté un animal sauvage. Elle avait vu une émission à la télé, un jour, sur le câble, du genre *Une journée dans la vie de...* qui parlait de l'aéroport de La Guardia et où l'on voyait un tigre du Bengale dans une caisse, dans la soute d'un avion – un des derniers de son espèce, quelque chose comme ça. Bref, la caisse ressemblait beaucoup à celle-ci. Avec prudence, elle s'en approcha encore un peu... s'attendant à tout moment à entendre le rugissement d'un tigre ou d'un lion qu'ils auraient dérangé dans son sommeil. Elle remarqua une petite trappe coulissante sur un côté.

Un lion, un tigre... ou une machine de déplacement spatio-temporel. Cette caisse, aux angles renforcés par des équerres d'acier, devait contenir *quelque chose* d'important. Elle fit doucement glisser la trappe, révélant une écoutille d'une quarantaine de centimètres de largeur et une quinzaine de hauteur. Une fente pour voir à l'intérieur? Pour faire passer de la nourriture?

Elle plissa le nez. Une atroce puanteur s'en dégageait, comme des eaux usées. Du purin. Non, pire: de la pourriture.

Une trappe pour la nourriture, alors. Ce devait être qu'on y consignait quelque animal. Ou un animal y était mort et s'y décomposait. Lentement, elle leva sa bougie, dont la lueur dansante éclaira quelques planches de bois à l'intérieur.

– Hé-ho ? murmura-t-elle doucement. Qu'est-ce qu'il y a, là-dedans ?

Elle entendit soudain un grattement, un sursaut de mouvement à l'intérieur. Puis deux yeux firent leur apparition.

Non, ce n'est pas possible !

Des yeux. De grands yeux laiteux. Presque humains, mais complètement aliénés, qui pouvaient tout aussi bien être ceux d'un animal fou. Totalement sauvages. Les yeux s'accompagnaient d'un cri terrifiant, guttural, proche du hennissement. Le visage – oui, c'était un visage humain, c'était clair maintenant – était camouflé depuis l'arête du nez jusqu'au menton par une sorte de masque en cuir et en acier sanglé autour de la tête et recouvert de crasse.

– Par ici ! cria-t-elle. Il y a quelqu'un dans ce truc !

CHAPITRE 67

Bob s'acharna sur les équerres, puis retira les épaisses barres de bois qui refermaient la cage.

– Nom d'un chien ! murmura Maddy en découvrant ce qui restait de la pauvre créature recroquevillée à l'intérieur. C'est vraiment un homme ?

Le corps frêle et squelettique ressemblait à celui d'un vieillard, composé d'arêtes et de bosses, et les os étiraient la peau comme du papyrus. Celle-ci était plus sombre que celle d'un individu de type méditerranéen ; peut-être venait-il du Moyen-Orient, ou d'Inde. Quant à sa chevelure abondante, qui avait sans doute été brune, elle était grise, tissée de blanc par endroits, et retombait en cascade le long de ses épaules étroites.

L'homme se tapit dans un coin à la vue de Bob qui ouvrait la cage, barreau par barreau.

– Tout va bien, murmura Maddy. On ne vous veut pas de mal.

Caton s'approcha pour mieux l'observer.

– Est-il… est-il l'un des Visiteurs ?

L'homme au masque lui jeta aussitôt un coup d'œil. Il hocha la tête vigoureusement, frénétiquement, lançant des regards de plus en plus effarés. Il gémit, miaula, fit des bruits de gorge, ses mains osseuses s'agitèrent follement vers le masque qui recouvrait sa bouche.

Maddy s'avança.

– Laissez-moi vous enlever ça. C'est ça que vous voulez ?

L'homme se hissa en chancelant ; ses pieds nus atteignirent le sol carrelé dur et froid avec un petit bruit léger. Il se tourna dos à Maddy et releva fiévreusement ses longs cheveux emmêlés pour révéler une bande de métal fermée par un cadenas.

– C'est un verrou. Je suis… je suis désolée… je ne…

– Permettez, dit Caton.

Il tira son glaive et en introduisit délicatement la pointe dans le fermoir rouillé. Il la tourna d'un coup sec et le fermoir claqua, libérant une pluie de copeaux de rouille. Maddy retira délicatement la bande de la tête de l'homme et grimaça en découvrant, dessous, la peau chauve et usée, les croûtes fraîches et les cicatrices.

Le vieil homme dégagea du fermoir ses cheveux crasseux, ainsi que les longues mèches de sa barbe et de sa moustache. Puis il ôta le masque lui-même, dévoilant des lèvres desséchées. Le tube d'alimentation, dont l'extérieur était recouvert d'un dépôt gluant, formé par la nourriture en décomposition qui s'y était logée, émergeait d'un visage dont les gencives presque entièrement noires abritaient quelques chicots.

– Quelle horreur… murmura Maddy en retenant un haut-le-cœur.

Le masque tomba avec un bruit mat, qui résonna dans la salle.

– Êtes-vous l'un des Visiteurs ? demanda Caton.

L'homme, visiblement en état de choc, faisait de l'hyperventilation. Il haletait. Sa langue sortait de sa bouche comme un serpent, goûtant l'air, savourant sa libération.

– Vous venez du futur ? tenta Maddy en anglais.

Ses yeux se figèrent immédiatement sur elle.

– Vous me comprenez ? insista-t-elle.

Sa mâchoire s'ouvrit – il essayait de parler, de former des mots avec sa bouche abîmée.

À ce moment, Bob remua.

– Information.

Maddy leva une main pour lui intimer de se taire.

– Je détecte deux autres identifiants! dit-il tout de même. Ils viennent de l'est et s'approchent à toute vitesse.

– Ils sont deux? On n'a pas la moindre chance contre deux à la fois!

– Qu'en dit votre homme de pierre? s'informa Caton.

Maddy se tourna du côté de la porte.

– Les autres arrivent! lança-t-elle en latin à Caton. Sal! cria-t-elle en s'approchant de l'entrée, Sal! Amène Liam! Dépêche-toi!

Un moment plus tard, Macron et Sal apparurent avec Liam qui pendait entre eux, les pieds traînant par terre.

– Il faut fermer les portes! cria Maddy. Aidez-moi!

Elle courut et se débattit contre l'un des battants en chêne. Macron s'occupa de l'autre. Les portes grinçaient sur leurs solides gonds en fer. Bob fut presque aussitôt près d'elle et, en même temps qu'un raclement sourd, la lumière blafarde des lampes à huile du couloir disparut.

À la lueur de sa bougie, elle se rendit compte qu'il n'y avait aucun moyen de sécuriser les portes, pas de barre de leur côté, pas de cadenas, rien.

– Ils sont à une vingtaine de mètres, affirma Bob.

– Retenez les portes! cria-t-elle, en calant son épaule contre l'une d'elles.

Caton était maintenant à ses côtés.

– Non! Ils vont nous enfermer à l'intérieur et nous serons coincés!

– Caton a raison, fit Macron. Nous serons des hommes morts si nous sommes coincés là-dedans quand Caligula reviendra.

Caton sortit son glaive.

– Nous devons les combattre. Nous avons une chance.

– Ils vont nous massacrer! protesta Maddy.

– Il vaut encore mieux ça, dit Macron, plutôt que Caligula nous trouve dans son palais.

– Ils sont juste derrière les portes, dit Bob.

Au même moment, celles-ci tremblèrent sous la violence d'un choc. Elles s'ouvrirent même, brièvement, et un rai de lumière se répandit à l'intérieur. Bob se jeta de tout son poids contre les deux battants qui claquèrent en se refermant.

– Aucun moyen de savoir combien de temps il nous reste, fit Caton. Les hommes de Fronton sont loyaux envers l'empereur et leur préfet, Quintus. Ils suivent mes ordres pour l'instant parce qu'ils me croient fidèles, moi aussi. Mais ils gardent un œil sur ce qui se passe ici… Vous comprenez ? Ils seront avec nous jusqu'à ce qu'ils se rendent compte qu'ils ont été floués. Nous devons trouver cette chose qu'il vous faut pour tout remettre en ordre, puis quitter cet endroit au plus vite.

La voix de Bob gronda dans le noir.

– Il a raison, Maddy. Nous sommes piégés. Ce n'est pas conseillé d'un point de vue tactique.

– Très bien… dit Maddy d'une voix haletante. OK… on va… Ah, bon sang, mais c'est complètement dingue ! On va se battre avec eux, c'est ça ? !

– Ton homme de pierre plus Macron et moi… Je maintiens qu'on a une chance.

– Attendez !

La voix venait de l'obscurité. Des pieds nus s'approchaient.

– Attendez ! Je… connais… ce…

La voix du vieil homme était faible et brisée, les mots mâchés et presque incompréhensibles.

– Le mot ! coassa-t-il. Le mot ! Il y a un mot… je le connais ! Il y a un mot !

Ce n'était vraiment pas le moment.

– Est-ce q-que tout le monde a une a-arme ? bégaya nerveusement Maddy. Oh là là, je n'arrive pas à croire qu'on va faire ça. On va mourir !

– Le mot ! ! Je… j'ai le moooot !

– Recule, vieil homme, rugit Macron en faisant tournoyer son glaive d'un air menaçant.

– À trois, dit Caton à Bob. Tu ouvres ces portes à trois. Est-ce clair ?

– Affirmatif.

– Viens, Sal, murmura Maddy en tenant le manche d'un couteau entre ses mains tremblantes.

– *Shadd-yah !* Maddy ? Quoi ? Tu ne vas pas me dire qu'on les laisse entrer ?

– Un… deux… et…. trois !

Bob ouvrit les portes, recula d'un pas dans la pièce et la lumière frémissante des lampes à huile du corridor l'inonda. Il tira le glaive de sa ceinture. Les deux hommes de pierre entrèrent au pas de charge, côte à côte, sans leur laisser une seule microseconde pour rétorquer.

– B-B-Bouba l'éponge ! hurla le vieillard, dans un râle fou, sauvage qui écailla l'obscurité, tel le cri de quelque créature nocturne dans une forêt.

Les unités s'immobilisèrent instantanément.

Ils jetèrent à leurs pieds leurs glaives et leurs boucliers. Le métal heurta la céramique dans un bruit assourdissant. Ensemble, ils baissèrent la tête, leurs yeux se fermèrent lentement, leurs bras se rangèrent le long de leur corps et ils plantèrent leurs pieds talon contre talon, comme des soldats au garde-à-vous.

Dix, vingt secondes passèrent, le silence fut rempli par l'écho des halètements.

– Qu'est-ce qu'ils font ? demanda Maddy, la respiration entrecoupée.

Les deux clones relevèrent la tête et ouvrirent les yeux. Ils les dévisagèrent d'un œil neutre, presque bienveillant.

– Mode diagnostic réinitialisé, annoncèrent-ils calmement. Veuillez spécifier votre nom d'utilisateur et votre mot de passe.

CHAPITRE 68

Le centurion Fronton perçut le claquement impatient des sabots ; malgré tout, son *optio* crut bon de l'alerter.

– Les chevaux, centurion !

– Je les entends.

Il s'avança vers les grilles du palais et inspecta la voie, le Vicus Patricius. Une heure auparavant s'y étaient tenues plusieurs centaines de citoyens, suppliant qu'on les laisse entrer, quémandant de l'eau et de la nourriture. Ceux-là n'étaient pas des plébéiens aux manières frustes, mais d'honnêtes gens, des marchands aisés, des amis et la suite de la Cour.

Ils avaient agrippé les barres de métal qui fermaient les portes et les secouaient de façon inquiétante. Fronton avait dû rassembler plusieurs sections de sa centurie à l'intérieur de l'enceinte du palais, ouvrir les portes et leur opposer un mur de boucliers pour les faire partir. Les citoyens avaient fini par se disperser. Certains d'entre eux attendirent pour ce faire de sentir la pointe inquisitrice d'un glaive entre les côtes.

Depuis lors, tout avait été relativement calme, dehors. À peine parfois, par-dessus les toits, l'écho d'un cri ou d'un hurlement isolé parvenant des quartiers retirés, le tintement assourdi de glaives qui s'entrechoquaient ici ou là, tandis que les *collegia* et les milices locales s'affrontaient.

Fronton vit une colonne de cavaliers qui remontait rapidement le Vicus Patricius dans leur direction. L'espace d'un instant, il se demanda s'il s'agissait d'un groupe d'éclaireurs avancé

des légions de Lepidus ou d'un escadron de leur propre cavalerie prétorienne.

– Septimus ? Parviens-tu à bien les voir ?

L'*optio* plissa les yeux. Le soleil approchait de la ligne des
toits ; les hommes à cheval formaient une masse hérissée de
casques à plumes, de boucliers ovales et de crinières remuantes.

– Pas distinctement, centurion.

Mais lorsqu'ils s'approchèrent, Fronton capta l'éclat d'une
tunique pourpre. Son cœur bondit. Le pourpre impérial.

Ce sont les nôtres, bon sang.

Cela n'augurait rien de bon. S'il s'était agi de tuniques rouges,
ça auraient été des cavaliers de la Xe et de la XIe. Cela aurait
signifié que Lepidus avait gagné et que Caligula avait été
anéanti.

La colonne de cavaliers arriva devant les grilles. Un décurion
mit prestement pied à terre et s'approcha à longues foulées.
Fronton donna l'ordre d'ouvrir les portes et sortit à sa rencontre. Le jeune officier s'arrêta et le salua.

– Fais ton rapport. Que s'est-il passé ?

– Centurion, fit le jeune homme en reprenant son souffle –
il était clair que lui et ses hommes étaient venus à bride abattue.
Le général Lepidus… a été vaincu.

Fronton hocha la tête et se força à sourire.

– Voilà une bonne nouvelle. Et qu'en est-il du général ?

– Il est mort, centurion.

Fronton s'efforça de contenir un soupir de soulagement.
Lepidus était mort. Au moins, il ne pourrait rien dire à Caligula, et surtout livrer des noms. Avec un peu de chance, il avait
rempli son honorable devoir et s'était ôté la vie avant d'être
capturé vivant.

– J'ai des ordres du préfet.

– Oui ?

Le décurion hésitait.

– Allons, de quoi s'agit-il ?

– Ton tribun… le tribun Caton.

– Eh bien ?

– J'ai des ordres concernant son arrestation immédiate, centurion.

– Comment ?

– Tu dois l'arrêter sur-le-champ. Le préfet… l'empereur en personne… le veut vivant.

Fronton se caressa le menton. Son esprit fonctionnait à vive allure.

– Mon tribun ? Mon commandant en chef ? Il est… Tu es en train de me dire que c'est un traître, c'est bien ça ?

– Ce sont les ordres, centurion.

– Bien. Je… je vais…

– Il doit être arrêté, j'insiste.

– Oui… oui, je comprends. Je vais devoir…

Avec hésitation, il se tourna vers ses hommes, qu'il entrevoyait à travers les grilles. Tout cela se déroulait hors de portée de leurs oreilles. Il distinguait une expression d'attente sur leurs visages, impatients qu'ils étaient d'apprendre les nouvelles.

– Attends ici, décurion. Je veillerai moi-même à son arrestation.

– Très bien.

Fronton tourna les talons et se pressa de rejoindre sa troupe. Il prit son *optio* à part et lui parla à voix basse.

– Ferme les portes !

– Pardon ?

– Tu vois ces cavaliers, dehors ? demanda Fronton en les montrant de son pouce par-dessus son épaule. Ce sont des traîtres. Ils se sont retournés contre l'empereur.

Les yeux de l'*optio* s'agrandirent, ainsi que ceux des légionnaires qui étaient assez près pour entendre.

– Ils font partie du complot du général Lepidus. En aucun cas ils ne doivent pénétrer dans l'enceinte du palais ! Tu comprends ?

– Très bien, centurion.

Plus loin dans l'avenue, il aperçut deux autres *turmae* à l'approche. Qu'un escadron – une *turma* – accompagne un messager était tout à fait normal, mais plusieurs… ? Il se demanda si le préfet Quintus avait détaché l'aile de la cavalerie *en son entier*.

– Fermez les grilles ! ordonna l'*optio*.

Plusieurs hommes laissèrent tomber leurs boucliers et exécutèrent l'ordre.

Le décurion cria quelque chose de confus.

– Avance encore d'un pas et on te donnera du javelot, rugit Fronton.

Le décurion s'arrêta net.

– Que se passe-t-il ?

– Septimus !

– Centurion ?

– Envoie quelqu'un au palais pour aller chercher le tribun. Dis-lui qu'on l'attend ici.

– Oui, centurion.

L'*optio* fit volte-face et prit un de ses hommes avec lui pour porter le message.

Fronton vit le décurion hausser les épaules avec stupéfaction devant les grilles qu'on lui fermait au nez. Fronton se demanda combien de temps il allait maintenir une telle confusion parmi ses troupes. Tôt ou tard, ils désobéiraient à ses ordres.

– Légionnaires ! cria-t-il de façon à être entendu par tous. Ces cavaliers, dehors, se sont retournés contre notre empereur ! Ce sont des traîtres ! L'empereur était vainqueur ce matin… et nos compagnons sont déjà sur le chemin du retour, en route pour Rome ! Nous devons protéger le palais d'ici leur arrivée !

Ses hommes le jaugeaient avec hésitation.

– Personne ne doit entrer ! rugit-il. Pas un seul homme… jusqu'au retour de l'empereur. Jusqu'à ce qu'il s'approche de cette avenue. Est-ce clair ?

Tous finirent par acquiescer en chœur.

– Bien.

Il observa de nouveau le décurion. Le jeune homme avait saisi presque tout ce qu'il venait de hurler. Ses yeux croisèrent ceux de Fronton et il secoua gravement la tête; il savait parfaitement de quoi il retournait, désormais. Il ne s'agissait plus seulement de capturer le tribun Caton. Le décurion remua de nouveau la tête, et ce geste en dit plus qu'un flot de paroles:

Tu es un imbécile, centurion.

CHAPITRE 69
54 APR. J.-C.,
PALAIS IMPÉRIAL, ROME

Tous écoutaient le charabia du pauvre malheureux. Ses lèvres gercées remuaient tant et si éperdument que ses plaies se rouvraient et qu'un filet de sang et de bave coulait de sa bouche et s'égouttait de sa barbe.

– Je les ai piratés… Je… ils étaient… réinitialisés pour obéir à ses ordres…

– Moins vite, l'intima Maddy. S'il vous plaît. Ralentissez. On ne comprend rien, là.

– … technicien supérieur en chef… moi… m-moi! Vous voyez?… J'étais le responsable! Exodus! Exodus, je vous dis!

– Exodus?

– P-Projet… le Projet. Exodus… J'étais technicien supérieur en chef.

Le vieil homme s'accroupit, son corps sous-alimenté et douloureux déjà épuisé par l'émotion.

– Demandez-lui s'il est l'un des Visiteurs, intervint Caton.

– Oh, c'est même sûr, lui répondit Maddy en latin.

– R-Rashim… m-mon nom… est… est Rashim! dit-il dans la même langue. Oui! Je… j'étais l'un d'eux! J'y étais! J'y étais!

Sal vint les rejoindre.

– J'ai terminé le pansement de Liam et… *Jahulla*!

Elle venait de remarquer le fac-similé d'être humain qu'était devenu Rashim. Elle étouffa un cri de surprise.

– Qui est-ce?

– C'est l'un des Visiteurs, chuchota Maddy, avant de se

retourner vers lui. Qu'est-ce qui vous est arrivé ? demanda-t-elle. Et qu'est-ce qui est arrivé aux autres ?

Les yeux fous de Rashim passèrent de Caton à Maddy.

– T-trahis ! Ma faute… oh là là, tout… tout était de ma faute, je… je v-voulais juste… Je n'ai jamais pensé que… Oh là là ! Ohlàlàlàlàlà…

Maddy prit sa main pour le calmer.

– Chut. Ça va, ça va. Vous êtes sauvé maintenant. On va vous sortir de là.

– Non… d-devez m'écouter. V-vous devez m-m'écouter maintenant ! dit-il en retirant d'un coup sa main de celle de Maddy. Le temps ! Il ne reste p-plus beaucoup de temps !… Ça… ça va bientôt avoir lieu, croyez-moi.

– Quoi ?

– Dites-moi… d-dites-moi le jour ! Quel… jour on est ? Mais quel jour on est ? !

– La date ? C'est ça que vous voulez ? Vous voulez que je vous donne la date précise ?

Rashim hocha vigoureusement la tête.

– D-dites-moi !

Son filet de voix ressemblait presque au cri d'un enfant.

Maddy interrogea Bob du regard.

– Information : la date du jour dans le calendrier en cours est le 29 Sextilis de la dix-huitième année du règne de Caius. Nous sommes donc le 29 août 54 après Jésus-Christ.

Les yeux de Rashim roulèrent dans leurs orbites, puis ses paupières tombèrent, se refermant presque. Ses lèvres craquelées palpitèrent en silence, comptant, calculant.

– Que se passe-t-il ? demanda Maddy. Rashim ? *Rashim*, c'est bien ça ? Qu'est-ce que vous faites ?

Il leva un doigt osseux, que prolongeait un ongle démesurément long, comme une griffe – pour la faire taire. Ses lèvres ensanglantées remuaient encore en silence.

– Rashim ? Qu'est-ce qui se passe ? Vous comptez ?

– Nooooon ! hurla soudain Rashim. Non-non-non-non. Trop tôt, trop tôt, trop tôt. Trop tôt !

Caton agrippa le bras de Maddy.

– De quoi parle-t-il ?

C'était trop d'émotions d'un coup pour Maddy. Elle était sur le point de se mettre à hurler avec ce dingue, cette espèce d'épouvantail humain qui gisait à terre.

– Rashim ! Quoi ? Dites-moi, mais *qu'est-ce* qui est trop tôt ?

Les yeux de l'homme se rivèrent sur elle.

– Je v-viens ! Je serai là !

– De quoi parlez-vous ?

– Les balises… Balises ! Balises ! La l-lumière, pour montrer le chemin !… Je… je suis venu… je suis venu il-il y a des années ! J'étais là ! Pour leur montrer !

Elle secoua la tête. Cela n'avait aucun sens, pour elle. C'était un parfait charabia.

– Les ré… récepteurs, poursuivit Rashim. Je les ai m-mis en place. Les b-balises de t-tachyons…

Maddy regarda brièvement Bob. Son visage inerte eut l'air de réagir.

– Rashim, vous avez bien parlé de « tachyons » ? insista Maddy.

Il marmonnait à mi-voix d'autres inepties, celles d'un esprit dérangé. Elle lui saisit fermement les épaules.

– Rashim, vous avez prononcé le mot « tachyon » ! Vous parlez de voyage dans le temps ? C'est ça ?

Il hocha frénétiquement la tête.

– Oui… oui ! Les m-marqueurs ! Les s-signaux.

– Maddy, dit Bob en s'accroupissant à côté d'elle. Il pourrait s'agir d'une méthode de déplacement spatiotemporel modifiée consistant en un marquage d'un lieu, un repère temporel.

Le visage de Rashim s'éclaira à ces mots, son murmure dérangé disparut en un instant.

– Oui… oui ! Comprenez ? dit-il avec un sourire de désaxé,

regardant tour à tour Bob puis Maddy. Les V-voyages dans le temps! Exactement! Nous venons de… de toutes ces années… Mais je suis venu *avant* les autres. Oui. C'était moi. Je devais organiser tout ça. Comprenez?

– Vous avez placé des… des sortes de marqueurs temporels? demanda Maddy. Des balises? C'est ce que vous êtes en train de nous dire?

– Oui! O-oui! Et ensuite on est tous venus. Tous! Exodus!

– C'est quoi, ça, *Exodus*? C'est le nom de votre groupe, ou quelque chose comme ça?

Elle se souvint d'un nom imprimé sur le côté de la trousse de premiers secours: *Projet Exodus.*

– Projet Exodus?

– P-Projet! Oui! s'exclama-t-il en emplissant d'air ses poumons. On est venus… Le futur est mort! On est venus ici! C'est… c'était mon projet. *Mon* projet!

Ils entendirent la voix éraillée, comme du gravier, de Macron, un échange de voix à l'intérieur du temple, dans le petit couloir. Une minute plus tard, il se tenait dans la flaque de lumière, dans l'embrasure de la porte.

– Caton… On a de la compagnie.

– Lepidus?

– Non, on n'a pas cette chance, regretta Macron.

Caton jura. Il regarda Maddy.

– Caligula revient. Il ne nous reste peut-être plus beaucoup de temps.

– Pouvez-vous vous arranger pour qu'on en ait plus?

Il montra les tas d'armes et de vêtements recouverts de poussière.

– On peut se servir de ces choses?

– Peut-être, concéda Maddy en haussant les épaules. Il y a un moyen de sortir d'ici. J'ai juste… Je…

Caton fit un signe de tête.

– Je ferai ce que je peux.

Il se leva et se dirigea vers la porte.

Ils le regardèrent s'éloigner jusqu'à ce que Bob brise le silence.

– Il est possible que Rashim ait fait partie d'un groupe d'éclaireurs venu dans cette époque pour déposer des marqueurs en vue d'organiser une aire d'arrivée sécurisée pour un groupe plus important.

– Mais… des calculs, j'ai… fait des erreurs, compléta Rashim. Tellement d'erreurs.

Il secoua la tête et ses yeux déversèrent des larmes sur ses joues crasseuses.

– Trop de… gens. Ils m'ont forcé à faire des conjectures. J'ai dû faire ça ! dit-il, tandis que ses yeux filaient comme des flèches depuis ses orbites creusées. On… on ne peut pas juste… faire des suppositions. Ça… ça doit être précis, comprenez ? Pour des d-déplacements spatiotemporels, il faut absolument être p-précis ! Comprenez ? Précis.

– Oh oui… j'en sais quelque chose.

– Je… je me suis trompé. On-on a perdu la moitié du groupe.

– Perdu ? Vous voulez dire dans l'espace du chaos ?

Rashim se calma.

– Chaos ? Chaos ? répéta-t-il en faisant rouler le mot dans sa bouche. Le chaos… oui. Ou l'enfer ? Hmm ? L'enfer ? interrogea-t-il en humectant ses lèvres sèches et en émettant un rire fou. C'est mon enfer… mon enfer, mon trou infernal. Moi et Monsieur Muzo, Monsieur Muzo et moi.

– Rashim ! s'écria-t-elle en le secouant par les épaules. Rashim, allons, restez avec nous !

Son visage se calma ; le sourire dément s'effaça de ses lèvres et s'évanouit dans sa barbe.

– Je les ai perdus dans le chaos. Ce sont des â-âmes perdues, maintenant.

– Vous avez parlé de la moitié du groupe. Et les autres ? Vous êtes tous venus ici, d'accord ?

Rashim rit de nouveau, amèrement.

– Dix… dix-sept ans trop tôt, dit-il, tandis que des fils de salive teintée de sang pendaient de sa lèvre inférieure. Mauvaise époque… mauvais césar.

– Bob, dit Maddy. J'essaie juste de comprendre. D'après lui, il a tout gâché et son groupe a dépassé les marqueurs temporels, c'est bien ça ?

– Correct. C'est apparemment ce qu'il est en train de nous expliquer. Ils sont arrivés dix-sept ans plus tôt que prévu.

– Et c'était à peu près il y a dix-sept ans ?

– Affirmatif.

Elle secoua Rashim de ses rêveries démentes.

– Rashim ! Est-ce bien ce que vous êtes en train de dire ? Votre équipe de déploiement va *bientôt* apparaître pour poser ces balises ?

– *Il* le sait aussi, répondit-il.

– Qui ça, « il » ?

– Dieu, gloussa Rashim.

– Dieu ? répéta Bob, d'un air confus.

– Bon, je vois, dit Sal d'un air dédaigneux. Il est super cinglé. On est vraiment obligés de l'écouter ?

– Non, attends ! Vous parlez de Caligula, n'est-ce pas ?

– Je lui ai dit… que c'était cette année… Cet été… Je lui ai dit.

– Oh non ! Vous lui avez vraiment parlé de l'apparition de votre avant-garde ? Et vous lui avez dit qu'il y aurait un portail ?

Rashim hocha la tête.

– Il… sa… sa porte ouverte pour le paradis.

– On pourrait l'utiliser ? demanda Maddy à Bob. On pourrait se servir de ce portail pour rentrer chez nous ?

– Je n'ai aucune information à ce sujet. Ce doit être une technique de déplacement spatiotemporel développée après l'époque à laquelle j'ai été conçu et après que les bases de données de l'agence ont été installées.

– Mais ça se ressemble sûrement… C'est la même technologie, à la base. Non ?

– Correct.

– Si c'est une balise, est-ce qu'on pourrait l'utiliser pour communiquer dans le futur avec Bob-l'ordi ?

– En théorie, oui, approuva Bob. Le seul moyen de transmettre des données est une transmission de tachyons.

La grande question était de savoir si Bob-l'ordinateur était toujours en mesure de recevoir quoi que ce soit.

– Rashim… Vous avez dit que c'était pour bientôt. Il y a deux minutes, vous avez dit « bientôt ». Vous parliez de l'arrivée de l'avant-garde, c'est bien ça ?

Il lui adressa un affreux sourire retroussé sur ses chicots.

– Trop tôt… trop tôt, répondit-il d'une voix chantante. Trois jours.

– Dans trois jours ?

Rashim fit un signe de tête affirmatif.

– Et vous savez où ? Vous pouvez nous dire exactement où c'est ?

Il marmonnait pour lui-même de sa manière chantante, désaxée.

– Rashim !

– Je sais… me souviens… dit-il en tapotant ses cheveux raides et usés. Tout est là-dedans. Ne vous inquiétez pas. Moi et Monsieur Muzo, on sait.

Sal regarda Maddy d'un air perplexe.

CHAPITRE 70

Caton descendit le couloir principal faiblement éclairé en direction du portique d'entrée du palais.

– Je te l'avais bien dit, ils ne viennent pas de Bretagne.

– Ah non? s'étonna Macron.

– Non… l'endroit d'où ils viennent est… commença Caton en faisant la grimace. J'ai encore du mal moi-même à donner un sens à cela, en l'occurrence. L'endroit d'où ils viennent est le futur.

– Le futur?

– Oui, ils viennent exactement du même endroit que les Visiteurs. Le temps qui nous suit.

Macron fronça les sourcils tandis qu'il réfléchissait.

– Tu veux dire les années *à venir*?

– Oui, mais d'un lieu de plus d'un millier d'années à venir.

Il s'attendait à ce que son vieil ami soit obligé de se débattre avec le concept. Au lieu de cela, Macron hocha nonchalamment la tête.

– Eh bien, dans ce cas, ça explique pas mal de choses.

– Macron, je ne comprends pas ce qui se passe avec ce prisonnier qu'on a trouvé. Ils parlent de quelque chose ensemble, peut-être d'un des appareils des Visiteurs, peut-être de leur char, je ne sais pas. Mais tout ce que je sais, en revanche, est qu'il faut que nous trouvions le moyen de leur donner plus de temps.

– Caton, il y a toi, moi, le centurion Fronton et ce géant à l'intérieur.

– Bob.

– Oui, Bob… Je n'arrive pas à me faire à ce nom. Enfin peu importe. Je ne sais pas trop combien de temps nous pourrons maintenir en respect toute la garde prétorienne, Caton. C'est un marché de dupes.

– Nous avons les gardes de Fronton. C'est suffisant pour défendre un temps la porte d'entrée si besoin.

– En admettant qu'ils se battront à nos côtés.

– C'est vrai.

Ils franchirent le portique. Caton adressa un signe de tête à la section qui y était stationnée, puis ils descendirent les quelques marches qui menaient à la cour. Les soldats de Fronton étaient disposés en arc de cercle autour des grilles. Caton aperçut dehors les corps de troupes. Des *equites* qui avaient mis pied à terre. La cavalerie était obligée d'agir à pied, désormais, comme l'infanterie, même si c'était avec réticence.

Il repéra Fronton.

– Centurion !

– Oui, tribun.

– Qu'est-ce qui se passe, ici ?

Fronton désigna le décurion, toujours posté devant les grilles du palais. Derrière lui, Caton aperçut, dans la lumière déclinante de l'après-midi, environ deux cents ou trois cents hommes et leurs montures. Et il y en avait encore plus, au loin : une colonne de chevaux remontait l'avenue au pas.

– Le traître ! s'écria Fronton, suffisamment fort pour que ses hommes l'entendent distinctement. Il veut piller le palais de l'empereur.

– Je vois.

Le décurion comprit la réponse de Fronton par-dessus le bruit de ses propres hommes qui formaient leurs rangs, derrière lui.

– C'est faux ! J'ai des ordres du préfet ! Des ordres concernant ton arrestation, précisa-t-il, les yeux rivés sur ceux de Caton.

– C'est une pratique courante dans la légion romaine de s'adresser à un officier supérieur en citant sa fonction, décurion.

– Ouvrez immédiatement ! trancha le décurion alors que les hommes de Fronton s'alignaient derrière leur mur de boucliers. Ce tribun doit être arrêté pour trahison !

Macron émit un grognement de colère et s'avança vers les portes.

– Ce tribun est ton supérieur !

Le décurion lui adressa un sourire condescendant.

– Et toi, qu'est-ce que tu es, vieil homme bedonnant ? Rien. Pas même un légionnaire de deuxième classe.

Macron grinça des dents et envoya un crachat à ses pieds.

– Je suis encore capable de te défier, mon garçon.

Le décurion l'ignora.

– Ouvrez immédiatement, ou vous serez tous sans exception considérés comme des traîtres et punis en conséquence.

– Légionnaires ! lança Caton à son contingent. Ces hommes, devant vous, sont des déserteurs, des mercenaires ! Ils sont là pour se remplir les poches, puis ils prendront la fuite avant le retour de l'empereur ! Notre devoir sacré est de défendre ces portes !

– Il ment !

– Silence ! coupa Macron en levant un poing menaçant.

– Du calme ! cria Caton.

Sa voix ne pouvait égaler les rugissements de Macron et Fronton, mais il avait l'autorité et l'expérience pour lui.

– L'empereur a confié à cette cohorte, et à cette centurie en particulier, la tâche de garder sa maison. Il nous accorde ainsi un traitement de faveur, il nous fait confiance. Si nous laissons entrer ces hommes – ces donzelles à cheval, précisa-t-il en éclatant de rire…

Les hommes partagèrent son hilarité. En général, entre une légion de fantassins et un escadron de cavalerie, il n'y avait jamais beaucoup de respect. Les *equites* se considéraient comme une classe supérieure aux autres.

– … nous trahissons sa confiance et nous désobéissons à un ordre impérial direct !

Le décurion soupira.

– Bien… Faites comme vous l'entendez, finit-il par dire en secouant la tête.

Puis il leur tourna le dos pour aller rejoindre sa légion.

– Bien joué, tribun, dit Fronton à voix basse. Certains de mes hommes ont eu un moment l'air nerveux.

– Cette pause ne durera que jusqu'à ce que quelqu'un d'un rang plus élevé, ou détenant un ordre écrit, rapplique, remarqua Caton. Et alors, ils nous prendront par surprise.

– Peut-être pas… Ce sont de bons gars qu'on a là, dit Fronton en jetant un regard aux visages tendus des légionnaires, les yeux brillants sous leurs casques, rivés sur leur centurion. Ils sont tous loyaux.

– Loyaux au point d'être stigmatisés comme des traîtres avec nous ? rétorqua Caton. Et d'essuyer les foudres de Caligula ?

Le centurion s'humecta les lèvres, peu sûr de sa réponse.

– Comme je l'ai dit… cette « pause » prendra fin quand un officier de rang supérieur interviendra.

– Une *pause* ? dit Macron en prenant une grande inspiration. On dirait qu'une bonne petite bagarre se prépare, plutôt, si tu veux mon avis. Regarde.

Une charrette venait vers eux. Elle était surchargée de sacs de grains, et elle commençait à prendre de l'élan, poussée par plusieurs dizaines d'hommes.

Caton resserra la lanière de son casque.

– J'ai l'impression que, sur ce coup-là, tu n'as pas tort, Macron.

CHAPITRE 71

Le premier rang de soldats s'écarta pour laisser le passage à la charrette qu'on poussait. Ses grandes roues cerclées de fer faisaient grand bruit sur les pavés de pierre de la place, devant la porte nord-est du palais.

– Elle vient droit sur nous, grogna Macron.

Caton acquiesça d'un signe de tête. Les grilles étaient plus décoratives que fonctionnelles, et la charrette les enfoncerait sans le moindre problème.

– Fronton, que tes hommes se rassemblent plus près des grilles, jeta-t-il en montrant les piliers de pierre qui les encadraient, ainsi que le mur de deux mètres cinquante qui faisait tout le tour du palais impérial. Une fois qu'ils les auront défoncées, nous pourrons les contenir un temps dans ce goulot.

– Tu as raison, tribun.

Fronton fit avancer ses hommes à environ trois mètres des grilles. Ainsi seraient-ils prêts à se précipiter dans l'espace qui s'ouvrirait, au moment où la charrette serait refoulée pour permettre aux *equites* d'entrer.

– Où veux-tu que je me mette, Caton ? demanda Macron.

– Là où tu te sentiras le plus à l'aise, répondit-il.

– Au milieu, alors, fit-il en lui adressant un sourire complice. Comme au bon vieux temps, hein ?

– Oui, comme au bon vieux temps.

Dehors, la charrette avait trouvé la pente la plus douce et

roulait désormais seule en direction des grilles. Les cahots firent tomber plusieurs sacs sur les pavés.

– Du calme, les gars! rugit Fronton.

Caton regarda Macron se frayer un chemin parmi le premier rang des légionnaires, à coups d'épaules et en grognant.

– Allons, mesdemoiselles, faites-moi de la place!

Comme au bon vieux temps.

Caton se souvint de sa première escarmouche. Il n'était qu'un gamin avec seulement deux semaines d'entraînement derrière lui: Macron, en revanche, était peu différent de ce qu'il était maintenant: trapu, râblé, mal embouché, un mur impénétrable de confiance en soi. Il se souvint que pour ce premier combat il était incroyablement pétrifié, mais d'une manière ou d'une autre, même au milieu des glaives qui s'entrechoquaient et des mourants qui hurlaient, il savait que le fait de se tenir juste à côté de son centurion, juste à côté de Macron, le maintenait en sécurité. Et qu'il le serait toujours. Comme si un voile d'invincibilité enveloppait le vieil homme acariâtre.

– Ça y est, les gars! cria Macron. Qui est prêt à apprendre à ces écuyères à se battre?

Les soldats laissèrent échapper un rire nerveux.

Caton adressa un large sourire à Fronton.

– Il faut l'excuser.

– Tu as servi sous son commandement?

– Oh oui… et il était tout aussi terrible, alors!

La charrette parcourut les quelques derniers mètres et alla s'écraser contre les grilles, heurtant si fort le battant de gauche que ses charnières cédèrent. Il s'effondra à l'intérieur et la cavalerie prétorienne fit entendre un rugissement.

Un moment plus tard, des hommes firent vaciller la charrette en tentant de l'écarter. La deuxième grille, qui n'était plus suspendue qu'à une charnière tordue, bascula dans le vide et alla se coincer dans l'essieu de la charrette, avant d'être arrachée lorsqu'on dégagea celle-ci de l'entrée.

– En avant ! ordonna Fronton.

Le premier rang, composé de seize hommes, avança, boucliers levés. Un pas après l'autre, ils s'approchèrent et se déployèrent dans l'espace qui séparait les deux piliers.

Caton repéra le décurion ; un groupe de plusieurs cavaliers, encore à cheval, l'avait rejoint. Il distingua la plume d'un autre soldat de haut rang qui trottait dans les nuages de poussière et la brume. Le *praefectus alae*… le commandant de toute la cavalerie de la garde.

Il jura. La dernière chose dont il avait besoin était que ce commandant aille tourner autour des hommes de Fronton. Mieux valait en finir avec les discussions et commencer à se battre. Il décida d'accélérer les choses.

– Allez Fronton, offrons-leur une volée d'ouverture.

Le centurion hocha la tête, puis beugla l'ordre à ses hommes de se tenir prêts à son commandement. Les deux rangées de seize légionnaires reculèrent d'un pas, javelots parés dans leur main droite.

- Lancez !

La modeste volée décrivit un arc de cercle sur une trentaine de mètres, et ne fit guère plus qu'une dizaine de victimes. Ça ne changerait pas grand-chose mais signalait que le temps des pourparlers était terminé. Les cavaliers, dont beaucoup étaient des étrangers venus de tous les coins de l'Empire – des Bataves, des Sarmates, des cavaliers experts, mais certainement pas prêts à affronter des légionnaires à pied –, approchèrent de l'entrée en un rang disparate. De petites lances dépassaient de leurs boucliers, une ligne de boucliers ovales et légers, conçus pour d'adroites mêlées à dos de cheval, non pour des formations rapprochées. Les lances remplaçaient les glaives : une autre habitude de la cavalerie à laquelle ils dérogeaient.

Caton le fit remarquer à Fronton, qui approuva.

– Ces idiots n'ont pas la moindre idée de la manière dont on se bat sans cheval.

Un instant plus tard, l'écart entre eux était restreint et le fracas des glaives sur les boucliers et des lances sur les armures remplit le silence inquiétant qui s'était jusque-là étendu sur la ville, toujours ouatée de fumée.

CHAPITRE 72
54 APR. J.-C.,
PALAIS IMPÉRIAL, ROME

– On doit absolument quitter Rome! dit Maddy. *Tout de suite*, je veux dire.

– Ce doit être en effet notre mission prioritaire, soutint Bob.

Elle alla s'accroupir à côté de Sal et de Liam, toujours allongé près de la porte.

– Comment ça va?

– C'est l'enfer comme ça pique, fit Liam avec une grimace. Pour sûr, ça brûle!

– Il ne saigne plus, remarqua Sal en montrant le bandage enroulé autour de la taille du garçon. Je ne crois pas qu'une veine ou un truc comme ça ait été coupée.

– Il n'a pas d'hémorragie interne?

– Je n'y connais rien, moi, fit Sal en haussant les épaules.

Maddy non plus; c'était ce qu'on disait toujours dans les films qui se passaient dans des hôpitaux.

– Quand on le ramènera chez nous, on le fera examiner par quelqu'un, et puis voilà.

– Me ramener chez nous? fit Liam avec un rire sarcastique. Alors là, bonne chance!

– Je te dis qu'on va partir d'ici! Il y a un moyen de rentrer chez nous. Une fenêtre… une fenêtre de retour. Et on va s'en servir. OK?

Les deux autres acquiescèrent.

Bob fit sortir Rashim, en soutenant dans sa grosse main un de ses coudes émaciés. Rashim cligna des yeux en grimaçant.

Il avait visiblement du mal à supporter la lueur des chandelles.

Maddy eut soudain une idée.

– Rashim ? On peut utiliser cet engin, là-bas ?

Il secoua la tête, se protégea les yeux d'une main et eut l'air embarrassé.

– Euh… c'est qu'un gros dragon mort, maintenant. Oui-oui.

Elle n'avait pas de temps à perdre avec ses radotages.

– Ça veut dire quoi, ça, bon sang ?

– Information, intervint Bob : ce véhicule fonctionne avec des piles à hydrogène. Les piles auraient nécessité une maintenance. Elles ne nous serviront plus à rien, maintenant.

– Rashim ?

Il marmonnait de nouveau dans sa barbe. Elle lui saisit le bras.

– Rashim ! L'endroit où se trouve le portail, c'est assez près pour qu'on y arrive à temps, à pied ?

Il rentra ses épaules étroites.

– Le temps passe… le temps passe… tic-tac tic-tac tic-tac…

– On perd notre temps avec lui, fulmina Sal.

– Il sait où c'est, Sal. On a besoin de lui, dit-elle en écartant une mèche de cheveux qui lui tombait sur les yeux. D'une manière ou d'une autre, on doit s'échapper de ce palais, et de la ville.

– Et Caton ? Il peut nous aider, suggéra-t-elle. Il connaît le palais.

– Où est-il passé ? Tu as vu par où il était parti ?

– Je crois qu'il est dehors, avec les soldats.

Ils entendirent alors de faibles tintements métalliques et des voix. Maddy et Sal échangèrent un regard.

– On dirait qu'il y a une bataille, dit Sal.

Maddy pencha la tête de côté en écoutant.

– Oui, on dirait bien.

– Alors, c'est trop tard ? On est piégés ! *Jahulla* ! C'est bien ça ?

Liam fit la grimace et ouvrit les yeux.

– Pas question que je reste coincé là, moi !

– Il va falloir trouver un moyen de sortir d'ici, dit Maddy. Tu peux bouger, Liam ?

– Je ne resterai fichtrement pas là, c'est aussi sûr que deux et deux font quatre !

Il tenta de s'asseoir, en grognant et en se tenant le ventre.

– Ah ! Aïe ! Ouille ! Bon sang, ce que ça brûle !

– Bob, tu portes Liam. Moi et Sal, on va aider le vieux, dit-elle en montrant Rashim.

– Par où on passe ? interrogea Sal.

– Essayons de trouver Caton. Il pourra peut-être nous aider.

Un moment plus tard, ils poussèrent le rideau et s'engagèrent dans le vestibule principal. Liam gémissait sur le dos de Bob, les bras enroulés autour de son cou musclé. Rashim traînait les pieds, ricanant et bredouillant tout seul entre Maddy et Sal.

– Par là, lança Maddy en désignant l'endroit d'où provenaient les bruits, de plus en plus forts, de la bataille.

Ils se dirigèrent vers le portique d'entrée.

Quand ils furent plus près, Maddy aperçut le scintillement des armures baignées par la lumière rougeoyante du couchant.

– Qu'est-ce qui se passe, là-bas ?

Ils pénétrèrent sous le haut portique où se trouvaient de nombreux hommes blessés, qui saignaient sur le sol en marbre. De l'autre côté, au bas des marches, la garde du palais formait trois rangs.

La cour était pleine de soldats.

Elle repéra, parmi les hommes, la crête rouge qui ornait le casque de Caton, lequel organisait, sur les marches, la ligne de défense. Elle se fraya un passage dans la foule et réussit à s'approcher de lui.

– Qu'est-ce qui se passe ? Et eux, c'est qui ?

– La cavalerie prétorienne de Caligula. Tous ces fichus bataillons. Il y en a des tas… Avez-vous trouvé ce que vous cherchiez ?

– Écoutez, Caton… il faut qu'on parle.

– Eh bien, comme tu peux le voir, je suis un petit peu occupé pour l'instant.

– Il existe un moyen d'arranger tout ça… de faire en sorte que cela n'ait pas lieu ! S'il vous plaît… il faut qu'on parle. Je vous expliquerai.

Caton regarda les *equites*. Il en entrait à flots dans les jardins. Ils étaient parvenus à faire reculer ses hommes, à l'entrée, en raison de leur seul surnombre. Le portique demeurait le prochain goulot qu'ils essaieraient de tenir. Cependant, tout était presque fini pour eux, à présent. Les *equites* avaient désormais pénétré dans l'enceinte du palais. Et il y avait d'autres entrées. Ses hommes ne tarderaient pas à être vaincus.

Le portique serait, purement et simplement, leur dernier bastion.

Caton prit le bras de Macron.

– Macron ! Donne-moi une minute. Je dois parler à nos amis. Vite !

Macron haussa les sourcils.

– Tu crois peut-être qu'ils vont nous concocter un petit tour de magie ?

– C'est bien ce que j'espère.

Il montra d'un signe de tête ce qu'il restait de la centurie de Fronton. Le centurion avait été tué cinq minutes plus tôt. Une lance lui avait traversé la gorge. Il avait agité rageusement son glaive en tombant et avait au moins réussi à doter l'homme qui avait eu raison de lui d'une cicatrice à vie.

– Ils sont à toi, Macron.

– Tu as raison.

Les deux hommes échangèrent un salut, puis Macron se mit à brailler un déluge de jurons sur les quelques dizaines d'hommes postés sur les marches.

Maddy conduisit Caton sous le portique où étaient restés Liam, Sal, Bob et Rashim. Pour les rejoindre, ils durent enjamber des blessés qui se contorsionnaient, par terre.

Elle montra Rashim du doigt.

– Il sait où va s'ouvrir une fenêtre temporelle.

– Une fenêtre temporelle ? C'est un système qui permet de voyager à travers… ?

– À travers le temps, oui. Exactement. Et cette fenêtre doit s'ouvrir dans trois jours.

– On ne tiendra pas trois heures de plus… alors trois…

– C'est quelque part en dehors de Rome.

– Vous espérez trouver une issue ? Vous échapper ?

Maddy hocha la tête.

– Et nous ? On est censés rester là et mourir ?

Elle n'avait pas de réponse à cette question.

– Écoutez, c'est très difficile à expliquer, mais si on peut retourner chez nous, on peut restaurer l'Histoire telle qu'elle devrait être. De façon à ce que tout ceci ne se produise jamais.

Bob avança d'un pas. Il avait écouté leur échange précipité.

– Information : le règne de l'empereur Caligula ne dure que quatre ans. Il est assassiné en 41 après Jésus-Christ par des officiers de la garde prétorienne, et son oncle, Tiberius Claudius Nero Drusus, connu sous le nom de Claude, devient le nouvel empereur.

– Claude ? s'étonna Caton, avec une grimace. Ce crétin bégayant ne saurait apprendre à mendier à un gueux.

– Il sera un dirigeant très émérite. Durant son règne, la Bretagne est conquise et ajoutée à l'Empire en tant que province, ainsi que, entre autres, la Thrace, la Lycie, la Maurétanie et le Norique. Il est connu pour avoir dirigé avec équité et…

– Pas maintenant, Bob, l'interrompit Maddy en lui mettant une main sur la bouche. Le problème, c'est que les dix-sept dernières années auraient dû être très différentes. Tout ce qui s'est passé depuis l'arrivée des Visiteurs… est entièrement *faux*. C'est ça qui a tout détraqué. Ça a modifié l'Histoire par rapport à ce qu'elle aurait dû être.

Caton les considéra tous deux sans rien dire.

– Vous pouvez faire en sorte que tout cela n'arrive jamais ?

– Oui ! répondit Maddy. Mais seulement si on réussit à rentrer chez nous.

Caton demeurait pensif.

– Pouvez-vous nous tirer de là... d'une manière ou d'une autre ?

– Je réfléchis.

CHAPITRE 73

Macron serra les sangles en cuir de sa *lorica segmentata*. C'était un peu juste, mais il parut satisfait que son ventre bedonnant réussisse à rentrer dans la cuirasse faite de bandes de métal.

– Bon, les gars! cria-t-il en enfilant un casque. Ces fillettes à l'autre bout du jardin ont certainement plus peur de vous que vous d'elles.

Des rires jaunes se firent entendre parmi les hommes.

– Sans chevaux, ce n'est qu'une bande d'amateurs. Alors inutile de trop s'inquiéter à leur sujet, d'accord?

Le rouge du crépuscule baignait les jardins et leurs chemins dallés, leurs petits buissons, leurs jeunes oliviers et leurs massifs en topiaire. La soirée était étrangement calme et silencieuse. Après le combat qui venait d'avoir lieu, le silence semblait presque total.

Macron entendit néanmoins un léger murmure qui venait des hommes postés devant l'enceinte, un murmure qui se propageait comme une vague recouvrant une plage de galets.

Que se passe-t-il, là-bas?

Il perçut alors du mouvement, par-delà les piliers en pierre de l'entrée: plusieurs cavaliers se faufilaient parmi les hommes, puis entraient, les uns derrière les autres. Tous se mirent à s'agiter en reconnaissant soudain les hommes à cheval.

Macron jura en réalisant de qui il s'agissait: Caligula et le préfet de la garde prétorienne, Quintus.

Il se retourna vers les marches.

– Caton ! Mais qu'est-ce que tu fabriques ? murmura-t-il.

À l'autre bout des jardins, les *equites* hurlèrent de joie en voyant leur empereur et le *praefectus*. Macron les regarda mettre pied à terre et se fondre parmi les légionnaires avant de réapparaître quelques instants plus tard tandis que les premiers rangs des soldats s'écartaient avec respect pour les laisser passer.

Caligula s'approcha lentement, escorté par ses deux hommes de pierre. Quintus se tenait poliment en retrait, trois pas derrière eux.

L'empereur s'arrêta à une dizaine de mètres et leva les mains pour faire taire les cavaliers. Un silence obéissant ne tarda pas à recouvrir les jardins.

– Mais que faites-vous tous chez moi ?

Il considéra les cadavres, les javelots fichés dans le sol et les parterres de fleurs piétinés.

– Quelle affreuse pagaille vous avez mise, soupira-t-il. N'importe quel autre jour, cela m'aurait fortement contrarié. Mais aujourd'hui… aujourd'hui, ça a été une très bonne journée. Bientôt, très bientôt, quelque chose d'absolument merveilleux va se produire. D'homme, je vais me transformer en dieu ! Et Rome va à nouveau crouler sous les richesses. Aujourd'hui, j'ai vaincu les derniers individus qui doutaient de moi. Deux légions d'imbéciles, dirigées par un général stupide … tous éliminés.

Il fit un pas et écarta les bras.

– Mes chers prétoriens, on m'a dit que vous aviez rempli votre devoir et défendu ma demeure contre ceux dont vous pensiez qu'ils étaient venus pour la saccager. Pour cela, je vous remercie tous… et je vous *pardonne*.

Macron recula et gravit la demi-douzaine de marches conduisant au portique d'entrée où Caton et les autres étaient en pleine conversation.

– Mais j'ai bien peur que vous n'ayez été trompés, poursuivit

Caligula. Dupés par des officiers qui étaient de mèche avec le général Lepidus. Des conspirateurs, des sceptiques, encore, des traîtres…

Macron mit deux doigts dans sa bouche et siffla. Caton le regarda. Caligula marqua une pause, et son visage s'empourpra de colère face à tant d'insolence. Les trois rangées de soldats à la mine sinistre, couverts de sang et de sueur, tournèrent la tête vers Macron.

Le champ de bataille tout entier était pétrifié, et tous les regards étaient braqués sur lui.

Macron haussa les épaules.

– Tout ça, ce sont des foutaises ! tonna-t-il.

Ce ne fut pas une brise qui souffla soudain dans la petite oliveraie mais un vent d'exclamations retenues, qui se répandit parmi les hommes des deux camps.

– Tu ne vas pas te transformer en dieu. Tu n'es qu'un imbécile !

Le même bruissement, puis le silence. De tous côtés, ce n'était que sidération.

Macron repéra un javelot à terre, près de lui. D'un mouvement rapide, il se pencha, le ramassa et le lança sur Caligula.

Tiens, prends ça.

Le javelot décrivit un vague arc de cercle. Tous les regards suivirent la trajectoire de la tige de bois tremblante surmontée de sa pointe de fer étincelante, jusqu'à ce qu'elle aille se ficher, avec un bruit sourd, entre les pieds de l'empereur.

Caligula, les yeux écarquillés, fixait le javelot qui vibrait encore devant lui. Il le saisit, l'arracha du sol et le jeta de côté. Puis son visage se fendit d'un grand sourire, et il éclata d'un rire satisfait.

– Vous comprenez tous, maintenant ? Personne ne peut tuer un dieu.

Les hommes de Fronton s'agitèrent misérablement.

Macron recula pour rejoindre ses compagnons et manqua perdre l'équilibre en trébuchant contre un cadavre.

– L'absolution pour vous tous ! cria Caligula. Et mille sesterces à celui qui me rapportera la tête de cet homme !

– Je crois qu'on ferait mieux de déguerpir, dit Macron d'une voix enrouée.

– Tu as raison, dit Caton.

Ils regagnèrent les couloirs faiblement éclairés du palais, tandis que les soldats les plus vifs de la garde prétorienne grimpaient déjà les marches, avides de toucher la prime.

CHAPITRE 74

Caton les mena jusqu'au vestibule du palais. Ils passèrent devant l'endroit d'où ils étaient sortis cinq minutes plus tôt.

– Où allons-nous ? lança Maddy.

– Il y a une entrée pour les esclaves et les marchands, à l'autre bout du palais. Avec un peu de chance, cet idiot de Quintus n'aura pas pensé à la bloquer.

– Ça, on ne peut pas vraiment dire qu'il ait inventé l'eau tiède, convint Macron tout en courant.

– C'est principalement pour ça que Caligula l'a nommé, ajouta Caton. Si nous faisons vite, les quelques hommes de Fronton que j'ai postés là-bas ne sauront pas encore que nos têtes sont mises à prix.

L'entrée débouchait sur le grand atrium. Quand ils y parvinrent, une douzaine de soldats faisaient irruption de l'autre côté. Non des hommes de la centurie de Fronton, mais des *equites*.

– Sur ordre de l'empereur, vous, là-bas… Restez où vous êtes ! retentit une voix.

Caton jura entre ses dents.

– Trop tard !

– On y retourne ! cria Rashim. On retourne dans ma cage !

– Tais-toi, grogna Macron tandis qu'ils retournaient dans le corridor mal éclairé.

– C'est pas bon, ça, dit Maddy. On est coincés.

– Ma cage ! chantonna Rashim. On y retourne ! Oui ! Ma cage ! Mes hommes de…

– Je vous ai dit de vous taire! gronda Macron en levant un poing menaçant.

– Les hommes de pierre! dit Maddy. Il a raison. Rashim… Il peut les *rebooter*!

Ce dernier mot ne fut pas clairement traduit, et Macron lui jeta un regard perplexe.

– Les amorcer? Qu'est-ce que…

Elle chercha une autre formulation.

– Les réactiver! Les réveiller, si vous préférez!

– Vous pouvez faire ça? demanda Caton. Faire en sorte qu'ils vous obéissent?

– Oh oui, oui… Je peux faire agir la magie! lança Rashim.

Caton pointa son glaive dans la direction d'où ils étaient venus.

– Alors on y retourne, vite!

Ils firent demi-tour. Caton attrapa le poignet d'une extrême maigreur de Rashim et se mit à courir. Bob s'élança derrière eux; Liam rebondissait et gémissait sur son dos. Les deux filles tenaient l'allure à côté de lui, jetant des regards inquiets par-dessus leurs épaules du côté du fracas métallique des armures, des harnais et du claquement des clous des sandales militaires de leurs poursuivants contre le sol de pierre.

– Là! C'est celui-ci! cria soudain Sal. Celui-ci!

Elle s'avança vers le rideau et l'écarta, révélant la lourde porte en bois. Ils s'engouffrèrent dans la salle juste au moment où d'autres voix les défiaient, à l'autre bout du couloir.

– Entrez! Entrez! Entrez! hurla Rashim.

Ils se retrouvèrent dans l'obscurité. Bob déposa Liam à terre, délogea le lourd linteau et s'en servit pour bloquer les deux battants, de l'intérieur. L'accès était désormais solidement fermées.

La flamme d'une bougie tremblait encore près de la cage de Rashim restée ouverte, et ils distinguaient les unités de combat, postées à l'endroit où on les avait laissées, observant calmement l'agitation autour d'eux.

Hors d'haleine et s'efforçant de tenir debout sur ses jambes arquées et ses pieds recroquevillés, Rashim s'approcha d'eux et Sal se précipita pour le soutenir.

– Merci, chuchota-t-il.

Il se tourna vers l'homme de pierre.

– Tu es… tu es en mode diagnostic c-complet? Oui?

– Affirmatif. Tous les systèmes sont nominaux.

– J'avais seulement entendu parler leur chef, jusque-là, murmura Caton à Macron dans le noir. Et en une seule occasion.

– On dirait vraiment des démons, grogna Macron d'un air méfiant.

– Je… je voudrais vous parler, balbutia Rashim.

Sa voix semblait plus posée, son timbre plus grave, plus calme, son élocution moins hystérique.

– Quel est ton… statut de mission actuel?

– Je n'ai pas de mission en cours.

– C'est très bien. Et dis-moi, qui était ton dernier utilisateur autorisé?

– L'utilisateur temporaire Caius Julius Caesar Germanicus, également connu sous le nom de Caligula.

– Ton… ton dernier utilisateur programmé n'est plus autorisé à te donner des ordres. Est-ce que… est-ce que c'est compris?

Le clone hocha la tête.

– Vous devez me fournir un mot de passe système avant que j'accepte ceci comme un protocole de commande.

– Bien sûr, bien sûr.

Rashim fronça les sourcils. Si longuement que Maddy sentit son cœur se serrer.

Il a oublié.

Rien de surprenant, étant donné qu'il avait piraté ces unités de combat des années auparavant.

– Ah… oui! s'exclama Rashim en se donnant plusieurs tapes sur la tête. Je… je l'ai! Je l'ai!

– Veuillez m'indiquer votre mot de passe, répéta calmement l'homme de pierre.

– Le mot… le mot de passe est *Patrick l'étoile de mer* ?

Les yeux de l'homme de pierre se mirent à briller dans la lumière de la bougie, et sa tête pivota doucement vers Rashim.

– Votre mot de passe est correct et validé.

– Désormais, je suis ton utilisateur, marmonna Rashim.

– C'est exact, acquiesça le clone.

– Et ces gens sont mes… *amis*. Protège-les.

Il tourna les yeux vers les autres d'un mouvement mécanique, fluide et froid.

– Affirmatif.

Rashim laissa échapper un petit rire satisfait.

– Transmets ton nouveau statut et le mot de passe validé à ton collègue, là-bas, dit-il.

Le clone hocha la tête, et ses yeux se mirent à papilloter. Quelques instants plus tard, l'autre homme de pierre reprit vie et balaya la chambre du regard.

Rashim se tourna vers les autres avec un grand sourire édenté.

– Nos amis, désormais. Ça oui !

Soudain, les battants en chêne vibrèrent sous un impact. La barre de verrouillage tressauta et un filet de lumière vertical apparut brièvement entre eux.

– Ils nous ont trouvés, dit Bob.

Maddy le regarda puis tourna les yeux vers les autres.

– Bon ben, c'est génial… Cette fois, on est vraiment pris au piège.

– Non! cria Rashim.

Il tomba à genoux et promena ses doigts par terre en caressant presque tendrement la pierre.

– Dessous... Je l'entends murmurer... chaque nuit! Mon océan... dans mon monde!

Caton regarda Maddy.

– Mais qu'est-ce qu'il raconte encore, ce vieux fou?

Maddy l'ignorait: il parlait anglais mais c'était du charabia. Il aurait pu tout aussi bien parler en coréen.

Rashim roula des yeux pleins de frustration.

– De l'eau, bande d'idiots! De l'eau qui coule! s'écria-t-il, avant de répéter la même chose en latin pour Caton et Macron.

– Mais évidemment! s'exclama Caton en tombant à genoux à son tour. Un courant d'eau! Il y a un réseau d'égouts sous le palais, quelque part au-dessous de nous... On n'a qu'à creuser et...

– Creuser? Et avec quoi? dit Macron.

Les battants en chêne furent de nouveau violemment secoués, plus encore que précédemment.

– Ils utilisent un bélier, dit Bob. Les portes ne tiendront pas très longtemps.

Caton tira son glaive de son fourreau et en enfonça la pointe dans un interstice entre les tesselles qui composaient la mosaïque au sol. Avec un léger craquement, le ciment céda.

– Macron, viens m'aider!

Macron sortit son glaive, s'agenouilla et imita son ami. Tous deux se mirent à creuser le sol avec frénésie.

– Aidez-les! dit Rashim. Creusez un… un trou!

– Affirmatif, répondirent en chœur les deux clones, avant de sortir à leur tour leurs glaives pour s'attaquer aux blocs de pierre.

Les portes furent de nouveau ébranlées, et on entendit un grand craquement. Bob s'arc-bouta contre elles, en soutenant, de tout son énorme poids, la barre qui les tenait fermées.

– Il nous reste peu de temps, prévint-il.

– Comment tu te sens? demanda Maddy à Liam.

– Pas trop mal, répondit-il. Je commence à m'habituer à la douleur.

– Tant mieux, murmura-t-elle en tentant de sourire. On va s'en sortir, tu sais.

Caton creusait énergiquement. De son glaive, il ne cessait de dégager des tesselles multicolores. À quatre, ils avaient vite obtenu un trou grossier d'un mètre de diamètre et de plusieurs centimètres de profondeur. Il jura entre ses dents.

– Jusqu'où va-t-il falloir creuser?

– De l'eau… là! répéta Rashim. Sous nos pieds. Je l'entends chaque nuit!

Sal ramassa une bougie et s'approcha de la pile d'objets poussiéreux.

– Où tu vas, Sal? cria Maddy.

– Il y a peut-être quelque chose qui pourrait nous servir?

– Euh, oui… OK, va voir.

Un bruit violent résonna à nouveau dans la salle, ainsi que le craquement du bois qui cédait. Des fissures de lumière s'ouvrirent de haut en bas sur chaque battant.

– Il faut creuser plus vite, conseilla Bob.

Caton examina l'argile orangée. La pointe de son glaive heurtait la pierre en provoquant des étincelles. Il n'y voyait pas grand-chose à la lueur de la bougie. Il se mit à gratter désespérément le sol avec ses doigts, cherchant à tâtons un nouvel interstice où enfoncer le bout de sa lame.

Sal s'accroupit près de la pile d'objets. Elle en tirait des choses qu'elle distinguait à peine : des vêtements, des verres, des bottes... un jouet d'enfant, l'écran tactile fendu d'un h-pad depuis longtemps hors d'usage. Mais rien qui soit le moins du monde utile.

Allez... Allez !

Un nouveau coup sourd résonna dans la salle caverneuse.

Elle enfonça sa main plus profondément dans la pile d'objets, fouilla, tâtonna, en quête de quoi que ce fût qui pût les aider. Son index se coinça dans quelque chose et se tordit douloureusement quand elle chercha à le dégager.

Elle s'égratigna en le libérant et poussa bottes et vêtements de côté pour découvrir une petite grille de fer d'où s'échappait le bruit caractéristique de l'eau qui s'écoule.

C'est bien ça que Rashim avait entendu.

– Par ici ! cria-t-elle. Par ici ! Il y a une grille !

Les hommes levèrent la tête sans s'arrêter de creuser. Ils n'avaient pas la moindre idée de ce qu'elle disait. Si seulement elle avait eu un babel.

– *Shadd-yah*, Maddy ! Explique-leur ! Il y a une sorte de bouche d'égout, juste là !

Maddy s'exécuta. Les deux Romains abandonnèrent leur trou pour la rejoindre.

Une fois encore, Caton se servit de la pointe de son glaive pour soulever la grille. Macron lui prêta main-forte en grognant, et ils la firent glisser sur le côté.

– Ce sont bien les égouts, dit Caton en se penchant au-dessus du trou pour essayer d'y voir quelque chose.

Il ne distingua qu'un minuscule reflet. L'odeur fétide des relents de moisissure était irrespirable.

– Ah oui, pas de doute, c'est bien là, approuva Macron en pinçant les lèvres de dégoût.

Les portes reçurent un nouveau coup. Cette fois, une partie du battant de gauche se fracassa par terre.

Caton repéra près de l'entrée la silhouette de Maddy, qui avait passé un bras protecteur autour de Liam.

– Vous deux, venez ici !

Maddy aida Liam à se lever, et ils rejoignirent Caton.

– C'est l'aqueduc d'évacuation… Vous devez suivre le sens du courant, dit Caton. Il vous mènera au fleuve.

– Ok, dit Maddy.

– Dépêchez-vous ! lança-t-il en jetant un coup d'œil aux portes. Ils vont bientôt réussir à entrer.

Maddy se tourna vers Sal.

– Tu peux aider Rashim à descendre ?

– D'accord.

Sal s'engagea dans le trou où se trouvait la grille.

– Je crois qu'il va falloir sauter.

Maddy se baissa et aperçut le reflet tremblotant de la bougie au fond du trou.

– Ça n'a pas l'air profond.

– Alors j'y vais.

Se retenant au bord du trou, Sal se laissa glisser jusqu'à avoir les bras tendus, puis elle se laissa tomber. Maddy entendit l'écho d'un *plotch* boueux et gluant.

– Ça va, c'est faisable, dit-elle d'une voix qui résonna comme si elle se trouvait au bout d'un passage souterrain. Mais c'est complètement *chuddah* ! Beurk !

Maddy prit Rashim par la main.

– À votre tour.

Un nouveau coup assourdissant : d'autres fragments de bois tombèrent. De larges faisceaux de lumière transperçaient l'obscurité. Des casques brillaient à travers les portes fracturées.

Liam s'assit à grand-peine.

– Liam, tu te sens capable de… ?

– Ne t'inquiète pas, Maddy… Je peux descendre tout seul.

– Ton ami… puis toi, Maddy, et l'homme de pierre, dit Caton. Mais dépêchez-vous !

– Et vous ?

Caton jeta un regard à Macron, qui lui adressa un signe de tête discret, comme un accord muet.

– Nous allons recouvrir la grille. Ainsi pourrons-nous peut-être vous faire gagner du temps.

– Mais ils vont vous tuer !

– Évidemment, répondit Caton avec un sourire. Mais, comme tu l'as dit, tu peux faire en sorte que cela n'ait jamais eu lieu. C'est bien ça ?

– Oui, mais…

– Alors, allez-y. Maintenant. Et offrez-nous une meilleure fin que celle-ci.

Rashim était descendu. Liam s'engouffra dans le trou, gémissant de douleur en se retenant par les bras.

Boum. Un autre coup porté contre la porte.

La grosse voix enragée de Bob retentit dans la pièce comme il plongeait son glaive dans la brèche du battant gauche. Il y eut un cri d'agonie de l'autre côté.

Ils entendirent l'écho d'un nouveau *plotch* mêlé aux grognements de Liam.

– Bob ! cria Maddy. On s'en va ! Rapplique, et tout de suite !

– Je dois rester devant ces portes.

Caton s'approcha des hommes de pierre.

– Acceptez-vous mes ordres ?

– Affirmatif, répondirent-ils tous deux. Vous êtes sous notre protection.

– Alors tuez quiconque entrera.

Les deux clones sortirent leurs glaives et se dirigèrent vers les battants qui se pliaient sous les assauts.

Bob leur adressa un signe de tête en s'écartant.

– Bonne chance, leur glissa-t-il.

Les clones échangèrent un bref regard, aussi déconcertés l'un que l'autre par cette parole de compassion, si étrangement humaine de la part d'une unité de combat. Puis ils ajustèrent leur position devant ce qui restait des portes, jambes écartées, agrippant leur glaive à deux mains, prêts à tuer.

– Allez! dit Maddy en donnant une tape sur l'épaule de Bob quand il s'accroupit près d'elle.

– Toi d'abord, Maddy. Je surveille les arrières.

Caton comprit les intentions de Bob.

– Il a raison. Mieux vaut qu'il forme l'arrière-garde.

Elle était sur le point de sauter dans le trou, mais elle hésita. Elle se pencha et embrassa Caton sur la joue.

– Je vais remettre les choses en ordre, je vous le promets.

Puis elle pressa l'avant-bras de Macron.

– Je vais tout arranger.

– Allez! dit Macron en souriant. Ne t'inquiète pas pour nous.

Elle se laissa tomber dans l'égout et atterrit elle aussi dans un *plotch*. Bob la suivit aussitôt en se faufilant – tout juste – dans le trou.

Caton et Macron remirent la grille en place au moment où un ultime coup faisait voler les portes en éclats. Les clones s'avancèrent d'un seul pas dans la lumière des torches et des braseros, et engagèrent le combat contre les prétoriens qui piétinaient les éclats de bois et la barre de fer tordue.

Caton ramassa son glaive et Macron poussa des objets poussiéreux pour masquer la bouche d'égout.

– Est-ce la vérité, Caton? Ils peuvent changer tout ça?

– Peut-être, répondit-il en se penchant pour ramasser un bouclier.

Macron pinça les lèvres en y réfléchissant une seconde.

– Ça me va.

– C'est ce que j'ai toujours aimé chez toi, Macron.

– Quoi donc?

– Tu ne réfléchis jamais trop.

Macron éclata de rire. Les deux clones tuaient à tour de bras en défendant l'entrée, déjà encombrée d'une pile de corps à l'agonie.

– Je souhaite que notre « autre » destinée fasse de nous deux vieillards, dit Caton avec un grand sourire. Deux vieillards riches, j'espère. Qu'est-ce que tu dirais de ça ?

Macron plia les bras, le glaive dans une main, le bouclier dans l'autre.

– J'ai toujours pensé qu'on finirait comme ça, toi et moi.

– Incorrigible optimiste, répondit Caton, sans cesser de sourire à son vieil ami. On y va ?

Il haussa les épaules.

– On ne va pas rester ici à cancaner comme deux petites vieilles.

CHAPITRE 76
54 APR. J.-C., ENVIRONS DE ROME

Ils émergèrent dans la nuit. Aucune lumière ne brillait : rien que la nuit noire, les étoiles et la lune se cachant derrière des nuages, et un voile de fumée qui montait des flammes de Rome.

Ils descendirent un delta plein de vase et d'eaux usées, et gagnèrent l'eau fraîche du Tibre où ils firent quelques pas pour se décrasser. Rashim s'avança d'un pas traînant, savoura le picotement froid de l'eau sur sa peau, forma une coupe avec ses mains et but jusqu'à plus soif.

– Beurk, je n'oserais jamais boire ça, murmura Maddy en l'observant.

– Ça va, Liam ? vérifia Sal.

Il grimaçait de douleur.

- Je vais tenir le coup. Enfin… je crois.

Maddy se lava les mains et pataugea jusqu'à lui. Elle sortit ses lunettes de sous sa tunique. Les branches étaient tordues. Elle les bricola un moment, puis les glissa sur son nez où elles tinrent de guingois.

– Voyons voir ça.

– Tu n'y verras rien, il fait trop sombre, indiqua Liam.

– Est-ce que ça saigne ? demanda-t-elle en tendant la main vers la blessure.

– Je crois que non, répondit-il en palpant le bandage serré que Macron lui avait fait. Ça a l'air à peu près sec.

Ça *brûlait* – le mot n'était pas trop fort – d'une manière atroce mais, apparemment, la plaie ne s'était pas rouverte.

– Macron a fait du bon boulot, dit Liam en levant les yeux

vers elle. Dans l'expression qu'affichait son visage, elle vit ce qu'elle savait déjà : il s'était attaché au vieux soldat.

Moi aussi.

Entre deux souffles, en courant dans le tunnel, elle avait expliqué aux autres que les deux hommes avaient décidé de rester derrière pour couvrir leur évasion.

– On a une dette envers eux, dit-elle d'un air sombre en jetant un regard à la ville ponctuée par la lumière des feux. On doit arranger tout ça. Je le leur ai promis.

– Ouais. Alors on va tout faire pour y arriver.

– Pas le temps pour ça, dit Rashim. Pas le temps ! Nous devons quitter Rome immédiatement. Allez, capitaine ! Oui, tout à fait !

– J'ai trop envie de partir, renchérit Sal.

Maddy observa le fleuve. À droite se trouvait un pont soutenu par une voûte de pierre et, à gauche, un pont de bois qui paraissait délabré.

– Vous préférez lequel ?

– Aucun, dit Rashim en désignant la rive couverte de sable, à gauche. On suit… Vous voyez ? On contourne le bas de la ville, puis on va…

Il fronça les sourcils en réfléchissant et se tapota la tempe du bout des doigts, comme pour libérer un souvenir.

– Êtes-vous sûr et certain de savoir où ce portail doit s'ouvrir ? lui demanda encore Maddy.

– Oui-oui ! On va au nord-est de Rome… pendant quelques heures.

– Pouvez-vous être plus précis ?

Rashim continua de tapoter sa tempe couverte de crasse.

– Là-dedans… c'est tout dans ma tête ! Laissez-moi… laissez-moi le sortir !

– Information, dit Bob en levant la tête : si nous sommes suffisamment proches du bon emplacement, je serai peut-être en mesure de détecter des particules de tachyons.

– Oui, au moment où le portail s'ouvrira, dit Maddy. Mais s'il s'ouvre juste pendant une minute ou deux, et qu'on est à des kilomètres de là, on va le rater !… Il nous faut l'emplacement précis, vous comprenez, insista-t-elle auprès de Rashim. On doit être exactement au bon endroit.

– Il y a si longtemps, murmura Rashim en fermant les yeux. Je… Je me rappelle… l'arrivée… par une route à l'est de Rome.

Les paupières de Bob papillotèrent comme il accédait à sa base de données.

– La voie Prénestine ?

– Oui ! Une longue route ! Une porte ! Un… un marché !

– Revenez en arrière, remontez dans vos souvenirs, le pressa Maddy. Avant d'arriver à Rome.

– On peut y aller ? demanda Sal en jetant un coup d'œil au tuyau d'évacuation dont ils étaient sortis. J'aimerais mieux qu'il remonte dans ses souvenirs en marchant.

Maddy suivit le regard de Sal. Quand les soldats de Caligula comprendraient qu'ils s'étaient échappés par les égoûts, ils ne tarderaient pas à arriver.

– Elle a raison. Allons-y.

CHAPITRE 77
54 APR. J.-C., ENVIRONS DE ROME

L'aube les trouva sur un sentier poussiéreux flanqué, d'un côté, de champs vallonnés à la terre desséchée et aux tiges de blé flétries et, de l'autre, d'une plantation de figuiers. Les faibles jambes de Rashim l'avaient depuis longtemps lâché. Il dormait à poings fermés sur les épaules de Bob.

Sal marchait à ses côtés, échangeant de temps à autre un mot avec l'unité de soutien, mais, le plus souvent, elle demeurait perdue dans ses pensées.

Liam cheminait près de Maddy, une main plaquée sur sa blessure. Il boitait légèrement et faisait de plus amples foulées avec sa jambe droite.

– Tu es plus solide que je ne le pensais, dit Maddy.

– Ce n'est pas parce que je ne pleurniche pas que je n'ai pas mal… C'est comme si j'avais une fourche plantée sur le côté.

– Liam, lui dit-elle, ce n'est pas au côté que tu as reçu un coup de glaive, c'est dans le ventre.

– J'ai pris un coup oblique, répliqua-t-il. Je parie que ça avait l'air beaucoup plus grave que ça ne l'est.

Elle réfléchit. Dans le feu de l'action, elle avait vraiment pensé que c'en était fini de Liam, qu'il allait s'effondrer et mourir. Mais il avait raison. S'il s'était fait embrocher, comme elle l'avait d'abord cru, il aurait sûrement eu la rate, l'estomac, un rein ou le foie déchiré, ce qui aurait libéré toutes sortes d'acides toxiques dans son sang. Une agonie douloureuse et la mort à coup sûr.

– Tu es incroyable, Liam, dit-elle en serrant doucement ses frêles épaules.

– Incroyable, oui, répondit-il en grimaçant, mais je ne suis pas un de ces fichus hommes de pierre.

– J'en suis désolée pour toi.

Il haussa les épaules.

– Maddy ?

– Oui ?

– En rentrant, on sera dans un sacré pétrin, c'est pas vrai ?

– Je ne sais pas. Je ne sais même pas si on pourra retourner à la Base. Peut-être même qu'elle n'existe plus.

Sal surprit leur conversation.

– Et si on rentrait à l'époque des gens du Projet Exodus ?

– Je ne sais même pas quand c'est.

– C'est après 2001, pour sûr, dit Liam.

– Oui, évidemment.

– Le Projet Exodus a lieu après les années 2050, précisa Bob.

– Comment tu le sais ?

– Les hommes de pierre utilisaient un logiciel d'intelligence artificielle d'une génération postérieure à la mienne.

– Les années 2050 ? répéta Liam en se tournant vers Maddy. Mais c'est de cette époque que vient notre agence !

– Exactement.

– Qu'est-ce que vous en dites ? leur suggéra Sal. Et si on allait dans le futur ?

– Pourquoi, Sal ? Tu sais mieux que nous comment c'est. C'est sinistre.

Liam acquiesça d'un signe de tête.

– Cet homme qui avait débarqué au temps de Robin des Bois, euh, comment s'appelait-il déjà ?… Locke, c'est ça. Je me rappelle qu'il avait dit avoir entendu des rumeurs au sujet de notre agence dans les années 2060. Il disait que les choses allaient mal à l'époque, vraiment très mal. Genre la fin du monde.

La fin.

Pour Maddy, ces mots n'étaient que trop familiers.

Elle fit halte.

– Attendez… Ce message, dans le Manuscrit Voynich. Vous savez, celui que Becks avait dans la tête, celui qu'elle avait décodé, tout ça ?

Liam et Sal s'arrêtèrent et se retournèrent.

– Oui, et alors ? dit Sal.

– Je vous ai dit que Becks ne pouvait pas me révéler ce que c'était… Eh bien, en fait, elle m'a dit qu'elle ne pourrait le faire que lorsque certaines conditions seraient réunies.

– Quelles conditions ? demanda Sal.

– « Quand ce sera la fin. » Ce sont ses mots exacts.

– La fin ? répéta Liam avec un rire plein de mépris. Super ! Qu'est-ce qu'on est censés comprendre ?

– J'en sais rien, répondit Maddy. Mais j'ai comme l'impression qu'on s'approche d'un sale truc.

– Qui ça, on ?

– Tout le monde ! Je parle de l'humanité tout entière !

Liam fit la grimace.

– Eh bien, ça me remonte vraiment le moral, pour sûr.

– Vous voyez, je pense que quelque chose d'horrible va arriver un jour. Quelque chose qui va tous nous exterminer. Je pense que Pandore, c'était ça : un avertissement.

– Ce pauvre homme, dit Sal.

Les deux autres savaient de qui elle parlait : un malheureux, sorti de nulle part, qui avait atterri à La Nouvelle-Orléans en 1831. Une arrivée catastrophique, qui avait involontairement provoqué la mort d'un jeune homme nommé Abraham Lincoln. Sans doute n'avait-il pas correctement sondé et vérifié sa destination. Il avait probablement quitté son époque aussi précipitamment qu'il était apparu, et il avait instantanément fusionné avec les corps de deux chevaux.

– C'est cet homme qui nous a prévenus pour Pandore, dit Sal.

– Joseph, articula Liam. Il a bien dit qu'il s'appelait comme ça ?

– Oui. C'est lui qui t'avait laissé ce fameux message, Maddy.

– Ouais, je sais, soupira-t-elle. Mais qu'est-ce qu'on fait, hein ? OK, un type venu du futur nous a avertis que quelque chose d'horrible allait arriver à l'humanité. Qu'est-ce qu'il essayait de nous apprendre, bon sang ? De changer l'Histoire pour que ce truc – quoi que ça puisse être – n'arrive pas ?

– Je pense que c'est ça, répondit Sal.

– Mais on a aussi le devoir de s'assurer que l'Histoire ne change pas, rappela Liam. C'est ce que Foster nous a dit. Vous vous souvenez ? *Que ce soit une bonne chose ou non… l'Histoire doit aller dans une seule direction.*

– C'est exactement là où je veux en venir, dit Maddy. Je ne sais tout bonnement plus ce qu'on est censés faire, Liam. Et maintenant des sections entières de ces fichus clones sont envoyées à nos trousses pour nous tuer. Donc, clairement, on est en train de mettre quelqu'un en colère. Il y a sûrement un truc qu'on ne fait pas bien.

– Ou, au contraire, un truc qu'on fait *trop* bien, tenta Sal.

– Et voilà, fit Maddy, bienvenue dans mon monde, où on n'a pas la moindre idée de ce qui se passe.

Ils se turent. Ils étaient en plein milieu de la route. Le soleil levant découpait des ombres nettes qui s'étiraient, longues et effilées, sur les pavés.

Liam rompit le silence au bout d'un moment :

– Voilà ce que je pense : je fais confiance à Foster. Il a dit que nous devions garder l'Histoire telle qu'elle était. Pour le meilleur ou pour le pire, elle doit se dérouler dans un certain sens et pas dans un autre. Si ça signifie qu'un jour il y aura une fin, conclut-il avec un sourire conciliant, eh bien, j'imagine qu'il doit en être ainsi.

– On ne fait que *suivre les ordres*, résuma Maddy.

– Oui.

– Tu sais qui est-ce qui disait la même chose ? demanda-t-elle sans lui laisser le temps de trouver une réponse qu'il ne

connaissait pas. Les nazis! Les gardiens des camps de concentration.

– Alors qu'est-ce que tu penses qu'on doit faire, Maddy?

– Je pense que je n'en sais rien. Simplement, je n'ai pas envie
de faire confiance à qui que ce soit pour le moment.

– Contentons-nous de rentrer à la maison, alors, conclut
Liam.

– Oui, si on y arrive. On verra ce qu'on fait une fois là-bas.

CHAPITRE 78
54 APR. J.-C., ENVIRONS DE ROME

Selon Rashim, le groupe Exodus avait passé la majeure partie du trajet sur un chemin qui était devenu une grande route poussièreuse. Deux voies encombrées de charrettes et de piétons. D'après le vieil homme, ça avait duré une heure… mais ils avançaient lentement, car leurs véhicules tout-terrain étaient très chargés : des gens étaient entassés au fond, et le matériel était empilé par-dessus. D'où leur lenteur. Ils n'allaient guère plus vite qu'une personne qui courait. C'étaient ses mots, rien de plus précis.

Cependant, il avait bien évoqué des collines. Rien de très spectaculaire, de simples collines qui se trouveraient sur leur droite, à la sortie de Rome. L'une d'entre elles, au-dessus d'une douce vallée, avait un sommet singulièrement plat.

Midi approchait. Maddy balaya l'horizon du regard. Il y avait bien des collines devant eux, comme il l'avait dit. Et, au-delà de leurs contours réguliers, au loin, les reliefs clairement plus anguleux d'une chaîne de montagnes.

– Rashim ! s'écria-t-elle.

Il eut un léger soubresaut sur le dos de Bob.

– Secoue-le un peu, Sal.

Elle s'exécuta.

Rashim tressauta, ouvrit les yeux et hurla, aveuglé par la lumière du jour. Il les referma aussitôt en serrant les paupières.

– Qu'est-ce que c'est ? Où…

Sal le rassura d'un geste.

– Ça va, tout va bien. On s'est enfuis, vous vous souvenez ?

Rashim grimaça et se couvrit le visage de ses mains pour se protéger de la luminosité, à moins qu'il ne souffrît d'une sorte d'agoraphobie, une terreur mortelle devant l'espace infini qui s'ouvrait devant lui. Maddy se demanda s'il lui serait resté un peu de santé mentale si elle avait passé dix-sept ans enfermée dans une caisse.

– Rashim, là-bas… les collines ? C'est bien celles-là ?

Bob le déposa à terre. Rashim protégea ses yeux, qu'il gardait presque entièrement fermés, de la lumière éblouissante du soleil matinal.

– Je… crois… oui. Ou peut-être… Je ne suis pas certain.

– Allons, il faut qu'on en soit sûrs !

Son visage exprima la souffrance quand il examina les contours des collines, à droite du sentier. Puis ses yeux s'élargirent quand il repéra la colline au sommet plat.

– Celle-là, là-bas ! Vous voyez ?

Maddy suivit la direction qu'indiquait son doigt griffu. Les collines se profilaient en une succession de bosses quasi symétriques. Certaines étaient surmontées d'édifices d'où s'élevaient de minces filets de fumée dans le ciel matinal. Mais la colline dont la cime était plate se distinguait des autres ; on aurait dit qu'on en avait coupé la crête avec un couteau à beurre.

– Vous êtes sûr ?

– Oui, oui-oui, répondit-il, la bouche étirée par un sourire fou. Il fallait un endroit plat. Grand… découvert… plat ! Oui ? Pour y mettre un repère. Oui. Moi et Bouba l'éponge !

– Bouba l'éponge ?

Rashim l'ignora.

– C'est ça ! C'est ça ! C'est l'endroit ! s'exclama-t-il, les larmes aux yeux. J'aurais jamais cru… Je… je…

– Et il nous reste combien de temps ?

– Il a dit trois jours hier soir, indiqua Bob. Il doit donc nous rester deux jours.

Maddy essuya les gouttes de sueur qui lui coulaient dans les yeux et loucha à travers ses lunettes rayées en direction de la colline. Ça ne représenterait pas une si longue marche pour eux, une heure tout au plus. Ensuite, une fois qu'ils seraient certains d'être exactement au bon endroit, il leur faudrait de toute urgence trouver quelque chose à boire. Même de l'eau croupie ferait l'affaire. N'importe quoi. Elle s'inquiéterait plus tard des maladies – quand ils seraient rentrés chez eux.

– Êtes-vous sûr que Caligula ne sait rien de cet endroit ? s'informa Sal.

– Il est au courant, Rashim ? renchérit Maddy en se mordillant la lèvre. Est-ce qu'il sait par où vous êtes arrivés, vous et vos compagnons ?

– Des histoires… répondit Rashim en souriant, et des histoires. Monsieur Muzo et moi…

– Rashim ! Est-ce qu'il est au courant ?

Il pencha la tête de côté.

– Nous… avons gardé nos secrets… Nous leur racontions… des histoires… Nous….

– Je suppose que ça veut dire non, dit Sal.

Maddy saisit le bras décharné de Rashim.

– Mais il sait que c'est pour bientôt, n'est-ce pas ?

Rashim hocha la tête.

– Et à l'heure qu'il est, il sait que vous avez disparu, reprit-elle en fronçant les sourcils. Il va vous chercher, non ? Est-ce qu'il sait que les gens d'Exodus sont arrivés par le nord-est ?

Rashim ferma les yeux.

– Le jour où les Visiteurs sont arrivés… sur des chars en or…

Sa rêverie lancinante se perdit une nouvelle fois dans son charabia.

– Il n'y a qu'une route principale qui mène à Rome depuis cette direction, affirma Bob. C'est celle-ci.

– Alors n'y restons pas !

Maddy inspecta la route dans les deux sens. Elle était déserte, à l'exception d'une petite tache pâle qui soulevait de la poussière à un ou deux kilomètres de là. Un char isolé ou un marchand. Du moins l'espérait-elle. C'était peut-être un soldat prétorien envoyé en éclaireur à leur recherche, un parmi tous ceux qui avaient sans doute été lancés à leur poursuite, dans toutes les directions, sur chaque route de Rome. Elle ne voulait pas perdre plus de temps à le découvrir.

– Venez ! lança-t-elle en désignant la colline au sommet plat.

Des arbres en entouraient la base, même si le sommet était nu. Ils pourraient s'y cacher pendant un jour ou deux et patienter jusqu'au moment où l'équipe de Rashim était censée arriver.

– On y va !

– Du bois sec, voilà le secret, dit Liam. S'il est totalement desséché, comme du charbon, ça ne fait pas de fumée du tout.

Maddy fixa le feu. On le distinguait à peine dans la lumière du jour. Quelques petites volutes de fumée s'échappaient néanmoins des branches et des pommes de pin, lesquelles crépitaient tandis que des flammes transparentes les consumaient et que la chaleur faisait danser l'air au-dessus d'elles. Bien sûr, il y avait toujours l'odeur, agréable et réconfortante, du feu. Elle allait se propager, mais personne ne saurait d'où elle provenait. Et certainement pas depuis la route qu'ils avaient quittée.

Elle mit une main en visière au-dessus de ses yeux et scruta la route à trois ou quatre kilomètres de là, à travers les branches frémissantes des cyprès. Le temps était tellement sec, cet été-là, que l'on ne pouvait que soulever des panaches de poussière en l'empruntant. Elle ne voyait rien.

Sur une broche en bois grésillaient plusieurs lièvres que Bob avait attrapés pour eux, écorchés depuis le cou jusqu'aux minces jarrets, ne laissant la fourrure que sur leurs têtes et le bout de leurs pattes. En temps normal, Maddy se serait sentie mal rien qu'à l'idée de manger un animal qu'elle reconnaissait, mais sa bouche salivait à l'odeur qu'ils dégageaient en cuisant. L'appétissant fumet de la viande croustillante.

Rashim était assis près du feu, courbé en avant, bavant devant la viande luisante et gloussant au son de la graisse qui crépitait.

Maddy regarda une nouvelle fois, au loin, la route à travers les branches des arbres du coteau.

– Je crois qu'on n'a plus rien à craindre, maintenant.

Ils avaient vu passer un détachement de cavalerie, une heure plus tôt, laissant un sillage de poussière derrière lui. À cette distance, ces hommes auraient pu être n'importe qui, mais il y avait quelque chose, dans leur allure, de réfléchi et de discipliné.

Rashim avait éclaté d'un rire joyeux, en les voyant passer, se moquant de Caligula qui allait manquer son précieux « rendez-vous avec le paradis ». Depuis, ils n'avaient vu personne d'autre, toutefois. Rashim était recroquevillé près du feu. Maddy détailla du regard son corps rachitique qui avait subi la malnutrition et l'obscurité complète pendant tant d'années : elle se demanda comment le corps humain pouvait supporter cela.

En contrebas, au milieu des arbres, des bruits d'éclaboussures lui parvinrent. Bob et Sal étaient en train de nettoyer leurs vêtements dans un petit ruisseau. De l'eau propre et potable, pas croupie comme celle du Tibre. Ils devaient en rapporter quand ils auraient terminé.

Maddy s'approcha de l'endroit où était assis Liam. Il était perché sur un rocher qui lui offrait une vue plongeante sur le pied de la colline.

– On devrait aérer un peu ta plaie.

Elle pointa du menton le bandage serré qui enveloppait sa taille, taché de sang séché. La blessure avait dû se rouvrir quand ils avaient fui le palais et pataugé dans les eaux usées. Dès leur retour à la Base, il faudrait tellement gaver Liam d'antibiotiques qu'il cliquetterait comme un flacon de pilules.

– D'accord, répondit Liam. Mais fais doucement, cette fois, Maddy.

– Allez, fais pas ta chochotte, dit-elle en desserrant le bandage. Je vais faire attention.

Il grimaça quand elle défit le tissu.

– Ça fait mal ?

– Non, pas vraiment. C'est juste un peu sensible, dit-il en lui jetant un regard inquiet. J'ai l'impression que, si je tiens en un seul morceau, c'est grâce à ce pansement.

Il souriait tout en ne plaisantant qu'à moitié.

– Je pense que tu t'en remettras, ajouta-t-elle.

Elle sourit. Quelque chose, chez Liam, donnait l'impression qu'il était indestructible, son stupide sourire en coin, peut-être. Si ça se trouve, Dieu existait vraiment et il passait son temps à veiller sur les doux rêveurs de son espèce.

– Aïe ! Mais doucement !

– Pardon.

Même si elle percevait des signes de vieillissement sur son visage, ses cheveux piquetés d'argent, sa mèche blanche sur la tempe... d'une certaine façon, elle avait encore du mal à se dire qu'il était Foster, ce pauvre vieillard frêle et mourant. Ou peut-être qu'elle n'en avait simplement pas envie.

Il doit savoir.

– Et voilà, annonça-t-elle.

La dernière couche de tissu était encore humide de sang qui n'avait pas coagulé. Elle entreprit de la détacher, mais elle était collée à sa peau comme de la glue.

– Plus doucement, s'il te plaît, gémit-il nerveusement.

– Pardon, pardon, pardon.

Elle fit la grimace : sa peau pâle résistait quand elle tirait.

Elle réussit finalement à ôter la bande avec précaution et, tout en inspectant les contours foncés de la plaie, elle prit conscience, qu'il n'y aurait jamais de moment *idéal* pour le lui dire... Trop de secrets les avaient déjà séparés, en tant qu'équipe, en tant qu'amis. C'était le dernier. Elle jeta un regard à Rashim, qui marmonnait comme Gollum dans *Le Seigneur des anneaux*, accroupi, les yeux rivés sur la viande luisante.

– Liam ?

– Alors, c'est comment ?

– Liam... tu es en train de mourir.

– Quoi ? Mais c'est juste une entaille...

– Non, Liam, écoute-moi bien : les voyages dans le temps sont en train de te tuer.

– Bon sang, mais qu'est-ce que tu racontes, encore ?

– Foster me l'a dit. Remonter dans le temps fait vieillir. Ça accélère le processus de vieillissement.

Il en resta sans voix.

– Enfin, Liam, tu as bien dû remarquer… dit-elle en désignant sa tempe.

– Bien sûr. Je ne suis pas aveugle, répliqua-t-il en lui prenant le bandage des mains et en en faisant machinalement un rouleau. Et je ne suis pas stupide, non plus.

– Liam, je…

– Tout ça est en train de me tuer, soupira-t-il. Je le sais bien.

– Tu le sais ?

Il marqua un silence.

– Je m'en doutais, finit-il par lâcher, toujours occupé à rouler le bandage. Quand on est revenus du Crétacé, Edward Chan et cette fille, Laura . Je crois que c'est à ce moment-là que j'ai deviné que les voyages temporels les rendaient malades.

– Ils avaient tous les deux été dangereusement exposés, acquiesça Maddy. C'est un peu comme avec les radiations : il n'y a pas de guérison, les dommages sont irréversibles.

– Ce n'est pas vraiment une bonne nouvelle.

– Non, pas vraiment, répondit-elle en percevant dans sa propre voix quelque chose dont elle n'avait pas besoin, dans l'immédiat. Attends, laisse-moi t'aider.

Elle lui prit le bandage des mains et acheva son travail par un nœud.

– Je suis désolée, Liam. Tu ne peux pas savoir à quel point… J'aurais dû t'en parler dès que je l'ai su.

Elle s'attendait à ce qu'il lui fasse des reproches. Au lieu de quoi, il la gratifia d'un sourire, un de ces sourires qui vous fendent le cœur, mélancolique, avec les larmes aux yeux, ceux que font les vétérans de guerre lors des commémorations.

– Liam ?

– J'ai déjà eu droit à pas mal de rab, Maddy. C'est un sacré cadeau, pour sûr.

Bon sang, Liam, pourquoi ne peux-tu pas simplement te fâcher contre moi ? Ce serait tellement plus facile.

– Et j'ai vu tellement de choses incroyables, dit-il en souriant. Je suis gagnant dans l'histoire. Pourquoi je devrais déprimer, hein ?

– Il y a autre chose.

– Quoi ?

– Liam… Tu es Foster.

– Hein ?

– Tu es Foster.

Il éclata de rire.

– Je ne suis pas aussi acariâtre que ce vieux…

– Non. Liam… Je t'assure que tu es bien Foster. Toi et lui, vous êtes la même personne.

Pour la seconde fois en l'espace de deux minutes, elle le laissa sans voix.

– Je ne sais pas comment c'est possible, mais vous êtes la même personne. Foster me l'a dit.

Elle cherchait tant bien que mal une explication.

– Peut-être que c'est en rapport avec la boucle dans laquelle on vit, reprit-elle. Peut-être qu'on y est tous déjà venus avant et qu'on ne s'en souvient pas. Peut-être que nous et l'Histoire, on se trouve sur une grande roue qui n'arrête pas de tourner, sans arrêt. Je ne sais pas. Je sais juste ce que m'a dit Foster.

– D'accord… d'accord…

Liam avait les yeux rivés sur le corps torturé de Rashim, sur les plis de sa peau qui pendait sur les os saillants. Elle semblait presque jaillir du corps, par endroits.

– Il n'y a plus un seul secret entre nous, maintenant, Liam. Ça y est. Tu sais tout ce que je sais.

– Des mains de vieillard, murmura Liam en regardant les

siennes. C'est ce que ma mère m'a toujours dit. Que j'avais des doigts tout noueux.

– Liam, dit Maddy en posant doucement la main sur son bras. Je ne sais pas vraiment ce que ça veut dire, que toi et Foster vous ne fassiez qu'un, mais c'est quelque chose d'important. Pour nous trois. Il faut qu'on y réfléchisse et qu'on en reparle tranquillement quand on sera rentrés. Tous les trois, on...

Elle entendit des branches craquer, et les voix de Bob et de Sal qui revenaient du ruisseau.

– OK, conclut-il.

Au même instant, ils surgirent de l'ombre d'un arbre. Bob tenait dans ses bras un pot de terre fêlé.

– On a trouvé ça, s'exclama Sal. Du coup, Bob a rapporté de l'eau.

– Il était temps, lança Liam en ronchonnant.

Il parvint même à leur faire son sourire d'idiot.

– On devrait manger un peu, dit Maddy.

– Oui, manger ! s'écria Rashim. Manger !

– Ça, oui ! Je meurs de faim, nom d'une pipe ! On a failli dévorer ces lièvres sans vous, pour sûr ! Hein, Maddy ?

Elle aurait pu le prendre dans ses bras et le serrer, le serrer, jusqu'à ce qu'il devienne bleu, juste parce qu'il était ce qu'il était.

– Oui, Liam. Pour sûr.

CHAPITRE 80
54 APR. J.-C., ENVIRONS DE ROME

— Vous êtes absolument certain que c'était aujourd'hui?

Rashim hocha la tête, mais pas avec autant de vigueur et d'aplomb que Sal l'aurait souhaité.

— Aujourd'hui, oui, bien sûr, bien sûr, mais bien sûr que oui!… Je m'en souviens! marmonna-t-il, agacé.

Ils étaient assis en ligne, à l'ombre d'une rangée de buissons, observant le sommet plat de la colline. Des herbes sauvages desséchées et de la bruyère ondulaient doucement sous la brise légère. Ils s'étaient installés là quand la température avait monté. Ils étouffaient, cuisant dans leur propre sueur. La matinée s'écoulait avec une infinie lenteur, tandis que le soleil martelait la campagne aride.

Sal soupira. Elle n'était pas si sûre que ce vieux fou leur permette de rentrer chez eux. Il était bien trop agité, trop déséquilibré, trop incroyablement bizarre et schizo pour être fiable. Elle observa son visage émacié, anguleux et couvert de cicatrices, les touffes emmêlées de ses cheveux gris et raides, parsemés de zones complètement chauves, comme s'il avait la pelade. Le pire de tout, c'était sa bouche: des gencives pourries et les souches noires de dents mortes. Son haleine était quasiment insoutenable, comme de la viande en décomposition.

Elle se demanda quel âge il pouvait avoir. Soixante-dix ans? Quatre-vingts? C'était presque impossible à deviner. Néanmoins, comme Maddy l'avait souligné avec éloquence, passer dix-sept ans enfermé dans une caisse «aurait bousillé n'importe qui».

– Midi. Midi. Oh oui ! Oui ! C'était vers midi, marmonna Rashim dans sa barbe.

Mais la veille il disait qu'ils étaient arrivés de très bonne heure, raison pour laquelle ils étaient assis là, comme des imbéciles, depuis le lever du jour.

– Maddy ?

– Hmm ?

– Si vraiment on réussit à rentrer à l'arche, qu'est-ce qu'on fera si ces « Bob » qui nous poursuivaient sont encore là ? S'ils nous attendent ?

– Il faudra qu'on se tienne prêts à les combattre. Il en restait deux : un homme et une femme. C'est bien ça ?

– Oui, je crois.

– Bob peut s'occuper de l'un des deux, et quant à nous je suis sûre qu'on réussira à venir à bout de l'autre. Enfin, si on arrive à rentrer.

– Il se peut que les balises de tachyons soient adaptées pour renvoyer un signal à notre base opérationnelle, indiqua Bob.

S'ils se manifestent. Et franchement, Sal était certaine que la journée allait se dérouler sans événement particulier, à écouter ce vieux barjo bredouiller : « C'est *demain*, le grand jour… bien sûr… Je m'en souviens maintenant ! »

Pareil le jour suivant. Et le jour d'après.

– Je ne veux pas rester coincée ici, dit-elle.

– Je sais, soupira Maddy. Personne ne le souhaite.

– Ça ne va pas tarder, je vous le promets, oui ! s'écria Rashim en embrassant la prairie du regard. C'est le bon endroit… c'est certain, oui.

Il tendit un long doigt maigre vers l'herbe ondulante.

– Juste ici… Moi. C'est là que je suis arrivé.

Sal n'en était pas franchement convaincue. Elle avait envie de lui dire : « Oui, c'est ça. Mais si vous vous trompez d'une année entière ? Hein ? On fait quoi, monsieur Je-sais-tout ? » Mais elle n'en fit rien. Ça n'aurait pas servi à grand-chose. L'ambiance était déjà bien assez morose. Les deux autres, surtout Liam, semblaient préoccupés et d'un calme inhabituel. En temps normal, on pouvait compter sur lui pour insuffler une bonne dose d'optimisme complètement irréaliste. Ou, au moins, pour dire un truc idiot qui faisait rire.

– Et si j'allais encore chercher un peu d'eau ? proposa-t-elle.

Personne ne lui répondit.

– Liam, tu as soif ?

Il semblait à des années-lumière.

– Maddy ?

Elle émergea comme si elle se réveillait d'un profond coma.

– Hein, quoi ?

– De l'eau, ça te dit ?

– Euh… ouais. OK, oui, bonne idée, fit-elle avec un sourire. Fais attention, d'acc' ? Ne reste pas à découvert. Les éclaireurs sont quelque part par là.

Ils en avaient vu quelques-uns la veille, par groupes de deux. Ils sillonnaient les routes et les sentiers, au loin, très probablement à leur recherche.

Sal ramassa le pot de terre fêlé, se leva et entreprit de descendre au bas de la colline, à travers les arbres, pour rejoindre le ruisseau. Elle décida qu'elle tremperait un peu ses pieds dans l'eau froide et, comme il y avait plusieurs figuiers là-bas, qu'elle ramasserait quelques fruits et les rapporterait pour le déjeuner. Ça remonterait peut-être un peu le moral de leur triste troupe.

– Je me dépêche, dit-elle, même si personne ne l'écoutait.

Sal baissa la tête pour passer sous les branches basses, puis elle se fraya lentement un passage entre les bosses que faisaient les racines des arbres, affleurant le dur sol d'argile, tels des serpents de mer.

– Attends-moi, Saleena ! fit une voix grave.

Elle se retourna et vit Bob qui s'accroupissait sous les branches pour la rejoindre.

– Maddy m'a demandé de veiller sur toi, dit-il en la dépassant.

– Tiens, je croyais que j'étais invisible ?

Il lui jeta un regard déconcerté.

– Non. Je te vois très bien.

Elle se rapprocha de lui, en enjambant une racine noueuse.

– Bob, je peux te poser une question ?

– Bien sûr.

– J'ai peur de ces choses… ces autres clones. Pourquoi ils ont essayé de nous tuer ?

– Je ne dispose pas d'informations sur leur mission, Sal.

– Mais tu en as vu un, non ? Il te ressemblait comme deux gouttes d'eau. Est-ce qu'ils viennent du même endroit que toi ? Ils sont comme des frères et sœurs, pour toi, un truc comme ça ?

Bob avança d'un pas et écarta les branches d'un arbuste touffu pour lui permettre de passer. Elle intercepta l'éclat brillant du ruisseau un peu plus bas, un filet d'argent qui serpentait au milieu de rochers de silex et de grès érodés.

– Le clone que j'ai vu m'a semblé presque identique à moi. Il provient très probablement du même lot de fœtus. Je n'ai pu voir son identifiant d'IA que très brièvement. Son logiciel n'était doté que d'une itération plus récente que la mienne. Date de mise en service : 2057.

– Attends…

Elle descendit les derniers mètres en courant jusqu'à une berge escarpée et s'arrêta contre un des rochers, d'une chaleur fulgurante au toucher.

– Attends, répéta-t-elle. À t'entendre, on dirait que ce sont les mêmes personnes… que c'est la même *entreprise* qui t'a fabriqué.

Bob la rejoignit à toute vitesse, rétablissant maladroitement son équilibre.

– Correct. Le clone que j'ai rencontré a également été fabriqué par WG Systems.

– Et WG Systems, c'est quoi ? Un marchand d'armes ?

Bob s'installa sur les pierres brûlantes près du ruisseau.

– Je peux remplir ta cruche, si tu veux.

– Merci, dit-elle en le lui tendant.

– C'est l'un des organismes les plus prospères de l'époque de ma mise en service. Je dispose seulement d'informations économiques générales à leur sujet.

– Ça fera l'affaire.

– L'entreprise a été fondée en 2048 par Roald Waldstein. La même année…

– Tu veux dire l'inventeur du voyage dans le temps ?

– Correct. La même année, il a déposé un certain nombre de brevets technologiques. En moins de six ans, il est devenu le troisième homme le plus riche de la planète.

– Et c'est bien lui qui a mis en place les Time Riders ?

– Cela ne fait pas partie des informations dont je dispose. Cependant, j'ai entendu Maddy faire cette supposition.

– Elle a raison, tu crois ?

– C'est possible. Waldstein a mené une campagne contre les voyages dans le temps. Il a également accès aux ressources et aux technologies nécessaires pour organiser cette agence.

– Mais d'après toi, ce sont des clones fabriqués par Waldstein qui ont essayé de nous tuer ?

– Affirmatif.

Elle s'installa à côté de lui, laissant ses pieds tremper dans l'eau.

– Alors… Ça voudrait dire qu'il veut qu'on meure, maintenant ? Mais pourquoi ? Après tout le mal qu'il s'est donné pour nous recruter, Maddy, Liam et moi…

– Je ne dispose pas de cette information. Il est possible que ces clones aient été acquis et programmés par quelqu'un d'autre.

Oui, cela lui paraissait plus cohérent.

– Mais je croyais que notre agence était top-secret, que personne d'autre ne connaissait notre existence ?

– Peut-être avez-vous cessé d'être une agence secrète, Sal. Te souviens-tu de Locke?

– Le templier?

– Correct. Si on se fie à ce qu'il a dit, certaines personnes sont au courant de l'existence de cette agence. Quant à savoir s'ils savent avec certitu…

Elle leva les yeux sur lui. Il s'était immobilisé.

– Bob? Tu détectes…

– Des particules de tachyons, oui, répondit-il. Apparemment, Rashim avait raison. C'est bien aujourd'hui le Grand Jour.

CHAPITRE 81
54 APR. J.-C., ENVIRONS DE ROME

Maddy et Liam observaient le jeune homme, tous deux figés dans la même silencieuse consternation. Il avait de longs cheveux bruns ramenés en une queue de cheval, des lunettes de soleil, une chemise à carreaux et un jean. Maddy se retourna. Rashim le fixait aussi, tremblant, les yeux écarquillés.

– Bon sang, c'est vous ?

Il hocha la tête et palpa, d'un air absent, les contours creusés de son vieux visage.

– Mais il est si jeune, murmura Liam.

– Oui, dit Maddy, on dirait qu'il a… vingt ans et quelques ?

– Vingt-sept, précisa Rashim d'un air mélancolique. Vingt-sept ans.

Maddy n'y comprenait rien. Rashim disait que le groupe Exodus avait dépassé la balise de dix-sept ans. Que lui-même était resté coincé ici pendant *dix-sept ans*. Il n'avait que quarante-quatre ans ? Elle observa une nouvelle fois sa frêle silhouette. Son apparence n'était pas due à la vieillesse, mais aux mauvais traitements, à la malnutrition – à la famine, quasiment, et à la pure terreur d'être l'animal en cage de Caligula.

– C'est quoi, ce truc jaune ? chuchota Liam.

Elle vit une chose en forme de boîte d'environ un mètre de haut qui se dandinait au milieu des herbes hautes derrière le jeune homme tandis qu'il arpentait le terrain, des barres métalliques sous le bras.

– On dirait, commença-t-elle avant de lâcher un petit rire nerveux. Non, ça ne se peut pas…

– Quoi?

Bon sang, c'est pas possible, je rêve?

– Maddy? Tu te sens bien?

Elle secoua la tête.

– Liam, on dirait… On dirait exactement le personnage d'un dessin animé débile que je regardais sur le câble quand j'étais petite.

Le visage du vieil homme se fendit d'un sourire édenté plein de nostalgie.

– Bouba l'éponge, roucoula-t-il doucement. Mon petit Bouba l'éponge!

Ils regardèrent le jeune Rashim s'immobiliser dans le pré, saisir l'une des barres métalliques et l'enfoncer dans la terre durcie par le soleil. Il s'agenouilla avant d'être rejoint par le robot qui ressemblait à Bob l'éponge. Elle le vit lui parler, écouter la réponse articulée par sa drôle de bouche en plastique, puis tripoter quelque chose sur la barre, un écran digital ou un clavier. L'extrémité de la barre se mit à clignoter en vert, comme un feu de navigation.

Elle sentit que quelqu'un s'approchait prudemment derrière elle. Elle se retourna: Bob et Sal rampaient discrètement sous les branches basses des arbustes pour les rejoindre.

– C'est qui, ça? souffla Sal.

– C'est lui, répondit Liam en pointant du regard le vieux Rashim tout tremblant.

– Et l'autre, c'est Bob l'éponge, ajouta Maddy, qui croyait à peine ce qu'elle venait de dire.

– Alors qu'est-ce qu'on fait, Maddy? demanda Liam.

– Je dirais que l'un d'entre nous devrait aller lui parler. Mais essayons de ne pas trop le faire flipper. Il ne faudrait pas qu'il s'enfuie.

Elle passa chacun en revue: Rashim avait l'air d'un ermite sauvage complètement fou; Bob était particulièrement inti-midant, toujours éclaboussé de gouttes de sang séché; quant à Liam et Sal, ils avaient l'air d'attendre quelque chose d'elle.

– Bon, ça va, j'ai compris. C'est moi qui m'y colle.

Rashim s'accroupit devant la deuxième balise du réseau de transmission et essuya la sueur de son front avec la manche de sa chemise. Il était partagé entre le désir de finir rapidement ce qu'il avait à faire pour vite rentrer chez lui, au XXIe siècle, et l'envie de prendre le temps de respirer cet air pur, de savourer ce beau ciel bleu non entaché par la pollution. Prendre le temps de se laisser pleinement pénétrer par la sensation d'être bel et bien plongé dans l'Histoire, de se trouver sur une colline en Italie, cinquante-quatre ans seulement après la naissance du Christ !

Il était complètement seul. C'était sa décision. Moins on transférait de masse, plus la marge de sécurité était élevée. Il n'y avait que lui et son unité-assistant de laboratoire. Un saut de cinq minutes dans l'Histoire ancienne pour déployer et tester les balises du réseau de transmission. C'était tout.

Il ne cessait de jeter des coups d'œil inquiets par-dessus son épaule, s'attendant presque à voir une légion romaine entière fondre sur lui, au son tonitruant des cornus.

C'était vraiment idiot, remarqua-t-il, tous ces clichés qu'on associait aux périodes célèbres de l'Histoire.

– Redonne-moi la séquence de référence, s'il te plaît. Il faut que je vérifie si la compensation est bonne.

– Dacodac, capitaine ! répondit Bouba l'éponge avec enthousiasme. La séquence est… Vous êtes prêt ?

– Je suis prêt. Vas-y.

– Neuf. Zéro. Sept. Deux. Deux. Trois.

Rashim tapait les chiffres sur l'écran digital de la barre.

– Continue.

– Deux. Neuf. Sept…

Un silence. Il regarda son unité-assistant.

– Oui, j'attends… Continue.

– Euh… Rashim ?

– Oui ?

– Quelqu'un vient vers nous.

– Hein ?

Rashim se redressa et vit une jeune femme, au milieu des herbes, qui venait à leur rencontre. Elle portait une tunique bordeaux et avait des cheveux épais d'un blond roux. Il jura dans sa barbe. Ils avaient vérifié des centaines de fois les variations intermittentes de densité de cette colline. À l'exception du passage occasionnel d'un oiseau ou d'une chèvre, personne ne venait jamais ici. Jamais. En tout cas, jusqu'à présent.

Et zut.

Il avait appris quelques rudiments de latin – une exigence requise pour tous les candidats du Projet Exodus. Il enleva rapidement ses lunettes de soleil avant qu'elle ne soit trop près et cligna des yeux face à la lumière du jour. En revanche, il ne pouvait rien faire pour ses habits ni pour son unité-assistant jaune vif. Alors qu'elle s'approchait encore, il adressa à la jeune femme son plus charmant sourire.

– Euh… *Salve*, balbutia-t-il, persuadé de massacrer la prononciation.

Puis, avec un certain décalage, il remarqua qu'elle portait des lunettes.

– Salut, répondit-elle avec un geste décontracté de la main. Comment ça va… Dr Rashim Anwar, c'est bien ça ?

Rashim en resta littéralement bouche bée.

Elle lui tendit la main.

– Ouais, je parle anglais. Et, oui, je sais exactement qui vous êtes. Moi c'est Maddy. Ravie de vous rencontrer.

– Comment… Comment… Qui… ?

– Je sais, vous avez envie de me poser des tas de questions, dit-elle en souriant. Ne vous inquiétez pas, je sais parfaitement ce que ça fait.

Il fixait la main tendue de la jeune femme.

– Je sais tout sur le Projet Exodus, Dr Anwar. Alors je vais aller droit au but. Je travaille pour certaines personnes. On est… bon, vous n'avez sûrement jamais entendu parler de nous, mais notre mission, c'est d'empêcher ce genre de choses stupides de se produire.

Rashim finit par refermer la bouche.

– Vous… vous travaillez pour cette agence, c'est bien ça?

– *Cette* agence? demanda-t-elle en fronçant les sourcils.

– Les indépendants! C'étaient des rumeurs! Mince, j'en avais entendu parler. Je ne pense pas que j'y aie jamais cru, mais…

– Des rumeurs?

– Oui, au sujet de cette agence. On raconte que ce cinglé de milliardaire de Waldstein y est lié d'une façon ou d'une autre. Alors, c'est… c'est vrai?

Maddy haussa les épaules.

– Eh bien, je ne peux pas vraiment dire qui je…

– Bon sang, c'est vrai! C'est vrai, n'est-ce pas?

Rashim ne savait pas s'il devait lui demander un autographe ou s'enfuir à toutes jambes pour sauver sa peau. La législation internationale sur le voyage dans le temps était impitoyable. Et absolument irrévocable.

– Incroyable! Je pensais qu'on était vraiment tout seuls, vous comprenez? Qu'on était les seuls à avoir un système de transfert dans le temps viable! dit-il avec un rire nerveux. Mais comment vous avez pu…? Enfin, quand même… on a pris des milliards de dollars sur le budget de la Défense, et on a tout juste réussi à rendre le système suffisamment fiable pour risquer des transferts humains!

Elle abaissa sa main tendue.

– Écoutez, il faut vraiment qu'on vous parle. Le Projet Exodus va très mal tourner, Dr Anwar. J'ai vu moi-même les résultats.

– Quoi? Vous… vous nous avez devancés? Vous êtes arrivés ici avant nous?

Elle hocha la tête.

– Vous allez rater le repère temporel, tout va très mal se passer et vous allez tous mourir. Ce projet doit s'arrêter immédiatement, dit-elle en lui tendant à nouveau la main.

– Dr Anwar… Rashim, je ne suis pas là pour vous arrêter, vous blesser ou vous menacer, mais seulement pour faire cesser ce cauchemar. Vous voulez bien qu'on en parle cinq minutes ?

Le Dr Rashim Anwar regarda le vieillard, avec ses bras aussi minces que des bâtons qui entouraient ses genoux aux articulations déformées par l'arthrose.

Ils s'étaient tous assis à l'ombre des arbres. Il prit une gorgée de solution hyperprotéinée glacée dans sa bouteille isotherme et en offrit à Sal.

– Lui... dit-il en désignant le vieil homme. C'est *moi*?

Maddy hocha la tête.

– Le groupe Exodus a dépassé les balises.

– Mais il ne devrait pas... Les balises devraient émettre le signal de particules. Elles devraient...

– La masse, murmura le vieux Rashim. La masse. On s'est trompés dans les calculs, toi et moi. On a fait une erreur. Oui!

Le jeune homme secoua la tête avec véhémence, sa queue de cheval s'agitant derrière lui comme un fanion.

– Non, j'ai tout calculé et recalculé. J'ai lancé un tas de simulations sur la masse totale qu'on prévoit d'envoyer.

– Il y a eu des changements!

– Quels changements?

– Le Jour T a été avancé en urgence... Les candidats ont changé... Panique de dernière minute. Pagaille!

Le vieil homme continua à marmonner, mais le reste se perdit dans un gargouillis au fond de sa gorge.

– Pourquoi?

Le vieil homme monologuait dans son coin. Le jeune scientifique se pencha et saisit l'un de ses maigres poignets.

– Dis-moi! Pourquoi Exodus a-t-il été avancé précipitamment? Qu'est-ce qui s'est passé?

Les chicots qui émergeaient de la bouche du vieil homme quand il souriait étaient particulièrement répugnants.

– La fin... jeune moi-même!

Maddy le dévisagea.

– Vous avez dit: «la fin»?

Il eut un petit rire sec et triste.

– On a fini par y arriver... par s'anéantir.

– Quoi?

– Tuer la planète avec des tonnes de poison... et finalement, nous tuer nous-mêmes. Une fin nette et sans bavure, hmm?

– Comment? Avec des bombes? tenta Maddy. C'est ça, quand vous dites «la fin»? C'est ça qui se passe? Une guerre nucléaire?

Rashim commença à se balancer doucement tandis qu'il parlait.

– Oh non! Des bombes, certains auraient pu y survivre. Mais à ça? Non... Non, non, non. Personne n'y survit!

– Et c'est quoi?

– Eux eux aiment! Eux eux aiment! Eux eux aiment! répondit le vieux Rashim avec un immense sourire.

– Qui ça «eux»? Et ils aiment quoi? demanda Sal.

– Il veut dire un EEM, expliqua Rashim, un épisode d'extinction massive. Comme l'astéroïde de l'extinction K-T qui a balayé les dinosaures. Au fond, ça ne m'étonnerait pas tellement, vu l'état du monde. C'est...

– Pas un astéroïde, dit le vieux Rashim en gloussant. C'est Dieu! Dieu qui nous a punis en envoyant un fléau! Oui!

– Vous voulez dire un virus?

– C'est ça, un fléau, répondit-il.

Maddy but une gorgée dans la bouteille thermos et la rendit au jeune Rashim.

– Il faut que vous sachiez que le Projet Exodus va provoquer une onde temporelle qui va complètement réécrire l'Histoire, que New York n'existe plus, qu'il n'y a plus d'États-Unis d'Amérique en 2001, et tout ça grâce à vous.

– Partout, c'est la jungle, dit Sal. Rien d'autre.

– Mince alors ! Mais la contamination temporelle est exactement notre objectif, figurez-vous ! Le futur est une impasse pour nous. Vous ne comprenez pas ? Il n'y a plus d'issue pour l'humanité. Elle ne peut que retourner en arrière ! Le but d'Exodus est d'exporter le pouvoir exécutif des États-Unis à l'époque romaine. Nous avons des armes, des médicaments, des bases de données technologiques, des experts dans absolument tous les domaines ! Des soldats…

– Eh bien, quoi que vous ayez prévu de faire… ça s'avère être une catastrophe.

Elle fit un signe de tête en direction du vieil homme qui s'était remis à divaguer.

– Cette épave là-bas est le seul survivant du Projet Exodus. C'est vous, Dr Anwar ! Vous voulez finir comme ça ?

– Dans ce cas, je vais rentrer et proposer qu'on réduise la masse de transfert. On peut en emporter moins et réduire ainsi la marge d'erreur possible !

– Vous n'allez pas rentrer, dit Maddy.

– Quoi ?

– Je ne peux pas vous laisser repartir. Il faut que vos collègues pensent que votre technique de déploiement a échoué et que votre méthode de transfert n'est pas assez fiable pour poursuivre le projet.

Rashim avala nerveusement sa salive.

– S'il vous plaît, il faut que je rentre.

– Désolée, répondit-elle, mais c'est comme ça.

Elle aperçut Bob et Liam qui examinaient l'écran d'affichage de l'une des barres de balisage, sous le regard inquiet de Bouba l'éponge qui semblait craindre qu'ils ne s'en servent de batte de baseball.

– On va utiliser vos balises pour essayer de rentrer dans notre époque, en 2001… et j'ai bien peur que vous soyez obligé de nous accompagner.

Bob termina d'entrer les données sur le petit écran digital, et une lumière verte clignota au bout d'une des barres.

– En ce moment même, nous sommes en train d'envoyer un faisceau de particules qui pourra être détecté par notre réseau de transmission.

– Vous ne devez pas toucher à ça, ce n'est pas à vous ! protesta Bouba l'éponge en grimaçant d'indignation. Très méchant !

– Tu crois que ça va marcher ? demanda Liam.

– Si le matériel de la Base fonctionne encore, dit Bob, et s'il reste assez de courant pour ouvrir une fenêtre temporelle, il n'y a aucune raison que cela ne marche pas.

– Le capitaine va être très fâché contre vous, claironna l'unité-assistant.

Liam adressa un sourire las à Bob.

– Qu'est-ce qu'on ferait sans toi ?

Bob rata complètement l'aspect rhétorique et affectueux de la question.

– Vous feriez pousser une autre unité ?

CHAPITRE 83
54 APR. J.-C., ENVIRONS DE ROME

– Je… je ne vais pas là-bas, moi. Je ne pars pas avec vous !

Maddy regarda le vieil homme. Elle s'était attendue à lutter avec le jeune Rashim pour qu'il entre dans le portail, mais pas avec le vieux.

– Mais pourquoi ? l'interrogea-t-elle.

– Je veux… je veux mourir ici. Ici… cet endroit. Cette colline. Beaucoup d'espace…

Il ferma les yeux, huma l'air, tandis qu'une brise légère faisait bruisser les hautes herbes et les feuillages à l'unisson.

– *Shadd-yah !* Vous n'êtes pas obligé de mourir tout de suite, dit Sal. On pourra vous aider quand on sera rentrés. On va vous donner de la bonne nourriture, vous faire examiner par des médecins, tout ça. Tout ira bien, vous verrez.

– Déjà mort, dit-il d'une voix éraillée.

Il tourna les yeux vers la version jeune de lui-même.

– Ne deviens pas *ça*… dit-il en touchant sa joue avec un doigt crochu, avant de fermer les yeux en souriant. Je t'ai trouvé. Ces gens doivent t'arrêter dans ta lancée… nous arrêter.

– Il n'y en a pas un qui comprend ce que j'essaie de dire, alors ? dit le jeune Rashim. Le monde est fini, pour ainsi dire, à mon époque. On a tout empoisonné. Le monde n'est plus qu'une fosse à ordures. Et ce qui n'est pas inondé est une… une décharge, je vous dis ! Il n'y a plus aucun espoir pour nous !

– Quel que soit le gâchis qu'on a fait de cette planète, on ne peut pas jouer comme ça avec le temps, dit Maddy. On va tous, je dis bien *tous* rentrer et laisser l'Histoire telle qu'elle doit être.

– Non! protesta le vieux Rashim en ouvrant de grands yeux et en désignant d'un signe de tête la balise stroboscopique que tenait Bob dans son poing. Dieu… Il est là-dedans. Là-bas, dedans… C'est le *chaos*!

Le jeune Rashim secoua la tête en affichant une expression de léger dégoût à l'adresse du vieil homme qui radotait.

– Je n'arrive pas à croire que ce vieux fou, c'est moi.

– … s'il nous trouve… moi et Monsieur Muzo, bredouilla-t-il, s'il nous trouve là-dedans, il nous enverra droit en enfer pour ce qu'on a fait. Droit en enfer! En enfer!

– Et pourquoi on ne le laisserait pas ici? suggéra Liam.

– Quoi? fit Maddy, en se retournant d'un coup.

Liam regarda le vieil homme avec pitié.

– Pourquoi on ne le laisse pas? Regardez-le. Le pauvre, il est complètement terrifié.

– On ne peut pas l'abandonner ici, quand même! Il va mourir de faim ou…

– Il ne survivra pas, Maddy. Il ne supportera pas le voyage. Non mais, regardez-le.

Maddy observa Rashim et se dit que Liam avait probablement raison. Un courant d'air aurait pu le tuer, alors un bombardement de tachyons qui éclatent les cellules…

– Bon, d'accord.

Elle s'agenouilla près du vieil homme et posa la main sur son bras. Il cessa ses divagations.

– C'est vraiment ce que vous voulez, Rashim?

Il la regarda sans répondre, les yeux révulsés, humides et fous. Elle se demanda s'il la voyait vraiment.

– Rashim? Vous m'entendez? Vous voulez rester ici?

– Oui.

– Vous allez rester seul? Nous devons tous partir.

Il hocha la tête en souriant.

– Monsieur Muzo est avec moi.

Maddy hésitait. Ça ne lui semblait pas bien de l'abandonner

ici. Son esprit était en bouillie. Elle n'était même pas certaine qu'il savait où il se trouvait, ni même s'il se rappelait qui il était.

Et pourtant, il semblait y avoir une certaine détermination dans ses yeux. Il sourit.

– Vous partez. Moi, je veux ça…

– Quoi? Qu'est-ce que vous voulez?

Il déploya les bras.

– *Ça*. Laissez-moi avoir tout ça.

Elle regarda le sommet de la colline autour d'elle. Les herbes sèches bruissant doucement, le ciel d'un bleu immaculé. À l'horizon, les montagnes aux sommets couverts de lavande. Et la paix.

La paix et un espace presque infini.

Maddy comprit. Elle comprit parfaitement.

– D'accord, murmura-t-elle en lui pressant doucement le bras. D'accord… Savourez ça, Rashim. Savourez-en chaque instant.

Il la regarda avec un éclair de lucidité.

– Merci.

Elle se leva et fit signe aux autres de la suivre, laissant le vieil homme accroupi au milieu des herbes hautes, la tête penchée, écoutant le doux murmure du vent.

– Remplis le pot pour lui. Laissons-lui au moins un peu d'eau.

– Il ne vient pas? demanda Sal.

– Non.

– Toujours rien?

Le technicien secoua la tête d'un air solennel.

Le Dr Yatsushita inspecta les mesures de densité sur l'écran holographique. La courbe se réduisait à une ligne. L'équivalent en densité d'un bruit blanc. Une simple soupe interdimensionnelle. Il retira ses lunettes et frotta ses yeux fatigués. Il était l'heure du retour, plus trois heures. Même avec une seule minute de trop, ce qu'on pouvait en déduire était tout à fait évident. Tout comme être «légèrement enceinte» ne pouvait en aucun cas exister, on ne pouvait avoir «presque réussi» en matière de transfert temporel.

On les a perdus. Le Dr Anwar et sa ridicule unité de laboratoire personnalisée.

Il s'assit de nouveau. Les autres techniciens dans leur box de travail de surveillance surélevé s'assirent également pour jeter un coup d'œil à leur chef de projet, se demandant comment interpréter son langage corporel. Leurs têtes dépassaient des cloisons. On aurait dit une bande de lémuriens.

Yatsushita serra les poings. Il venait de perdre l'esprit le plus brillant de son équipe. Et dans un espace limité comme celui-ci... où aller pour recruter un remplaçant?

– Dr Yatsushita?

Il releva la tête. L'un des groupes de déploiement des balises se tenait devant lui.

– Nous, euh.. nous avons capté un léger signal. L'une des

balises a émis un signal strident pendant environ une minute, mais c'est tout ce qu'on sait.

– Et plus rien, maintenant ?

– Non, c'est comme si elle s'était éteinte.

– Elle a peut-être eu un dysfonctionnement ?

L'homme haussa les épaules. C'était en effet l'hypothèse la plus probable. Le transfert du Dr Anwar, avec sa brassée de balises et son stupide robot jaune, s'était sûrement terminé par leur fusion avec une couche rocheuse au milieu d'une chaîne de montagnes, à moins qu'ils ne se soient tout simplement perdus dans cet horrible bouillon subatomique qui réduisait les calculs des meilleurs physiciens du monde à une pioche hasardeuse.

Leur système était encore trop peu fiable pour le transfert humain. Apparemment, le Dr Anwar s'était montré trop confiant en ses propres calculs. Oui, leur système permettait d'expédier une pomme cinquante minutes, cinquante heures… cinquante jours, voire même cinquante années en arrière. Mais une fois sur deux ou sur trois, ils la perdaient. Ou alors, ils en ramenaient de la compote.

– Très bien, éteignez tout, soupira-t-il.

Ils brûlaient des gigawatts de courant qu'on ne pouvait gaspiller indéfiniment. Pas en ces temps pauvres en ressources en tout cas.

– Éteignez tout ! ordonna-t-il, d'une voix plus forte.

L'équipe technique de déploiement s'exécuta sans plus tarder.

Les minutes suivantes, le bourdonnement assourdissant du courant traversant l'immense cage de Faraday s'évanouit. On n'en entendit plus qu'un dernier écho.

La perte de Rashim allait les renvoyer des mois en arrière, pour ne pas dire des années. S'ils ne pouvaient même pas expédier là-bas un seul candidat humain sans le perdre, ils étaient certainement loin d'être prêts à en envoyer trois cents.

– Lançons les diagnostics ! cria-t-il.

Le système dans son ensemble avait été chargé pour un total

de trois heures et vingt-neuf minutes – quand le Dr Anwar était entré plein de confiance dans la grille de transfert et qu'il avait disparu. Ils avaient d'innombrables téraoctets de diagnostics à extraire. Avec un peu de chance, ils pouvaient localiser là-dedans une seule variable isolée qui aurait été mal calculée. Mais il en doutait.

Les voyages dans le temps tenaient terriblement du hasard.

Ils relevaient plus de la magie que de la science.

CHAPITRE 85
2001, NEW YORK

L'arche était vide. La webcam d'un ordinateur, au milieu d'un bureau en désordre, fouilla l'obscurité tranquille. Il n'y avait aucun signe de mouvement. Aucune trace de qui que ce soit : ni de l'équipe, ni des intrus non autorisés. Leur cas était réglé. Pour l'instant.

Bob-l'ordinateur était seul et il allait devoir attendre.

Le rideau métallique était déchiqueté. Des lamelles tordues d'aluminium ondulé pendaient d'un côté et de l'autre jusqu'à terre, et la pâle lumière du jour, qu'une voûte de verdure teintait de vert, se déversait dans l'arche.

Bob-l'ordinateur calcula que le groupe électrogène permettrait de faire fonctionner le PC pendant encore soixante-dix-sept heures. Et beaucoup plus s'il éteignait les tubes d'incubation de la salle du fond, ce qui tuerait radicalement Becks et les autres fœtus maintenus en vie.

Mais il ne pouvait faire une telle chose. Ou il ne le voulait pas. Pas encore, du moins.

Aucune source de données à examiner ou à explorer dans cette seule et unique vue : un bureau en désordre, une canette de Dr Pepper à moitié vide, des emballages de bonbons.

Si l'écran ne s'était pas trouvé en mode veille, on aurait remarqué un curseur qui clignotait dans une boîte de dialogue.

> Information : Maddy est désordonnée.

Comme s'il ne le savait pas déjà.

Son IA, inoccupée, décida de considérer des sujets plus importants. Qui étaient ces intrus ? Qui les avait envoyés ?

> Information : les intrus étaient dotés d'identifiants de WG Systems et d'un logiciel d'IA.

> Information : les intrus disposaient d'ordres de missions autorisés par l'utilisateur R. G. Waldstein.

Deux choses survinrent presque en même temps, à ce moment précis.

Tout d'abord, Bob-l'ordinateur capta un signal de tachyons clair et distinct. Le repère temporel était détaillé et le message était parfaitement direct, pour une fois : « Ouvre immédiatement un portail à ce repère temporel. » Il se mit sur-le-champ à fournir la machine de déplacement spatiotemporel en électricité. Cela prendrait approximativement deux minutes pour la recharger, et serait suffisant pour que le voyant de l'écran passe de l'orange au vert. Une marge de sécurité, suffisante également, pour garantir un champ magnétique équilibré pour le portail.

La deuxième chose fut l'arrivée d'une brise fraîche qui agita le bois, dehors, remua les branches d'un cèdre juste devant l'entrée, au beau milieu de ce qui était habituellement une ruelle jonchée de détritus.

Le bourdonnement de la machine de déplacement spatiotemporel rivalisait avec le bruissement des feuilles qui s'agitaient de plus en plus, au fur et à mesure que la brise augmentait et se transformait en tempête.

Bob-l'ordinateur reconnut ce vent : c'était un courant d'air poussé par un soudain changement de réalité, l'émergence de possibilités luttant entre elles tandis que le mur de la réalité s'approchait.

La rafale remua des ordures à l'intérieur de l'arche et des tasses en carton. Des emballages de hamburgers jouèrent à se poursuivre sur la table du petit déjeuner tandis que les rideaux suspendus à côté des couchettes depuis une tringle improvisée s'agitèrent comme des enfants qui s'ennuient, pendus à la main de leurs parents. Pendant ce temps, le bourdonnement montait

dans les aigus à mesure qu'il pompait l'énergie du groupe électrogène ; on aurait dit qu'un jeune coq annonçait l'aube pour
tenter désespérément de prévenir l'arche vide que ce serait
bientôt terminé.

Une fois de plus, le curseur clignota dans sa boîte de dialogue.

> **Prêt à transmettre le champ de déplacement.**

> **Activation de la bulle de la base opérationnelle.**

Bob-l'ordinateur ne ressentait aucune émotion. Il avait des
dossiers. Ils s'étaient montrés utiles quand il vivait dans un processeur sous la forme d'un morceau de silicium, à l'intérieur
d'un corps humain génétiquement fabriqué ; ils servaient alors
à stimuler les mouvements de ses muscles... pour un sourire,
par exemple. Cela lui manquait, la possibilité d'utiliser ces dossiers d'une manière signifiante. Mais, finalement, il décida qu'il
pouvait le faire. Même si ce n'était pas exactement la même
chose, ce n'était pas si mal. Le signal de tachyons lui parut être
une bonne nouvelle. Apparemment, son équipe, ou au moins
une partie de ses membres, était encore en vie. C'était une
cause de célébration.

Le curseur se précipita en avant, quoique brièvement, pour
former trois caractères ASCII :

> **8-)**

CHAPITRE 86
2001, NEW YORK

Des rafales de vent s'engouffrèrent dans l'arche. Une sphère d'énergie vibrante apparut en clignotant et illumina l'obscurité d'un ciel italien étincelant et d'un champ de la couleur ocre d'une terre cuite par le soleil.

De sombres silhouettes voilèrent l'image ondoyante, et un instant plus tard, l'une d'elles, de loin la plus imposante, entra dans l'arche. Bob s'accroupit, jambes écartées, et brandit son glaive, prêt à s'en servir. Ses yeux balayèrent à toute vitesse les recoins sombres de l'arche. Il se baissa pour regarder sous les couchettes. Il traversa l'arche et fit coulisser la porte de la salle du fond. Le halètement du groupe électrogène se fit entendre comme il en vérifiait l'intérieur. Il retourna dans la pièce principale. Dehors rugissait maintenant un véritable ouragan.

Face au globe chatoyant, il fit signe aux autres silhouettes de le rejoindre.

– La voie est libre! tonna-t-il pour couvrir le sifflement assourdissant du vent et le mugissement des arbres.

Ils entrèrent un par un : Liam, Sal, le Dr Rashim Anwar avec son unité-assistant, et finalement Maddy.

Elle surgit dans l'arche en pestant, car elle faillit se cogner à Bouba l'éponge.

– Bon sang! Mais dégage!

– Par-dooon! cria l'assistant de sa voix flûtée, avant de s'éloigner d'elle en se dandinant.

– Ferme le portail! cria-t-elle par-dessus le hurlement du vent.

Le portail disparut aussitôt derrière elle.

– Mais qu'est-ce qui se passe, ici? cria à son tour Rashim. C'est une tempête?

– Une onde temporelle! hurla-t-elle en retour.

– Une quoi?

– Une onde temporelle!

Liam se précipita pour fermer le rideau métallique et s'arrêta net quand il s'aperçut qu'il était en lambeaux.

– Qu'est-ce qui est arrivé au rideau?

Ses mots se perdirent dans le tumulte du vent.

Dehors, il faisait complètement noir. Le tronc d'arbre, à un mètre de l'endroit où le sol de béton s'était transformé en terre et en flore, s'était liquéfié. Ce n'était plus qu'un filament mousseux, comme du sucre dans une centrifugeuse à barbe à papa. Au cœur de l'obscurité profonde brillait un maelström tourbillonnant de choses qui apparaissaient furtivement: un autre arbre, une formation rocheuse... un tipi... une cabane en bois... un monolithe de l'île de Pâques.

Puis, tout à coup, ce fut un mur de briques recouvert de graffitis, bordé d'immondices.

Le mugissement décrut très vite, s'estompa et devint quelque chose de complètement différent: un train de banlieue qui grondait sur les vieux rails du pont Williamsburg, au-dessus de leur tête; le bruit des voitures prises dans les embouteillages, pare-chocs contre pare-chocs, provenant du croisement au bout de leur ruelle, le hurlement lointain des sirènes de police; le léger battement du rotor d'un hélicoptère qui descendait sur l'East River. Et quelqu'un, quelque part, dans les parages, qui faisait retentir la sono de son véhicule.

C'était bruyant... mais tellement moins qu'une minute auparavant.

– On est de retour! s'écria Sal en courant vers l'entrée et la ruelle. On est de retour! On a réussi!

– Oui, on est de retour, fit Liam, un peu morne, tout à coup.

Maddy les rejoignit sur le seuil défoncé. Elle contempla le mur de briques, les déchets empilés tout contre. Elle écouta les bruits de Brooklyn, les bruits de tous ces gens qui vivaient dans une bienheureuse ignorance. Des millions de vies normales… chacun se satisfaisant de ses petites décisions, de ses petits dilemmes, la succession quotidienne des intrigues au bureau, et des querelles familiales, chaque soir.

– Qu'est-ce qu'on fait, maintenant? demanda Liam.

Tous la regardaient: Sal, une vraie petite sœur, qui était perdue si Maddy ne lui montrait pas le chemin; Liam – *bon sang, pauvre Liam* – qui faisait bonne figure, mais elle savait qu'il était très affecté par ce qu'il avait appris sur lui-même, et Bob, utile, serviable, loyal comme un labrador, mais – il ne fallait pas se voiler la face – rien de plus qu'une base de données sur pattes – des pattes musclées, cela dit.

Et maintenant ce Dr Anwar et son stupide Bouba l'éponge, qui pour le moment ressemblaient à deux brebis égarées.

Et je suis leur mère à tous. Je dois me payer le fameux: «*Qu'est-ce qu'on fait?*»

Ce qui était amusant, c'est que pour la première fois depuis longtemps, elle savait parfaitement ce qu'ils devaient faire, maintenant.

– On doit partir d'ici, annonça-t-elle.

– Hein?

– Il y a quelque part quelqu'un qui sait exactement *où* on est, *quand* on est… et *qui* on est. Et il souhaite notre mort à tous. On doit emporter tout ce qu'on peut, tout ce qui nous semblera utile, et on doit ficher le camp d'ici.

Liam haussa les sourcils.

– Quitter cette arche?

– Oui.

– Tu veux dire… genre maintenant?

– Je veux dire genre tout de suite.

L'HISTOIRE TELLE QUE NOUS LA CONNAISSONS

37 apr. J.-C.
Caligula accède au pouvoir et devient empereur

41 apr. J.-C.
Caligula est assassiné. Claude lui succède

54 apr. J.-C.
L'empereur Claude atteint la fin de son règne

2001
New York est telle que nous la connaissons – animée, bruyante, haute en couleur

L'HISTOIRE ALTÉRÉE

37 apr. J.-C.
Le Projet Exodus – 300 candidats de 2070 – fait irruption durant le règne de Caligula, dix-sept ans plus tôt que prévu ! Ils imaginent un stratagème pour influencer l'empereur

54 apr. J.-C.
Rome est le théâtre de troubles – Caligula est toujours au pouvoir. Il a emprisonné le Dr Anwar, dernier survivant d'Exodus et seul homme capable d'empêcher le Projet Exodus d'avoir lieu

2001
New York n'existe plus !

NOTE DE L'AUTEUR

Caton et Macron sont deux personnages dont j'avais depuis longtemps envie de faire croiser la route avec celle des Time Riders. En fait, ils ont leur propre série (*Roman Legion* de Simon Scarrow, non traduite en français à ce jour) dans laquelle on les voit, bien plus jeunes, au service des légions de Rome. Si vous avez apprécié leur compagnie dans ce roman, je vous recommande de tout cœur de lire cette série, en commençant par le premier tome, *Under the Eagles*. Encore un grand merci à mon frère, Simon, pour m'avoir autorisé à les faire figurer ici. Comme toujours, ce fut un immense plaisir de passer du temps en leur compagnie.

ALEX SCARROW

Alex Scarrow était graphiste quand il a décidé de devenir concepteur de jeux vidéo. Puis, il a grandi et il est devenu écrivain. Il a ainsi écrit plusieurs thrillers à succès, et des scénarios. *Time Riders* est sa première série de romans pour jeunes adultes. Pour son plus grand plaisir, il y explore les idées et les concepts sur lesquels il travaillait déjà dans l'univers des jeux.

Il vit à Norwich, en Angleterre, avec son fils Jacob, sa femme Frances et Max, son jack russell.

TIME R

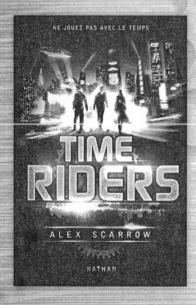

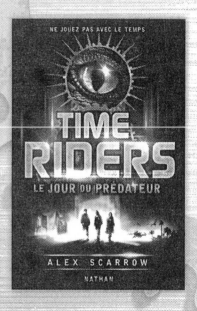

TOME 1

TOME 2

L'enjeu de la première mission des Time Riders est crucial puisqu'il concerne l'issue de la Seconde Guerre mondiale.

Et si les dinosaures ne s'étaient jamais éteints ? Les Time Riders vont devoir explorer leur terrain de chasse, 65 millions d'années en arrière...

RIDERS

LEURS AVENTURES !

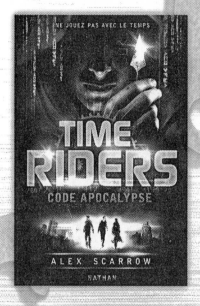

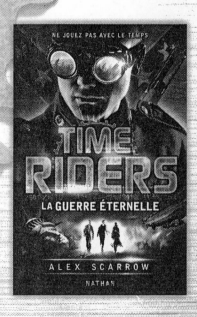

TOME 3

La découverte d'un manuscrit codé va plonger les Time Riders dans une époque troublée, celle du règne de Richard Cœur de Lion. Parviendront-ils à sauver le Royaume d'Angleterre ?

TOME 4

Abraham Lincoln a subitement disparu ! Pas une minute à perdre car sans lui, la Guerre de Sécession ne peut pas prendre fin...

PROCHAINE MISSION :

LIEU >> LONDRES

ÉPOQUE >> XIXE SIÈCLE

OCT. 2013

ENVIE DE PARTAGER
VOS AVIS SUR VOS LECTURES PRÉFÉRÉES?
ENVIE DE GAGNER DES ROMANS EN EXCLUSIVITÉ?
REJOIGNEZ-NOUS SUR

www.lireenlive.com

ET SUIVEZ EN DIRECT L'ACTUALITÉ
DES ROMANS NATHAN

Cet ouvrage a été imprimé en France par

à Saint-Amand-Montrond (Cher)
en avril 2013

N° d'édition : 10188673 – N° d'impression : 2002055
Dépôt légal : mai 2013